Straeon o'r Strade

Alun Wyn Bevan

GOMER

Diolch yn fawr

- i bawb a gynrychiolodd Glwb Rygbi Llanelli rhwng 1885 a 2004;

- i'r teulu am eu hamynedd yn ystod y chwe mis diwethaf;

- i Wasg Gomer am y gwahoddiad i lunio'r gyfrol, ac i'r golygydd, Bryan James, am gymoni, cywiro a chynnig llu o awgrymiadau;

- i Simon Goss am ddylunio'r clawr ac am lu o gymwynasau;

- i'r diweddar Jennie Eirian Davies, y wraig drws nesaf ym Mrynaman yn y pumdegau. Pan oedd yn olygydd *Y Faner* ym 1979 gofynnodd i mi 'sgrifennu erthygl. Ond yn bwysicach na hynny, yn nyddiau plentyndod, bûm yn llygad-dyst i'w hegni, ei brwdfrydedd a'i gallu;

- i lu o gyfeillion am eu cymorth a'u cefnogaeth.

- i Huw evans, Les Williams, David Jones, Clifford Bowen Samuel, Rob Lewis, Ray Williams, Brian Davies, Geraint a Gareth Price, Hefin Jenkins, John Harris, Janet Evans, Lisa Alvarez-Kairelis, Gareth Charles, Harry Howells, Wenna Davies, Clive John, Neil McIlroy, Adrian Howells, Jacqui Price, Claire Price ac Alan T. Richards am eu cymorth parod.

Cydnabyddiaeth lluniau

Huw Evans Picture Agency: 87, 89, 116, 121, 123, 128, 132, 137, 148, 150, 151, 153, 154, 156, 161, 167, 170, 175, 182, 183, 184, 185, 188, 198. Les Williams: 31, 61, 79, 102, 106, 126, 129, 139, 141, 147, 149, 152, 167, 185, 196. John Harris: 93, 94, 114. Robert Evans: 35, 37. Inpho Photography (Dublin): 162. David Jones: 143. Clifford Bowen Samuel:135. Alan T. Richards: 131. Illustrated London News Picture Library: 108. Jim Grittings: 158.

Er gwaethaf pob ymdrech ni fu'n bosibl dod o hyd i berchennog hawlfraint pob un o luniau'r gyfrol hon. Byddai Gwasg Gomer yn falch o dderbyn unrhyw wybodaeth am luniau na fu'n bosibl cydnabod eu ffynhonnell hyd yn hyn.

Argraffiad cyntaf – 2004

ISBN 1 84323 414 9

Dymuna'r cyhoeddwyr gydnabod cymorth Cyngor Llyfrau Cymru.

Argraffwyd yng Nghymru gan Wasg Gomer, Llandysul, Ceredigion

Cynnwys

Cynnwys (parhad)

Cyflwyniad

Mae Sgarlets Llanelli wedi cael eu galw yn Manchester United y byd rygbi. Ond tra bod Old Trafford yn cael ei adnabod fel *The Theatre of Dreams* y byd pêl-droed, i fi a'r rhan fwya o gryts ifenc Cwm Gwendraeth 'nôl yn y saithdegau, a sawl cenhedlaeth arall, doedd ond un Theatr Breuddwydion – Parc y Strade.

Fy atgofion cynta i o'r lle yw cael fy 'smyglo' mewn dan got Les Isaac, Pendderw, oedd â thocyn tymor yn rhes flaen yr eisteddle. Ro'n i wrth fy modd yn mynd i weld gêmau'r hen *Floodlit Alliance* neu ymweliad timau estron fel yr Harlequins, Coventry neu Gaerfaddon, i frwydro am y ddoli glwt oedd yn cael ei hongian o'r trawst. Felly fe allwch chi ddychmygu'r wefr deimles i o gael y cyfle i chwarae i dîm dan 11 Mynydd Mawr yn erbyn tîm dan 11 Llanelli ar Barc y Strade! Roedd cael defnyddio'r un stafell newid, a rhedeg mas o'r un twnnel â'r cewri oedd yn arwyr i fi ar y pryd, yn ddim llai na gwireddu breuddwyd. Am un eiliad, fi oedd Delme Thomas, Derek Quinnell a Phil Bennett, a doedd neb na dim yn mynd i fynd â'r foment honno oddi wrtha i byth.

Roedd ymweliad y timau teithiol â Pharc y Strade yn gymaint o achlysur nes bod hanner diwrnod o wyliau'n cael ei roi yn Ysgol y Gwendraeth. Roedd hi'n braf cael caniatâd swyddogol i fod yn rhan o chwedloniaeth digwyddiadau fel curo Seland Newydd yn '72, neu'r gêm gyfartal fythgofiadwy, 28-28, yn erbyn Awstralia yn '78. Digon gwir oedd geiriau Max Boyce, gyda'r Sgarlets yn eu hanterth, *All roads led to Stradey Park,* ac rwy'n ymfalchïo yn y ffaith y galla i ddweud, fel y gwnaeth Max, *'I was there!'*

Cymaint oedd dylanwad sêr y Strade fel y byddwn i, bob cyfle posib, yn dal y bws o Bonthenri i Lanelli er mwyn bod ynghanol y cefnogwyr croch ar y Tanner Bank. Ac os oedd hynny'n golygu mynd ar fy mhen fy hun, wel boed hynny fel y bo. Llawn mor bwysig â gweld y rygbi oedd mwynhau'r holl gellwair a'r sylwadau oedd yn codi o'r banc poblogaidd. Nid bod cefnogwyr Llanelli'n cael eu gwerthfawrogi ymhobman. Cwestiwn rwy'n ei glywed yn aml yw 'Beth 'ych chi'n galw cefnogwr Llanelli â dau lygad?' a'r ateb, wrth gwrs, yw 'Efeilliaid!' Ond rwy'n credu 'mod i wedi treulio digon o amser ar y Strade i gael maddeuant am godi'r hen grachen honno eto! Ac mae 'mhrofiad i wrth ymweld â gwahanol feysydd rygbi yng Nghymru, ac ar draws y byd, wedi profi nad Llanelli yw'r unig enw, o bell ffordd, allai gael ei roi yn y cwestiwn arbennig hwnnw.

Os gwireddu breuddwyd i fachgen ifanc oedd troedio tir cysegredig y Strade, wel, yn sicr, gwireddu breuddwyd i ddyn yn ei oed a'i amser oedd treulio oriau lu yng nghwmni nifer o'r chwaraewyr hynny ro'n i'n eu hystyried yn arwyr pan o'n i'n grwt. Yn ystod ugain mlynedd o weithio i'r BBC, ar deledu a radio, mae wedi bod yn bleser, nid yn unig cydweithio ond bod yng nghwmni pobl fel Phil Bennett, JJ Williams, Ray Gravell ac, yn fwy diweddar, Ieuan Evans, Jonathan Davies a Gwyn Jones, i enwi ond rhai. Ar benwythnosau mewn gwahanol fannau yn Ewrop, neu gyfnodau hirach ar deithiau tramor ben draw'r byd, adloniant pur yw clywed eu straeon di-ri am gymeriadau a digwyddiadau, o'r dwys i'r doniol – a'r dwl. Mae'n debyg nad oes mwy o hanesion am unrhyw un o ffyddloniaid y Strade na'r digymar Raymond Gravell. Cymeriad a hanner, a fe 'i hunan sy'n adrodd y stori amdano'n cael ei anafu mewn rhyw gêm ar Barc y Strade. Fe drodd ar ei bigwrn ar ôl tacl arbennig o gadarn, ac wrth iddo orwedd ar y llawr yn griddfan, fe redodd yr ymgeleddwr ar y cae – dyn sbwnj mwyaf adnabyddus Cymru ar y pryd – Bert Peel (tad-cu mewnwr presennol y Sgarlets, Dwayne). Tra bod Grav yn cydio yn ei bigwrn tost, dyma Bert yn rhoi'r sbwnj oer ar ben y canolwr barfog.

'Ond Bert,' medde Grav, gan rwbio'i bigwrn, 'fan hyn ma'r boen!'

'Ie,' atebodd Bert, gyda'i wên arferol, 'falle taw e Grav bach, ond fan hyn ma'r broblem!'

Wrth i'r gyfrol hon gael ei chyhoeddi mae'r Sgarlets ar fin symud o'u hen gartre ysbrydol ar Barc y Strade i faes newydd sbon yr ochr arall i dre'r Sosban, yn ardal Trostre. Mae'n addas iawn, felly, bod atgofion dros ganrif o hanes yn cael eu rhoi ar gof a chadw. Efallai y bydd y brics a'r mortar, y teras a'r trugareddau wedi diflannu, ond bydd ysbryd y Strade yno am byth. Theatr newydd fydd i'r genhedlaeth nesa o Sgarlets, ond yr un fydd y freuddwyd.

Gareth Charles
Gohebydd Rygbi BBC Cymru

Yr awdur (ar y chwith), Jonathan Davies a Gareth Charles yn Pretoria, 1998.

1

Dod i garu'r Strade

Atgofion plentyn

Roedd bywyd ym mhentre Brynaman yn y pumdegau a'r chwedegau yn nefoedd ar y ddaear. Roedd dros hanner cant o siopau a busnesau ar Heol Stesion, a'r unig reswm am fynd i Ystalyfera, Rhydaman, Abertawe neu Lanelli fyddai i brynu Rayburn, MG Magnette neu ddillad isha Madam Foner. Brynaman oedd prif ddinas y byd gorllewinol, a'r Mynydd Du yn denu mwy o ymwelwyr yn yr haf na Sain Ffagan a Chastell Caernarfon.

I blant ifanc yn ymddiddori mewn chwaraeon, roedd y Vetch, y Strade a Sain Helen o fewn tafliad carreg. Y cae criced ar waelod Heol Llandeilo oedd stadiwm ein breuddwydion – yn rhoi cyfle i ni'r bechgyn efelychu campau'r cewri. Ond cofiwch, nid Ivor Allchurch, Terry Davies a Don Shepherd oedd ein harwyr ond y sêr lleol, sef Ossie Evans, Tyssul Thomas a John Brinley Davies.

Yr unig gysylltiad â'r byd mawr y tu fas oedd traeth Dinbych-y-pysgod adeg y trip Ysgol Sul, a'r ddau gae oedd yn gartref i dîm Rygbi Llanelli a Chlwb Criced Morgannwg. Dw i'n cyfeirio, wrth gwrs, at Barc y Strade a Sain Helen. Serch hynny, mae'n rhaid pwysleisio mai ymweld â'r Strade fydden ni i gefnogi unigolion o dîm y *Greens* oedd yn chwarae ar *permit,* ac nid oherwydd unrhyw agosatrwydd at y Sgarlets. Roedd bod yn deyrngar i XV y pentref yn fater o bwys! Canlyniadau Brynaman oedd yn mynd â'n bryd ni'n llwyr, a'r gêmau yn erbyn Cwmllynfell, yr Aman a Chwmgors yn ymdebygu i ornestau rhyngwladol. Roedd clywed fod Cymru yn aflwyddiannus mewn gêm yn Twickenham yn siom, ond roedd darllen yn y *Sporting Post* fod Brynaman wedi colli yn erbyn Cwmafan, yn drasiedi!

Beth, yn hollol, oedd arwyddocad y gair *permit*? Wel, yn ystod y cyfnod roedd hawl i chwaraewyr addawol o glybiau'r ardal gynrychioli timau dosbarth cyntaf fel Llanelli bob hyn a hyn, ond yn dal yn gysylltiedig â'r pentre lleol. Pan fyddai Ray Williams neu Geoff Howells yn cael sbel, neu Freddie Bevan wedi'i anafu, fe fyddai Roy Evans o Gwmllynfell neu Huw Harries o'r Aman yn cael cyfle i fynd 'ar brawf' yn eu lle. Er enghraifft, fe alle rhywun chwarae dwy gêm ym mis Medi a dwy gêm yn mis Hydref heb dorri'r cysylltiad, ond ar ôl gwisgo'r crys am y chweched tro fe fyddai'r ysgariad yn derfynol.

Yn naturiol, roedden ni'n gwrando ar ddigwyddiadau cenedlaethol ar y *wireless*: rwy'n cofio clywed llais clir Alun Williams yn sylwebu ar fuddugoliaeth y nofwraig Judy Grinham ym Melbourne ym 1956, a llais GV Wynne Jones yn cyrraedd *crescendo* pan sgoriodd Onllwyn Brace mas yn

John Elgar, chwaraewr o Frynaman, gyda gweddill tîm Llanelli, 1962–63.

Rhes gefn (o'r chwith i'r dde): Brian Davies, Colin Elliot, Marlston Morgan, Delme Thomas, Tony Macdonald, John Warlow, Norman Gale, John Elgar Williams.

Rhes ganol (o'r chwith i'r dde): Arthur Davies (ysgrifennydd), Gwyn Robins, Barrie Jackson, Bryan Thomas (capten), Elvet Jones (cadeirydd), Dennis Thomas, Robert Morgan.

Rhes flaen (o'r chwith i'r dde): Stuart Davies, Freddie Bevan.

Nulyn ym 1959. Ond doedd dim angen gwasanaeth y radio i gario newyddion mwy lleol. Rhaid pwysleisio mai trafaelu i faes y Strade y bydden ni i gefnogi bois Brynaman, ac nid yn uniongyrchol i gefnogi Llanelli. Yna bydden ni'n dychwelyd ar garlam â'r newyddion ynglŷn â pherfformiadau John Elgar Williams, Raymond Jones, Ken Pugh, Eurfyl Williams a Colin Thomas.

Cofiaf yn dda y noson pan enillodd Ken Pugh gêm i Abertawe yn erbyn Llanelli. Cael a chael oedd hi – y gêm yn cael ei chwarae ar nos Wener o dan y llifoleuadau a Pharc y Strade'n orlawn, heb yr un stiward mewn golwg. Roedd Ken wedi cynrychioli'r Sgarlets ar *bermit* droeon ond erbyn hyn yn gwisgo rhif saith Abertawe (saith oedd rhif y mewnwr 'slawer dydd). A dwy funed yn weddill, fe gydiodd Ken yn y bêl o dan drwyn blaenasgellwr Llanelli ac o fewn deg llath o byst y Sgarlets, troi ar bishyn 'wech, ac ennill yr ornest â'r gic adlam berta a welodd unrhyw un erioed. Roedd pawb ym Mrynaman yn gwbod am gamp y mewnwr cyn newyddion deg ar y *Welsh Home Service*!

Ond tyfu a blodeuo wnaeth y berthynas â'r Sosban, a datblygu yn y diwedd i fod yn garwriaeth reit ramantus. Mae'r Strade'n frith o atgofion melys a'r cyfan fel ailredeg rîl o ffilm – parcio'r car ar ddarn mwdlyd o dir ryw hanner milltir o'r cae, symud fesul modfedd i gyfeiriad y bocs tocynnau gan weddïo fod yna rai ar ôl, sefyll yn amyneddgar ar y teras wrth sugno'r Everton mints, camu ar y cae ar yr egwyl i bledio am lofnodion, gwerthfawrogi symudiadau, bloeddio'n fygythiol pan fyddai un o chwaraewyr Llanelli'n cael ei daclo'n gynnar – a chadw pob un rhaglen ar silff yn y *boxroom*. O ddishgwl 'nôl, (dishgwl yw'n gair ni am edrych) mae dyn yn rhyfeddu at y niferoedd oedd yn tyrru i'r gêmau ganol wythnos; y palmentydd yn llawn pobol yn cerdded a'r holl geir wedi'u catrodi ar hyd yr hewlydd cyfagos. Roedd hyn flynyddoedd cyn i'r llinellau melyn dwbwl dieflig ymddangos ar heolydd ledled Prydain!

Do, fe dyfodd y berthynas yn un eitha clòs, a bydde cryts Brynaman fy nghyfnod i wedi rhoi ffortiwn am gael gwisgo crys sgarlad Llanelli.

2

'Smo ni moyn 'ware!'

Y gêm rygbi ryngwladol gynta ar Barc y Strade

Mae twf a datblygiad y campau poblogaidd megis rygbi a chriced yng Nghymru yn ddiddorol ac yn eitha unigryw. Ystyriwch y meysydd chwarae canlynol: Parc y Strade, Sain Helen, Y Gnoll, Parc yr Arfau, Rodney Parade, Parc Ynysangharad a Pharc Eugene Cross. Mae pob un campws, ar wahanol gyfnodau yn y gorffennol, wedi bod yn gartref i dimau rygbi adnabyddus a chlybiau criced dylanwadol. O bryd i'w gilydd cafwyd ymweliadau achlysurol (cyson lle mae rhai yn y cwestiwn) gan Glwb Criced Morgannwg â phob un o'r meysydd a restrwyd uchod. A beth, yn hollol, oedd yn gyffredin i'r caeau hyn? Mae'r mwyafrif ohonoch chi'r darllenwyr sy wedi ymweld â nhw droeon yn gyfarwydd â'u daearyddiaeth – y caeau rygbi a chriced yn aml yn ffinio'n naturiol, yn cyfarfod gefn wrth gefn neu o fewn cic Phil Bennett i'w gilydd.

Mae pob un ohonyn nhw'n pontio canrifoedd – mae 'na storïau i'w hadrodd amdanynt: ceisiau, symudiadau, ergydion, daliadau a wicedi wedi'u cipio, i gyd yn seler y cof. Bu'r Strade yn gartref i Albert Jenkins ac Emrys Davies; Sain Helen yn baradwys i'r brodyr James (Evan a David oedd sêr y byd rygbi yn negawd ola'r bedwaredd ganrif ar bymtheg) a'r brodyr Jones (y cricedwyr Alan ac Eifion o bentre Felindre). Roedd Parc yr Arfau, neu Parc y Cardiff Arms fel y mae John Evans o Adran Chwaraeon y BBC yn hoffi'n hatgoffa, yn hafan i Wilfred Wooller pan wisgai grysau rygbi Caerdydd a Chymru yn y gaeaf a gwynion Morgannwg yn yr haf. Mae yna arwyddocâd arbennig i Rodney Parade yng Nghasnewydd i rai – John Uzzell yn ddyddiol yn ailchwarae'i gic adlam a drechodd y Crysau Duon ym 1963. Yn yr un modd, anfarwolwyd y maes gan Emrys Davies a Walter Hammond 'nôl ym 1939; 287 heb fod allan i'r Cymro, a 309 i'r Sais, yn creu penawdau wythnosau'n unig cyn i fyddinoedd Hitler ddryllio heddwch cyfandir Ewrop.

Roedd y Gnoll yn fangre ysbrydol i gewri Cwm Nedd a Chwm Dulais; Roy John, Morlais Williams a Rees Stephens yn gwisgo'r crys du â balchder, tra byddai Len Muncer (8-48 yn erbyn Gwlad yr Haf ym 1949) a Steve Barwick (5-36 mewn gêm undydd ym 1994), yn fwy na pharod i rannu atgofion. Tystiodd llawer i berfformiadau Wilf Hunt, Glyn Turner a Clive Burgess ar Barc Eugene Cross yng Nglyn Ebwy tra disgleiriai Len Pitchford, Wilf Hughes a Jack Cope ar y llain dwy lath ar hugain pan ddisgleiriai'r haul (ddim mor aml â hynny yng nghyffiniau top y cymoedd!).

Yr olaf o'r mawrion i rannu campws oedd y timau ym Mhontypridd – rhan o'r cae rygbi ar Barc Ynysangharad wedi hen ddiflannu pan adeiladwyd ffordd osgoi newydd yn y chwedegau, ond Russell Robbins a Bernard Hedges yn fythol ddyledus i'r darn tir am brofiadau bore oes. Mae yna rywbeth magnetig yn perthyn i'r cae criced gan fod hud a lledrith y cymoedd ac ysblander byd natur yn asio'n gelfydd i greu pictiwr-carden-bost cofiadwy. Shwd ar y ddaear mae batwyr yn gallu canolbwyntio ar eu tasg â'r holl brydferthwch o'u cwmpas?

Ond un o'r hanesion mwya rhyfedd yw hwnnw am y gêm rygbi ryngwladol rhwng Cymru a Lloegr ar yr 8fed o Ionawr 1887 ar Barc y Strade, Llanelli. Roedd y tywydd yn ystod yr wythnos wedi bod yn oer, ac erbyn bore'r ornest roedd y tirmon yn gofidio am gyflwr y cae; darnau sylweddol ohono wedi rhewi'n galed ac yn eitha 'danjerus'. Roedd yna gryn ddishgwl 'mlaen at y frwydr gan mai hon oedd y gêm ryngwladol gyntaf erioed i'w chynnal ar y Strade. Roedd y papur lleol, y *Mercury*, yn frith o erthyglau am y digwyddiad, y tocynnau wedi gwerthu'n dda, a'r gobaith oedd denu tua wyth mil o gefnogwyr, gan mai'r gelyn o'r ochr draw i Glawdd Offa oedd y gwrthwynebwyr. Pan gyrhaeddodd tîm Lloegr ar y trên ben bore roedd eu capten, Alan Rotherham o glwb Richmond, yn eitha gofidus, yn hau amheuon am gyflwr y cae ac o'r farn mai ffolineb llwyr fyddai bwrw 'mlaen â'r trefniadau. Ceisiodd y Cymry ei ddarbwyllo gan ddweud y byddai pethau'n siŵr o wella'n gyflym gan fod gobaith am heulwen i ddadleth y tir.

Doedd pethau ddim yn argoeli'n dda. Roedd y cefnogwyr yn cyrraedd yn eu cannoedd ac yn gwybod dim am y coethan a'r anghytuno y tu ôl i'r llenni. Roedd tîm Lloegr yn anfodlon chwarae ar gae rygbi'r Strade ac, a bod yn onest, roedd eu penderfyniad yn un doeth. Ond, ar yr unfed awr ar ddeg, awgrymwyd y dylid ystyried chwarae ar y cae criced. Aeth y Parchedig Charles Newman o Gasnewydd (capten Cymru) ac Alan Rotherham i archwilio'r maes a'i gael yn gwbl dderbyniol. Doedd yna ddim eisteddle yno i gysgodi'r haul, a gan fod y tir yn gwbl wastad doedd yna ddim perygl i'r chwaraewyr anafu'u hunain ar glyts rhewllyd. O fewn munudau, cytunodd y ddau gapten y byddai'r gêm yn mynd yn ei blaen ar y Strade – ond ar y cae criced!

Fe allwch chi ddychmygu'r oblygiadau lle roedd y tirmon, ei gyd-weithwyr a swyddogion Clwb Rygbi Llanelli yn y cwestiwn. Roedd pwysau aruthrol arnyn nhw o bob cyfeiriad. Ro'n nhw, yn amlwg, am chwarae'r gêm. Roedd Undeb Rygbi Cymru yn benderfynol o fwrw 'mlaen â'r trefniadau gan fod tua wyth mil ar eu ffordd i Lanelli, a nifer fawr eisoes wedi cyrraedd. Ac yn naturiol, hyd yn oed ym 1887, roedd yna ystyriaeth ariannol. Fe fyddai gohirio yn arwain at brotest, reiat hyd yn oed, gan y byddai'r cefnogwyr yn mynnu cael eu harian 'nôl.

Fe ledodd y newyddion fel haint neu, gan gofio'r tywydd rhewllyd, fel pelen eira. Roedd yna groeso i'r newyddion gan y werin ond i'r rheiny oedd yn ddigon cyfoethog i hawlio lle yn yr eisteddle, roedd yna gryn anfodlonrwydd. Fe fyddai'n rhaid iddyn nhw fod ar eu traed am gêm gyfan a gwasgu fel sardîns y tu ôl i raff a amgylchynai'r maes. Doedd yna fawr o obaith gweld y gêm yn ei chyfanrwydd. I'r mwyafrif, fflach o grys gwyn neu grys coch yn unig fyddai'n aros yn y cof. I eraill, eu hatgof o'r ornest ryngwladol fyddai syllu ar bledren ledr yn hongian am rai eiliadau yn y ffurfafen. Cafwyd canmoliaeth i bawb y tu ôl i'r llenni ar y Strade am eu gallu, ar fyr rybudd, i ailosod ac ad-drefnu a darparu cae ar gyfer achlysur mor bwysig. Fe allai pethau fod wedi mynd dros ben llestri ac yn ffars llwyr o ganlyniad i'r penderfyniad i gynnal gornest o bwys ar gae agored heb gyfleusterau o unrhyw fath, ond diolch i amynedd a chydweithrediad yr actorion a'r gynulleidfa, cafwyd perfformiad a ddisgrifiwyd yn y wasg y Llun canlynol fel yma: '*A crowd of 8,000 saw a brilliant game, played 40 minutes each way despite the hard ground and the snow and sleet which fell in the second half.*'

A beth am y gêm ei hunan? Tactegau i ddechrau! Yn y gêm ryngwladol flaenorol yn erbyn yr Alban yng Nghaerdydd flwyddyn ynghynt, mabwysiadwyd dull cwbl chwyldroadol o chwarae. Penderfynwyd dilyn trywydd Clwb Rygbi Caerdydd, a chwarae pedwar trichwarter – a saith blaenwr. Roedd y system honno wedi bod yn llwyddiannus i glwb Caerdydd o dan eu capten Frank Hancock, a gan mai Hancock oedd capten Cymru ar y pryd, aethpwyd ati i arbrofi ar y maes rhyngwladol. Bu'r arbrawf yn un trychinebus; wyth blaenwr yr Alban yn drech na saith y Cymry a'r ymwelwyr yn fuddugol o ddwy gôl a chais i ddim. (Byddai angen cyfrol arall i egluro'r *formats* a ddefnyddiwyd yn ystod y cyfnod hwn. Bu rhaid aros tan ugeiniau'r ganrif ddiwethaf cyn bod cytundeb mai wyth blaenwr a saith y tu ôl i'r sgrym oedd y cynllun mwya synhwyrol.)

Chwaraewyr y cyfnod.

6

Pan ddewiswyd tîm Cymru ar gyfer y gêm hon yn erbyn Lloegr yn y Strade, ryw wythnos ymlaen llaw, mynnodd y dylanwadol Arthur *Monkey* Gould (*superstar* byd rygbi Cymru yn y cyfnod Fictorianaidd) fod y dewiswyr yn mabwysiadu'r hen ddull o gynnwys tri trichwarter. Roedd y capten, y Parchedig Charles Newman, yn cytuno a chafwyd cydymffurfiaeth. Yn sgil y perfformiad yn y gêm hon bu'r penderfyniad i ddychwelyd i'r hen batrwm yn un doeth.

Gyda llaw, ganed Arthur Joseph Gould ym 1864 yng Nghasnewydd. Yn yr ysgol dechreuodd ei gyd-ddisgyblion ei alw'n *'Monkey'* gan ei fod yn ddringwr coed o fri. A doedd dim pall ar ei egni drwy gydol ei oes, mae'n debyg. Petai e wedi chwarae yn y tridegau, mae'n bosib mai y fe, a nid Johnny Weismuller, fyddai wedi derbyn rhan Tarzan ar y sgrîn fawr! Ta beth, daeth doniau Gould yn ddefnyddiol yn ystod y gêm pan fu'n rhaid iddo ddringo'r postyn dros-dro i ailosod y trawst pan syrthiodd y darn pren i lawr.

Bu bron i Gould gipio buddugoliaeth i Gymru pan hedfanodd ei gic adlam o fewn troedfedd i'r postyn. Ond cyfartal, di-sgôr, oedd hi ar ddiwedd y prynhawn. Roedd y cefnogwyr, serch hynny, wedi'u plesio'n fawr gan safon cyffredinol y chwarae; blaenwyr Cymru yn llawn brwdfrydedd ond yr olwyr yn amharod i fentro ac yn llawer rhy ddibynnol ar y gic yn hytrach na chadw'r bêl yn y dwylo. Yn y chwarae rhydd, yr ymwelwyr oedd y meistri, a'r cefnogwyr ar y Strade (sy'n deall y gêm) yn gwerthfawrogi cyfraniad Lloegr.

Harry Bowen oedd yr unig chwaraewr o Lanelli yn nhîm Cymru ar yr 8fed o Ionawr 1887 – y gêm rygbi ryngwladol gynta i'w chynnal ar Barc y Strade – drws nesa i'r cae rygbi!

3

Llanelli 3 : Maoris 0

Cic adlam ryfeddol Harry Bowen ym 1888

Jonny Wilkinson, Joel Stransky, Rob Andrew, Jannie de Beer, Jeremy Guscott, Barry John, Pierre Albaladejo, Phil Hawthorne. A rhaid ychwanegu un enw arall sy'n haeddu ymuno â'r criw dethol uchod, sef Harry Bowen, a gynrychiolodd Lanelli a Chymru ar ddiwedd y bedwaredd ganrif ar bymtheg.

Pam rhestru'r enwau hyn gyda'i gilydd? Oes yna ddolen gyswllt, rhywbeth sy'n eu clymu wrth ei gilydd? Wel oes, a'r rhywbeth hwnnw yw'r gic adlam a fu'n arf reit ddefnyddiol i genedlaethau o chwaraewyr rygbi ers i William Webb Ellis gydio mewn pêl gron ar gaeau chwarae Ysgol Fonedd Rygbi yng Nghanolbarth Lloegr yn y flwyddyn 1823, a rhedeg nerth ei draed am y gôl.

Fe gipiodd ciciau adlam Joel a Jonny Gwpan Rygbi'r Byd i Dde Affrica a Lloegr ym 1995 a 2003. Roedd ymdrech Rob Andrew yn ystod amser ychwanegol ar faes Newlands yn ystod Cwpan Rygbi'r Byd, 1995, yn ergyd farwol i Awstralia, a'r deiliaid yn dychwelyd i Oz yn waglaw. Ym 1999 daeth gyrfa de Beer i'w phenllanw; y maswr yn hawlio pump (ie, pump) cic adlam ym muddugoliaeth glir De Affrica o 44 i 21 yn erbyn Lloegr ar y Stade de France yn Rownd Wyth Olaf Cwpan Rygbi'r Byd. Does neb yn cofio ceisiau Rossouw a van der Westhuizen y prynhawn hwnnw – de Beer a'i droed dde sy'n aros yn y cof.

A nid maswyr yn unig sy'n meddu ar y ddawn. Roedd ymdrech y canolwr, Jeremy Guscott, yng nghrys coch y Llewod ym 1997 yn allweddol; y gic lwyddiannus yn cipio cyfres i'r Prydeinwyr. Roedd rhaid cynnwys y Brenin o Gefneithin yn y rhestr. Mae cefnogwyr Llanelli yn ddigon gwybodus a chraff – ac eangfrydig hefyd – i werthfawrogi doniau gwrthwynebwyr, ac fe gafodd Barry John ei gydnabod yn arwr pan lwyddodd â phedair cic adlam i Gaerdydd yn erbyn y Sgarlets ddiwedd y chwedegau. Roedd ei ddau frawd, Clive ac Alan, ddim mor hapus yn y gêm honno! Y nhw oedd blaenasgellwyr y Sgarlets ac, am unwaith, methodd y ddau â ffrwyno'r brawd mawr.

Pierre Albaladejo o glwb Dax oedd y cynta erioed i lwyddo â thair cic gosb mewn gornest ryngwladol, ac mae Phil Hawthorne yn haeddu ei le am hawlio chwe chic adlam mewn pedair gêm ryngwladol yn ystod taith Awstralia i Brydain ym 1996/67.

Mae yna un enw arall ar y rhestr a, diolch i haneswyr y clwb ac Adran Archifau y Llyfrgell Genedlaethol yn Aberystwyth, mae enw Harry Bowen mor fyw a real ag erioed. Roedd e'n chwaraewr dylanwadol, ei bresenoldeb yn ysbrydoli'r chwaraewyr eraill a gellid dweud i sicrwydd ei fod e'n un o sêr y gorffennol, ac yn meddu ar ddawn yr artist. Harry Bowen oedd Albert Jenkins

Harry Bowen a'i wraig, Annie.

a Phil Bennett y cyfnod. Ar y 19eg o Ragfyr, 1888, roedd Parc y Strade yn *Fecca* i selogion y bêl hirgron yng Ngorllewin Cymru. Roedd yna dair mil yn bresennol, y prynhawn yn sych a chymylog a'r cae mewn cyflwr perffaith. Roedd y gwrthwynebwyr, y brodorion o Seland Newydd, ar daith o bedwar mis ar ddeg! Jyst meddyliwch am y peth – un o'r chwaraewyr yn cyfarch ei wraig ar ôl diwrnod caled yn cneifio yng nghyffiniau Dunedin a datgan, 'O! gyda llaw, dw i wedi cael fy newis i gynrychioli'r Maoris ar daith o gwmpas Seland Newydd, Awstralia a . . . Phrydain Fawr. Fe fydda i 'nôl mewn ychydig dros flwyddyn!' Ond dyna ddigwyddodd, y mwyafrif o'r garfan yn frodorion lleol, ond er mwyn cryfhau'r tîm dewiswyd pedwar mewnfudwr, gan gynnwys y disglair Pat Keogh, a sgoriodd dri deg a phedwar o geisiau ar y daith.

Roedd y gamp ledled byd wedi newid yn syfrdanol, diolch i ymdrechion tîm o Brydain a aeth ar daith i Seland Newydd ddechrau 1888. Cof trist am y daith honno yw marwolaeth y capten, RL Seddon, a foddodd tra oedd yn rhwyfo yn Awstralia. O ran y gêm ei hun, serch hynny, cofir am y daith oherwydd y chwarae cwbl chwyldroadol gan yr ymwelwyr. Am y tro cyntaf erioed gwelwyd elfen o chwarae creadigol, y bêl yn cael ei lledu'n gyflym o'r sgrym. Yn Seland Newydd bryd hynny, y dechneg a'r patrwm oedd dibynnu'n llwyr ar y blaenwyr a yrrai'n nerthol yn y sgrym a chwalu gwrthwynebwyr.

9

Roedd Joe Warbrick, cefnwr a thri-chwarterwr Seland Newydd, wedi'i wefreiddio gan y dull o chwarae, ac aeth ati ar unwaith i drefnu taith arloesol i Brydain a fyddai'n esgor ar welliannau yn y modd o chwarae – yn gyfle i ymarfer crefft o'r newydd a dylanwadu'n bositif ar y gêm rygbi yng ngwlad y cwmwl gwyn. Dewiswyd Joe a'i dri brawd yn aelodau o'r tîm teithiol, gan gynnwys William, un o'r cefnwyr disgleiriaf a welodd Seland Newydd erioed; *flamboyant* oedd yr ansoddair a ddefnyddiwyd i ddisgrifio'i chwarae. Yn ystod y daith hon fe chwaraeon nhw 107 o gêmau, gan ennill 78. Yn ystod un wythnos, chwaraewyd tair gornest mewn tridiau!

Y gêm yn erbyn Llanelli oedd yr un gyntaf yng Nghymru. Mae'n anodd i ni heddiw amgyffred yr amgylchiadau. Fe deithiodd y Maoris ar y trên i orsaf Abertawe ac aros yng Ngwesty'r Mackworth – gwesty crand ar y Stryd Fawr yn ymyl yr orsaf (adeilad a chwalwyd yn y pumdegau). Rhaid cofio nad oedd Gottlieb Benz a Daimler wedi cynllunio'u ceir ym 1888; lonydd caregog, mwdlyd a throellog a gysylltai Abertawe a Llanelli bryd hynny (does fawr ddim wedi newid!). Dychmygaf eu bod wedi teithio i Barc y Strade ar y trên a cherdded o'r stesion i'r cae yn llawn hyder a bwriad. Roedd y dref wedi deffro drwyddi; yr ornest oedd canolbwynt yr holl drafodaethau dros beint yn y dafarn, ar ôl yr oedfa hwyrol, ac o gwmpas y ffwrneisi. Wedi'r cwbwl, y *Maoris* oedd y tîm teithiol cyntaf i ymweld â Phrydain, a hon oedd y gêm gyntaf yng Nghymru. Hanes yn cael ei greu ar Barc y Strade.

Roedd yna groeso twymgalon i'r ymwelwyr er i'r cefnogwyr gael eu synnu, braidd, pan berfformiwyd yr Haka. Y *Maoris* yn eu crysau glas a du, yn gwisgo'u penwisgoedd brodorol yn symud yn fygythiol i gyfeiriad y gelyn ac yn llafarganu '*Ake, Ake, Kia, Kaha*'. Ystyr y geiriau yw 'di-ofn, anturus a hyderus'.

Dyna i chi'r cefndir. Beth am y gêm? Llanelli alwodd yn gywir a phenderfyniad y capten, DR Williams, oedd chwarae lan y llethr yn yr hanner cyntaf – dadleuol, yn ôl sawl un o arbenigwyr y cyfnod! Cael a chael oedd hi yn ystod y munudau agoriadol. Roedd y dorf wedi'i gwasgu o gwmpas y cae driphlith draphlith ac yn symud 'nôl ac ymlaen yn anesmwyth ac yn aflonydd. Roedd pawb am fod yn dyst i bob un symudiad a digwyddiad. Roedd yr ymwelwyr yn llawn tân, yn rhagori yn yr agweddau rhydd ac yn greadigol â'r bêl yn eu meddiant. Ond roedd y tîm cartref yn amddiffynnol gadarn ac yn raddol yn dangos eu bod yn ddigon cystadleuol ac yn ddigon corfforol i beri problemau i'r gwŷr o Hemisffer y De. Dangosodd cefnwr y Maoris, y capten Joe Warbrick, ei fod yn rhedwr twyllodrus, ac ar sawl achlysur bu bron iddo'i ryddhau ei hun o grafangau'r amddiffynwyr.

Yn y sgrymiau gosod, y brodorion o Seland Newydd oedd gryfaf, wedi hen feistroli'r grefft o glymu, gwthio a gyrru. Ond daeth diwedd ar allu Henry Wynyard i fod yn ymosodwr peryglus – chwech o Lanelli yn ei gorneli a'i chwalu. Arhosodd ar y cae, ond wnaeth e ddim llawer wedyn, o ganlyniad i'r cleisiau – corfforol a meddyliol. A'r munudau'n mynd yn eu blaen, bu'n rhaid i Joe Warbrick gwmpo'n ddewr ar y bêl ar ôl i DJ Daniels, Gitto Griffiths a Dai

Jones driblo'n fedrus i gyfeiriad y llinell gais. Roedd pethe'n poethi a'r dorf yn cynhyrfu fwyfwy.

Daeth y sgôr a seliodd y fuddugoliaeth ychydig cyn yr egwyl. Aeth cic hir Tom Morgan dros y llinell gais a bu'n rhaid i'r gwrthwynebwyr dirio. O'r ailddechrau aeth y bêl yn syth i gôl y canolwr Harry Bowen oedd yn loetran yn ymyl y lluman ar hanner ffordd. Fe edrychodd i gyfeiriad y pyst, pwyllodd am eiliad i ganfod rhywfaint o gydbwysedd corfforol cyn rhyddhau'r bêl ledr, drom i'r llawr. Eiliad yn ddiweddarach roedd y bledren hirgron yn codi'n uchel ac yn fygythiol i'r awyr, a'r cefnogwyr yn syllu'n anghrediniol cyn creu'r sŵn mwyaf byddarol a glywyd yn nhre'r Sosban erioed. Roedd y gic adlam, gyfwerth â thri chais 'nôl yn y bedwaredd ganrif ar bymtheg, yn un gwbl ryfeddol. Mynydd o gic os buodd un erioed!

Roedd yr ail hanner yn hynod gyffrous. Dyfynnaf o'r *Western Mail*: '*The game in the second half was exceedingly fast, and the ball was rushed about the field at great speed.*'

Doedd y *Maoris* ddim am ildio; capten Llanelli yn gorfod tirio ddwywaith o dan bwysau aruthrol; Joe Warbrick o fewn modfeddi i hawlio cais ond Harry Bowen yn ei lorio â thacl nerthol. Ac yn ystod y munudau olaf daeth cyfle i'r ymwelwyr. Wynyard â chyfle i hawlio cic o farc a fyddai wedi unioni'r sgôr ond Bowen unwaith eto i'r adwy. Y *Roy of the Rovers* lleol yn rhedeg fel mellten ac yn bwrw'r gic lawr wrth iddi adael *terra firma*!

Roedd ymateb y dorf pan chwythwyd y chwib olaf yn nodweddiadol o'r hyn a welwyd ar gaeau chwarae ledled byd ar ôl buddugoliaethau bythgofiadwy. Codwyd y pymtheg chwaraewr, y pymtheg arwr, yn uchel i'r awyr a'u cario yn null y Groegiaid a'r Rhufeiniaid gynt i'r ystafell newid. Roedd angen cyflenwad ychwanegol o gwrw o'r bragdy yn Felinfoel! Y gair olaf i *Old Stager* yn y *Western Mail*: '*The kick was a scorcher, the ball being propelled over the bar from half distance. The spectators, and even the Maoris, cheered this lustily – as well they might, for a better kick was never brought off on a football field.*' (Tybed a oedd cefnogwyr Awstralia yn cymeradwyo ymgais Jonny Wilkinson yng ngêm derfynol Cwpan y Byd 2004?) Buddugoliaeth i Lanelli yn erbyn y *Maoris*, felly, o dri phwynt i ddim mewn gêm a hanner.

4

Who beat the Wallabies?

Ie, yr hen Sosban Fach, a Tom yn eu harwain

Mae meddwl am y props gorau a gynrychiolodd Llanelli yn y gorffennol yn dipyn o ben tost – Emrys Evans, a chwaraeodd yn y rheng flaen a'r rheng ôl i Gymru, Griff Bevan, Henry Morgan, Howard 'Ash' Davies, Byron Gale, John Warlow, Tony Crocker, Laurance Delaney a Ricky Evans – i gyd wedi meistroli'r grefft ac yn haeddu pennod yr un mewn ail gyfrol. Ond pwy ddylai ymuno â Barry Llewellyn a Norman Gale yn y rheng flaen yn y tîm gorau i gynrychioli'r Sgarlets?

Fe ddes i ar draws un enw o gyfnod cynnar yn yr ugeinfed ganrif. Darllenais amdano mewn sawl llyfr a sylweddoli ei fod yn cael ei gydnabod ledled Cymru yn flaenwr o wir safon. Brodor o Rydaman oedd Tom Evans, a phan ddechreuodd ei yrfa yn nhîm Llanelli rhaid cofio mai'r blaenwyr cynta i gyrraedd ar gyfer sgrym fyddai'n ffurfio'r rheng flaen.

Enillodd ddeunaw cap i Gymru mewn cyfnod pan oedd y dewiswyr â thuedd i anwybyddu pawb i'r gorllewin o Bont Llwchwr. Yn ôl pob tebyg roedd Tom Evans yn eithriadol o gryf, i'w weld yn cwrso fel *moth* o gwmpas y cae ac yn cyrraedd y bêl rydd o flaen pawb arall.

Am flynyddoedd bu'r cefnogwyr yn llafar-ganu *'Who beat the Wallabies?'* Cafwyd y fuddugoliaeth honno ym 1908 pan drechwyd tîm Awstralia o 8 i 3; Tom Evans oedd capten Llanelli ac fe sgoriodd y cais i ennill y gêm pan groesodd y llinell â thri *Wallaby* ar ei gefn.

Dw i'n dyfynnu o'r *Llanelly and County Guardian*:

> With honours equally divided, the Scarlets showed that they still meant business by again invading the visitors' territory. It was Llanelly's ball, about fifteen yards from the line, and Tom Evans, running at full tilt, took the ball with a safe pair of hands, and in the next instant was over the line without having been thrown out of his stride. It was a great try, and a fitting reward to the brilliant game which Evans played. He is undoubtedly the best forward in Wales today.

Tom a'r tîm a loriodd y Wallabies ar 12 Hydref, 1908.
Rhes gefn (o'r chwith i'r dde): TR Mills (cadeirydd), Jim Watts, Jack Auckland, D Llewellyn Bowen, AJ Stacey, Will Cole, Ike Lewis, WJ (Fishguard) Thomas, Tom Miller (aelod o'r pwyllgor).
Rhes ganol (o'r chwith i'r dde): Handel Richards, Y Parch. Tom Williams, Tom Evans (capten), Harvey Thomas, Will Thomas.
Rhes flaen (o'r chwith i'r dde): Dai Lloyd, Harry Morgan, Willie Arnold, WH Davies (Mabon), dyn y sbwnj.

13

5

Y Terrible Eight

Angylion y Parchedig Alban Davies

Y *terrible eight* enwog.
Rhes gefn (o'r chwith i'r dde): Percy Llewellyn Jones (Pont-y-pŵl),
Edgar Morgan (Abertawe), Harry Uzzell (Casnewydd), Thomas John Lloyd (Castell-nedd),
David Watts (Maesteg).
Rhes flaen (o'r chwith i'r dde): Tom Williams (Abertawe), Y Parch. Jenkin Alban Davies
(Llanelli), Walter Rees (ysgrifennydd URC), John 'Bedwellty' Jones (Abertileri).

Roedd y tymor rhyngwladol olaf cyn y Rhyfel Byd Cyntaf yn un
bythgofiadwy i'r tîm cenedlaethol. Y Parchedig Alban Davies o Lanelli oedd y
capten, a bu bron i'r tîm gipio'r Gamp Lawn am yr eildro yn ei hanes. Prop
pen rhydd oedd e, ac yn arweinydd carismataidd ar griw o flaenwyr tanllyd a
ffyrnig ar adegau a adwaenid fel y *terrible eight*. Gofynnwyd i'r Parchedig
gapten ar ddiwedd y tymor a oedd iaith liwgar y saith blaenwr arall yn peri
loes a rhywfaint o ofid iddo. Eglurodd yn gwrtais i'r gohebydd ei fod e'n
gwisgo penwisg drwy gydol pob gornest ac nad oedd yn gallu clywed yr un
gair!

    Chwaraeodd nifer fawr o weinidogion yr efengyl i Gymru yn ystod diwedd
y bedwaredd ganrif ar bymtheg a dechrau'r ugeinfed. Yn ôl haneswyr y cyfnod

roedd hyn o ganlyniad i waith cenhadol yr eglwysi yn yr ardaloedd diwydiannol. Datblygodd timau pêl-droed Everton, Wolverhampton Wanderers, Aston Villa a Bolton Wanderers o gefndir eglwysig a dyna oedd gwraidd rhai carfanau rygbi yng Nghymru, yn enwedig yn yr ardaloedd Catholig yng Nghaerdydd a Phort Talbot.

Roedd yna dri chlerigwr Anglicanaidd yn nhîm rhyngwladol cyntaf Cymru ym 1881 – y capten, James Alfred Bevan o'r Fenni, Charles Newman o Gasnewydd, ac Edward Peake o Gasgwent. Ar ôl y Rhyfel Byd Cyntaf chwaraeodd WT Harvard o Lanelli i Gymru yn erbyn Byddin Seland Newydd. Yn ddiweddarach fe'i hordeiniwyd yn Esgob Llanelwy a Thyddewi.

Ond dewch i ni gael dychwelyd i gampau'r tymor 1913/1914. Dylai Cymru fod wedi ennill yn Twickenham. Chwaraeodd y blaenwyr yn wych gan reoli'r chwarae yn llwyr. A munudau'n unig yn weddill roedd Cymru ar y bla'n o naw pwynt i bump, diolch i gais y canolwr Willie Watts o Lanelli, a chic adlam anferthol George Hirst, asgellwr Casnewydd. Ond yna, trodd yr arwr yn ddihiryn – Watts yn gollwng y bàs yn agos i'w linell gais ei hun a'r blaenasgellwr a'r potsiwr adnabyddus, 'Cherry' Pillman, yn croesi am y cais. Fe lwyddodd Fred Taylor â'r trosiad, a Lloegr yn naddu buddugoliaeth annisgwyl oedd yn gwbl groes i lif y chwarae.

Cafwyd canlyniad boddhaol yn erbyn yr Alban dair wythnos yn ddiweddarach yng Nghaerdydd. Hawliodd Ivor Davies o Lanelli gais ar ei ymddangosiad cyntaf o flaen torf sylweddol o 35,000.

Y blaenwyr oedd arwyr y prynhawn ond surwyd y digwyddiadau yn y ginio. 'Y tîm mwya brwnt aeth â hi!' oedd sylw capten yr Alban, David Bain. Ar yr ail o Fawrth ar faes Sain Helen yn Abertawe chwalwyd y Ffrancod 31 – 0 a'r Pachedig Alban Davies yn croesi am un o'r saith cais. Troswyd pump ohonynt gan y cefnwr o Abertawe, Jack Bancroft.

Chwaraewyd gêm olaf y tymor ar Gae Balmoral yn ninas Belfast. Fe'i disgrifiwyd fel gornest gorfforol, gas ac annymunol gan ohebwyr y cyfnod. Credai rhai mai hon oedd y frwntaf erioed; dyma'r diwrnod y bathwyd yr enw *terrible eight* ar flaenwyr Cymru. Roedd pac y Gwyddelod, hefyd, yn real *terriers*, yn cael ei cydnabod yn wrthwynebwyr ffiaidd. Er mai'r cochion enillodd y gêm, dychwelodd rhai o'r cefnogwyr gan bwysleisio mai 'ni gipiodd y frwydr'.

Fe ddechreuodd y drwgdeimlad ymhell cyn y gic gyntaf. Yn gwbl groes i'r arfer martsiodd tîm Iwerddon mewn i westy'r Cymry ar y nos Wener gan eu dirmygu, eu gwawdio a'u bychanu. Y drwg yn y caws oedd arweinydd y pac, Dr William Tyrell. Rhybuddiodd e'r glöwr, Percy Jones o Bont-y-pŵl, y byddai'n ei gysgodi a'i glatsio am awr ac ugain munud. Gwenu wnaeth Jones, ac anwybyddu'r bygythiad wnaeth y tîm cyfan.

Ond ar y cae chwarae fe aeth pethau'n draed moch. Os clywch chi gwestiwn ar *Mastermind* am yr union ddyddiad y dechreuodd y Rhyfel Byd Cyntaf, yna cofiwch mai'r ateb yw'r 14eg o fis Mawrth 1914! Ar adegau gwelwyd blaenwyr yn anwybyddu'r bêl ledr ac yn cwrso'i gilydd mewn dull rhyfelgar. Doedd yna ddim shwd beth â pharch at reolau, na dim byd arall – aeth pob dim dros ben llestri. Ymdebygai'r digwyddiadau i ambell ffilm gowboi lle byddai dwsin a mwy yn clatsho am 'u bywyd mewn salŵn. Dylai chwech a mwy fod wedi eu hanfon bant, ond gadael i bawb gario 'mla'n wnaeth y dyfarnwr o'r Alban, Mr Tulloch.

Cymru enillodd y ffeit a'r gêm – ceisiau Bedwellty Jones (Abertileri), Ivor Davies (Llanelli) a Jack Wetter (Casnewydd) yn selio'r fuddugoliaeth. Mae'n debyg fod Dr Tyrell wedi anwesu Percy Jones ar ôl y chwib ola a chydnabod yn ddiffuant, *'You're the only Welshman who ever beat me'*.

Mae diweddglo hapus i'r ddrama. Ym 1951 eisteddai Gwyddel a Chymro gyda'i gilydd yn eisteddle'r Gogledd ar Barc yr Arfau, yn sgwrsio'n hamddenol am yr hen ddyddiau wrth wylio'r ddau faswr, Jackie Kyle a Cliff Morgan, yn gwau hud a lledrith – y glöwr Percy Jones oedd y naill, a'r llall oedd Dr William Tyrell, Llywydd Undeb Rygbi Iwerddon.

Chwaraeodd y *terrible eight* gyda'i gilydd am y tymor cyfan yn 1913/14, a daeth Cymru o fewn trwch blewyn i gipio'r Gamp Lawn, o dan gapteniaeth y Parchedig Alban Davies (Llanelli).

Bu farw'r Parchedig Alban Davies yn ninas San Francisco yn nhalaith California ym 1976 yn 90 oed, a'r ddau ffrind, Tyrell a Jones, o fewn chwe mis i'w gilydd ym 1969 yn 82 oed.

6
Albert

Dim ond y rhai heb eu hachub fyddai'n gofyn 'Albert pwy?'

Albert – i'r Frenhines Fictoria, cannwyll ei llygad oedd ei thywysog a'i chymar; i wyddonwyr a mathemategwyr y gorffennol a'r presennol roedd Einstein yn ddewin aruthrol; i ddilynwyr y sgrîn fawr a'r theatr, roedd Finney yn arwr ac, wrth gwrs, mae doethuriaethau Schweitzer ym myd Athroniaeth, Meddygaeth, Cerddoriaeth a Diwinyddiaeth yn gadarnhad pendant o'i athrylith yntau. Ond i drigolion Llanelli a'r cyffiniau, dim ond un Albert sydd, a does dim angen cyfenw. I'r anghyfarwydd, Albert yw Albert Jenkins, y canolwr cydnerth, llathraidd a gynrychiolodd dîm rygbi Llanelli ag urddas, argyhoeddiad a balchder am ryw bedwar tymor ar ddeg ar ôl y Rhyfel Byd Cyntaf.

Rai blynyddoedd yn ôl, treuliais awr yng nghwmni Rees Thomas, cyn-flaenasgellwr tîm rygbi'r dref. Bu farw Rees, y Sgarlet balch, ar y 9fed o Orffennaf 2004 yn gan mlwydd oed. Roedd ei atgofion o'r cyfnod yn rhai byw, a'i arwr, heb unrhyw amheuaeth, oedd yr anghymarol Albert. Dyma eiriau Rees, a gofnodais ar beiriant:

Pan gyrhaeddais i'n ôl o'r gwaith roedd copi o'r Llanelli Mercury *ar ford y gegin. Ces glywed y newyddion gan y teulu cyn darllen y geiriau: Rees Thomas wedi'i ddewis i Lanelli ac i drafaelu i Gernyw dros y Pasg. A bod yn onest, roeddwn i'n gwireddu breuddwyd oherwydd dyna, yn y bôn, oedd uchelgais pob crwtyn ifanc yr ardal, sef gwisgo'r crys sgarlad a chynrychioli tîm gorau Cymru. Ond yn y dauddegau, roedd yna uchelgais arall, sef rhedeg mas ar y Strade a 'ware yn yr un tîm ag Albert!*

Petai Albert Jenkins yn fyw heddiw, fe fyddai'n filiynydd – r'yn ni'n sôn fan hyn am superstar, real genius. Roedd e'n ddyn mawr solid, dwy law fel dwy raw, a'i waith fel llwythwr ar y North Dock yn Llanelli yn gyfrifol am y cryfder eithriadol. Roedd e'n trafod y bagiau tatws fel petaen nhw'n fagiau crisps! Ond yn ogystal â'r cryfder roedd yna gyflymder, yn enwedig dros y deg llath cyntaf, a gallu i gicio pêl dros bellter eithriadol – y pŵer, yr amseru a'r cydbwysedd. Roedd e yn yr un cae, fel ciciwr, â George Nepia, ac mae hynny'n ddweud mawr.

Roedd e hefyd yn gamster ar ddarllen gêm – yn sboto gwendidau'n glou, a phetai rhywun dierth yn 'ware full-back i'r gwrthwynebwyr, look-out! Ond er yr holl sylw, dyn tawel oedd Albert Jenkins. Mewn un gêm yng Nghasnewydd, trefnwyd cinio ar ôl y chwarae mewn hotel eitha

Albert Jenkins yng nghrys Cymru.

posh; y dynion mawr i gyd yn ishte 'da'i gilydd, a gofynnwyd i Albert, fel capten, 'weud gair. Doedd Albert ddim wedi'i fagu i siarad yn gyhoeddus a chyn i ni ddechre ar y jeli a'r blancmange, roedd Albert wedi cripad mas o dan y byrdde!

Roedd Albert Jenkins yn wir arwr, y gymuned yn ei berchnogi a'i eilunaddoli. Yn ôl rhai, roedd e'n ymdebygu i Samson, yn ffrwydro fel darn o ddeinameit pan dderbyniai'r bêl. Ar brynhawnau Sadwrn ar y Strade roedd yna res hir o gefnogwyr yn ffurfio er mwyn ei gyfarch ac i gario'i fag. Ar rai adegau, pan gyhoeddid ar lafar cyn y gic gyntaf nad oedd Albert yn chwarae o ganlyniad i anaf neu afiechyd, byddai nifer fawr yn ymlwybro'n siomedig ac yn benisel i gyfeiriad canol y dre. Un o ryfeddodau mawr y gêm, neu'n hytrach un o ffeithiau gwirion y cyfnod, oedd penderfyniad y dewiswyr cenedlaethol i anwybyddu doniau'r superstar o'r Strade – ni chynrychiolodd y crysau cochion ond pedair ar ddeg o weithiau. Cywilydd!

Ar wyliau yn Normandy o'n i, ryw ddeng mlynedd yn ôl, yng ngwesty anghysbell *Le Mesnilgrand*. Prynais bump neu chwech o lyfrau ar gyfer y tridiau gan gynnwys cyfrol ardderchog Michael Parkinson, *Sporting Lives*. Mae hi'n arferiad 'da fi i ddefnyddio *highlighter* ac i danlinellu ambell gymal neu baragraff cofiadwy a'u cynnwys mewn llyfryn pwrpasol. Dyma beth dynnodd fy sylw yn y llyfr hwn.

Roedd teulu'r Parkinsons yn bresennol yn Bradford ym 1948 ar gyfer ymweliad tîm criced Awstralia. Yn ôl *Wisden,* Swydd Efrog oedd yr unig dîm ar y daith honno a ddaeth yn agos i faeddu tîm Syr Donald Bradman. Seren y gêm dridiau oedd Keith Miller, ei fowlio cyflym, cywrain a'i gyfanswm â'r bat yn y batiad cyntaf yn dyngedfennol. Gofynnodd y crwt ifanc i'w dad am asesiad o'r cricedwr dawnus. Roedd ei ateb yn cloriannu'r cricedwr i'r dim. 'Licen i 'se fe'n 'ware i ni!'

Ar ôl ei weld yn Bradford prynodd y Parkinson ifanc lun o Miller a'i osod ar ddrws y *wardrobe* drws nesa i lun o Betty Grable, seren y sgrîn fawr yn gwisgo siwt nofio wen. Un diwrnod fe welodd y mab ei dad yn syllu'n ofalus ar y casgliad o *pin-ups*. Tybiodd mai'r hyn oedd yn mynd trwy feddwl ei dad oedd y byddai mab a aned o berthynas rhwng y ddau yn debygol o gael ysgwyddau Miller a choesau Grable ac yn sicr o agor y bowlio i'r Sir ac i Loegr! Meddyliwch am y posibiliadau petai Albert Jenkins wedi cyfarfod â Betty Grable – canolwr o epil a fyddai'n gyfuniad o Bleddyn Williams, Ray Gravell a Brian O'Driscoll!

Roedd bywyd yn Llanelli yn ystod cyfnod Albert Jenkins yn gorfforol galed. Gofynnid i'r gweithwyr yn y gweithfydd trwm weithio shiffts deuddeg awr, o chwech y bore tan chwech y nos, ac o chwech y nos tan chwech y bore. I'r gweithwyr gwaith dur, tun ac alcan roedd hyn yn golygu cyfundrefn gaeth – o'r gwaith i'r gwely ac o'r gwely i'r gwaith. Roedd y cyflog i weithwyr y 'Klondike', yn y gwaith dur, yn gymharol uchel i gymharu â'r gweithwyr lleol eraill gan fod yna elfen o arbenigedd.

I'r labrwyr, yn gweithio y tu fas, heb gysgod, roedd bywyd yn boen, a'r gwaith corfforol yn golygu fod pawb wedi llwyr ymlâdd ar derfyn dydd. Pan gyrhaeddai llwyth o haearn crai y North Dock, roedd angen ymaflyd yn y gwaith am gyfnod hir o amser ac o gofio fod y tywydd yn oer yn y gaeaf, y glaw yn aml yn chwipio'n ffiaidd i mewn o'r môr a'r dillad yn gwbl anaddas ar gyfer y fath waith, doedd hi fawr o syndod fod nifer fawr yn diodde o salwch parhaol, ac yn eu bedd cyn yr hanner cant.

Mae meddwl am chwaraewyr yn nechrau'r ganrif ddiwethaf yn cyrraedd y Strade ar ôl shifft foreol ac yna'n rhedeg bron yn ddi-baid ag egni dihysbydd am awr ac ugain munud, y tu hwnt i ddisgrifiad. Roedd rhai ohonynt yn cyrraedd yn chwys diferol, heb gael cyfle i fynd adref i ymolchi, heb fwyta dim ers ben bore ond eto'n barod, yn gorfforol ac yn feddyliol, ar gyfer brwydr. Ond roedden nhw'n dishgwl 'mlaen at y gornestau wythnosol hyn – roedd yn fodd i fyw ac yn gyfle i berffeithio crefft mewn maes cwbl wahanol i'r gwaith. Dyma'r cefndir i Albert Jenkins ac i gannoedd o chwaraewyr eraill y cyfnod.

Unigolyn oedd Albert Jenkins; roedd y gallu ganddo i newid cwrs a chyfeiriad gêm ar ei liwt ei hun. Gwisgodd y crys sgarlad am y tro cyntaf ar y Gnoll yn erbyn Castell-nedd ac er i'r clwb golli o wyth pwynt i ddim, roedd yna gyffro yn y dref a'r ardal o ganlyniad i un rhediad o hanner can llath. Fe ddaethon nhw yn eu miloedd i'r Strade yn ystod yr wythnosau canlynol a chael eu gwefreiddio gan berfformiadau cyffrous. Roedd y tîm mewn sefyllfa ariannol argyfyngus, ond cliriwyd y dyledion yn fuan gan fod cynifer yn llifo trwy'r clwydi i dystio i lwyddiant tîm dan ddylanwad ac ysbrydoliaeth un gŵr yn arbennig. Cyhoeddwyd adroddiad yn yr *Evening Post* ar ddiwedd tymor 1918/19 yn crisialu'i gyfraniad:

> There is a rugby footballer at Llanelly called Albert Jenkins. He is a tinplater by trade, and in his spare time, since he returned from France a few weeks ago, after long service, he wins matches for Llanelly by kicking goals and scoring no end of tries. The bigger the match, the better he performs. He is worshipped by the Llanelly crowd, half of whom are attracted week by week simply to see Jenkins display his skill. He is as good as Rhys Gabe at his very best, and everybody who has seen him play knows this, except the Welsh Football Union. But news travels fast, and there is a more active body in control of the Northern Union. They have heard of Jenkins's ability and attempted to get his signature long ago without success. They are determined to get Jenkins. One Northern Union player said they were going to get Jenkins, whatever his price. The news of the offer soon got about Llanelly and a warm reception was threatened for any Northern Union men who offered Jenkins further inducements to go North, and a local boxer (Billy Roberts) is said to be keeping a watchful eye for any strangers in the camp.

Cyhuddwyd Albert gan rai o fod yn gawr ar y Strade ond yn Samson eilliedig pan groesai bont afon Llwchwr. Roedd hyn yn gwbl annheg o ystyried penderfyniadau unllygeidiog y dewiswyr cenedlaethol. Ro'n nhw'n ffafrio chwaraewyr o'r dwyrain. Yn aml trefnwyd gêmau prawf cyn y tymor rhyngwladol a chwaraewyr o'r gorllewin yn gwrthod cymryd rhan gan eu bod yn gwybod beth fyddai eu tynged.

Yn erbyn y Gwyddelod ym 1920 cyfrannodd Albert yn helaeth i'r fuddugoliaeth gan groesi am gais, creu tri chais i Bryn Williams ac ychwanegu cic adlam a dau drosiad. Dymor yn ddiweddarach rhwygodd amddiffyn yr Alban drosodd a thro, ond ofer fu ymdrechion Albert gan i'r tri-chwarteri fethu â manteisio ar y cyfleoedd. Roedd e'n ddwy fodfedd yn brin o chwe throedfedd, yn dair stôn ar ddeg ac yn hynod bwerus o gwmpas yr ysgwyddau a'r frest. Cwynai amddiffynwyr ei fod yn anodd i'w daclo; y cluniau yn gryfach o lawer na'r cyffredin ac yn ei gynorthwyo i wyro'n gelfydd o gwmpas y gelyn. Roedd hi'n amhosib tagu ei athrylith. Roedd y bêl bob amser yn gyfforddus yn ei ddwylo a'i basio'n gelfydd i'r naill ochr a'r llall. Serch hynny, roedd rhai yn teimlo bod yna ansicrwydd yn britho chwarae Albert ar adegau. Ai pasio, rhedeg neu gicio oedd y dewis doethaf? Ond, fel ma' nhw'n dweud yn nhre'r sosban, 'Pilo wye yw beirniadaeth o'r fath!'

Am gyfnodau yn ystod y chwarae byddai'r canolwr yn loetran yn segur ac yna brasgamai fel ebol dwyflwydd drwy'r bwlch lleiaf a chreu penbleth i'r amddiffyn. Yn anffodus, roedd XV Cymru yn ystod y blynyddoedd yma yn brin o dalent, ac yn brin o ran gweledigaeth. Doedd chwaraewyr y cyfnod ddim *quite* ar yr un donfedd â'r cawr o Lanelli.

Ar ôl i Lanelli gipio'r bencampwriaeth answyddogol rhwng y prif glybiau yn nhymor 1927/28 dewiswyd chwech o'r garfan ar gyfer yr ornest yn Murrayfield yn erbyn yr Albanwyr. Ar ôl cyfnod o bedair blynedd yn y diffeithwch, roedd Albert Jenkins yn ei ôl, a'i berfformiad campus yn ysbrydoli'r gweddill i fuddugoliaeth annisgwyl. Chwaraeodd ei gêm ryngwladol olaf yn erbyn y Gwyddelod ar y 10fed o Fawrth, 1928, yng Nghaerdydd. '*Scrap the lot!*' oedd y gri ar ôl i'r tîm golli o 13 i 10, er i Dai John ac Albert groesi am ddau gais Cymru. Aeth yn ei flaen i wisgo crys sgarlad Llanelli am bum tymor arall. Ar y Strade roedd yr anfarwol Albert yn dduw, a hyd yn oed heddiw mae'r canolwyr presennol yn cael eu cymharu ag ef.

Bu farw Albert yn bum deg wyth mlwydd oed ym mis Hydref 1953 ac anrhydeddwyd un o arwyr penna'r dref ag angladd ddinesig ym mhresenoldeb y Maer a phwysigion y Cyngor a'r gymuned. Roedd y werin bobol yno hefyd, yn eu miloedd, i anrhydeddu un o'r ffwtbolyrs mwyaf dawnus a welodd Llanelli a Chymru erioed.

7

Jac Elwyn

Asgellwr a gafodd gam

Roedd Jac Elwyn Evans yn frawd i Mam-gu; roedd e hefyd yn frawd i Hen Fam-gu Shane Williams, sy'n un o chwaraewyr pertaf y cyfnod presennol. Cynrychiolodd Jac Elwyn y Sgarlets yn y dauddegau cyn llofnodi cytundeb â Broughton Rangers yng Ngogledd Lloegr ar ddiwedd tymor 1926/27. Roedd e'n asgellwr hynod o gyflym ac yn sgoriwr cyson i Lanelli (17 cais yn nhymor 1922/23; 23 cais y tymor canlynol).

Ganwyd Jac Elwyn yn Nhai Canon ym Mrynaman Isaf, Sir Forgannwg. Gweithiai fel glöwr yn y gweithfeydd lleol yn Nhairgwaith cyn priodi â Nansi, merch y Plough yng Nglanaman a symud, ar ôl ymddeol o'r gêm, i gadw clwb yn ardal Glandŵr yn Abertawe. Meddyliwch am geisio cyfuno'r gwaith beunyddiol o dan ddaear â gyrfa fel chwaraewr rygbi, heb sôn am geisio cadw'r ddysgl yn wastad o ran ei gyfrifoldeb fel gŵr a thad. Yn sicr, roedd yna gydweithrediad parod â Rheolwr y Pwll! Bu rheilffordd y GWR rhwng Dyffryn Aman a thre'r sosban yn gymorth i'w alluogi i gyrraedd y Strade mewn da bryd. Meddyliwch am y chwaraewyr presennol yn cyrraedd yn eu Subarus a'u BMWs! Roedd tîm y dauddegau yn ddiolchgar am gymorth y trên stêm ac yn fwy na pharod i gerdded y filltir ola i'r Strade.

Chwaraeodd i Lanelli yn erbyn y Maoris a'r Crysau Duon. Penllanw ei yrfa, heb unrhyw amheuaeth, oedd gwisgo crys coch ei wlad yn erbyn yr Alban ar gae Inverleith yng Nghaeredin ar yr ail o Chwefror 1924.

Bu'n rhaid i'r dewiswyr ei ystyried ar gyfer y tymor rhyngwladol hwn gan fod clwb Llanelli yn chwarae rygbi gwefreiddiol (colli un gêm ar ddeg yn unig mas o hanner cant) a Jac Elwyn yn hawlio'r penawdau â'i gyflymdra a'i gyfrwystra. Ymddangosodd dau arall o Lanelli yn y tîm ar gyfer yr ornest i'r gogledd o Glawdd Hadrian, y blaenasgellwr Ivor Jones a'r wythwr Gwyn Francis.

Chwalwyd y Cymry truenus o wyth cais i ddau, a'r sgôr 35-10 yn adlewyrchiad teg o oruchafiaeth yr Albanwyr. Roedd y cyfnod yn un llwyddiannus i'r Alban; y blaenwyr yn llwyddo i ennill meddiant cyson a'r tri-chwarteri, Ian Smith, Phil McPherson, George Aitken a Johnnie Wallace (y pedwar yn fyfyrwyr ym Mhrifysgol Rhydychen) yn manteisio ar bob un cyfle. Roedd yr asgellwr Ian Smith yn ddeinamo dynol, a than yn ddiweddar ef oedd prif sgoriwr ceisiau i'r Alban â 24 cais mewn 32 ymddangosiad. Mae'r hanesion amdano, ei gyflymdra, ei gryfder a'i weledigaeth yn cadarnhau'r ffaith ei fod yn un o'r asgellwyr gorau erioed, a The Flying Scotsman yn llug enw perffaith iddo. Yn y gêm yn Inverleith hawliodd Smith dri o'r ceisiau, ac yn y gêm gyfatebol flwyddyn yn ddiweddarach, ar faes Sain Helen yn Abertawe, croesodd am bedwar. Hon oedd y grasfa waethaf i Gymru oddi ar wythdegau'r bedwaredd ganrif ar bymtheg, a roedd brawd Mam-gu, druan, yn y tîm!

Rwy'n falch i ddweud mai ar yr asgell dde yr oedd Jac Elwyn, yn cadw llygad ar Wallace a groesodd am ddim ond un cais! I'r asgellwr arall, Harold Davies o Gasnewydd, bu'r profiad yn hunllef llwyr. Yn ddiweddarach yn y noson, yn ystod y ginio swyddogol, cyflwynodd Harold ei hun i arwr y prynhawn, Ian Smith. 'Ro'n i am wybod pwy o't ti,' medde fe, 'achos weles i ddim ohonot ti ar y ca'!'

Teithiodd rhai cefnogwyr i Gaeredin ym 1924 ar y trên, am bunt a thri swllt (sy'n cymharu'n dda â bargeinion Ryan Air ac Easyjet!) ond yn ôl Teddy James o Frynaman, oedd wedi mynd i'r gêm i gefnogi'i frawd-yng-nghyfraith, 'Ro'dd mwy o'r *committee* yn y gêm na chefnogwyr.'

Drannoeth yr ornest, yn ôl yr arferiad, trefnwyd i'r chwaraewyr ymweld â phentref Queensferry yn ymyl y brifddinas i gael cipolwg ar y bont enwog sy'n croesi'r *Firth of Forth* – pont a anfarwolwyd yn y ffilm *The 39 Steps*. Mae hi'n dal yno, yn greadigaeth i'w rhyfeddu, o bensaernïol bwys, ac, yn ôl pob sôn, pan mae'r paentwyr yn cwblhau y gwaith o'i phaentio mae'n bryd ail-ddechrau y pen arall! Tawedog a digyffro oedd y chwaraewyr druain, o gofio'r canlyniad, tan i un o'r Undeb Rygbi ddatgan y geiriau, 'Edrychwch arni'n fanwl, bois, achos dyma'r tro diwetha i chi weld y bont a'r Undeb Rygbi'n

Cam? Do, ond roedd y cefnogwyr yn ei addoli!

talu!' Gwir pob gair mor bell ag yr oedd John Elwyn yn y cwestiwn, waeth dyna'i unig gap. Ond yn ôl Mam-gu, a do'dd hi byth yn dweud celwydd, 'Fe gas Jac Elwyn gam.'

Yn ystod ei dymor olaf yng nghrys y Sgarlets, chwaraeodd Jac Elwyn yn erbyn ei hen glwb, Amman United, ar Gae'r Aman, ar y 13eg o Fedi 1925. Byddai *bizarre* yn air priodol i ddisgrifio'r chwarae. Cafwyd gornest glòs, gystadleuol, gorfforol yn ogystal ag elfen o ffars. Yn ystod yr hanner cyntaf bu'n rhaid atal y chwarae am gyfnod o rai munudau gan fod pedair o dda godro Friesian wedi crwydro ar y cae o gyfeiriad y Twyn. Ac yna, a deg munud yn weddill, a'r gêm yn ddi-sgôr, bu'n rhaid i'r reffari chwythu'r chwib olaf. A'r rheswm? Roedd hi wedi bod yn bwrw glaw'n ddi-baid am rai diwrnodau, ac roedd afon Aman, gerllaw, yn anarferol o uchel, a phan giciwyd y bêl olaf oedd ar gael i gyfeiriad y llif bu'n rhaid dirwyn y chwarae i ben. Clywir yr ymadrodd *No ball* yn aml ar gae criced, ac fe'i clywyd ar gae rygbi'r Aman y prynhawn hwnnw, hefyd.

Ond o leiaf doedd dim angen i Jac Elwyn deithio 'nôl ar y trên o stesion Llanelli y prynhawn hwnnw!

8

Awr fawr Ernie Finch

Curo'r cefnwr gorau'n y byd

Un o'r pêl-droedwyr enwocaf yn hanes y gêm (a hynny heb fawr o amheuaeth) oedd yr athrylith o'r Ariannin, Diego Maradona. Llwyddodd i ddiddanu miliynau ledled y byd, y mwyafrif yn tystio i'w ddewiniaeth o ganlyniad i ddyfeisgarwch John Logie Baird. Roedd eraill yn berchen tocynnau tymor yn Napoli a Barcelona, ac yn ddigon ffodus i werthfawrogi'i allu yn wythnosol o gludwch eisteddle neu fwrlwm teras. Serch hynny, mae nifer fawr yn ei gofio am un digwyddiad yn anad yr un arall yng Nghwpan Pêl-droed y Byd ym Mexico ym 1986. 'Y duwiau'n gwenu arno' oedd sylw'r gohebyddion drannoeth y digwyddiad pan lwyddodd y blaenwr i godi'n lletchwith a defnyddio'i law i lywio'r bêl i ganol rhwyd Peter Shilton. Ac er iddo hypnoteiddio amddiffynwyr Lloegr rai munudau'n ddiweddarach â gôl unigol gwbl ryfeddol, y gôl anghyfreithlon sy'n ei gysylltu â'r gamp. Un digwyddiad yn gyfrifol am greu delwedd barhaol yn seler y cof.

Enillodd Ernie Finch saith cap i Gymru yn nauddegau'r ganrif ddiwethaf ac, oni bai am ddallineb a phenderfyniad gwallgo y dewiswyr i ochri a ffafrio chwaraewyr dwyrain y wlad, byddai'r pump wedi bod yn bump ar hugain. Roedd e'n asgellwr cyflym a thwyllodrus a symudodd i Lanelli ar ôl creu argraff wrth groesi am ddau gais yn erbyn y Sgarlets i Quins Doc Penfro mewn gêm gyfeillgar ddechrau tymor 1921/22. Profodd ei allu'n gyson yn ystod ei dymor cyntaf drwy sgorio dau ar bymtheg o geisiau mewn dwy ar bymtheg o gêmau. Roedd y cefnogwyr yn ei eilunaddoli. Os Albert oedd David Beckham y cyfnod, yna Ernie oedd y Michael Owen.

Gwisgodd grys coch ei wlad dair gwaith yn erbyn Ffrainc; sgoriodd dri chais yn ei herbyn. Fe'i dewiswyd ar yr asgell chwith yn erbyn Crysau Duon Cliff Porter ar y 29ain o Dachwedd 1924 o flaen 50,000 o gefnogwyr ar Faes Sain Helen. Roedd tri o Lanelli yn y tîm, y tri Sgarlet cyntaf i wynebu Seland Newydd ar y llwyfan rhyngwladol: Ernie, Albert a'r blaenwr Cliff Williams. Roedd yr ymwelwyr yn benderfynol o ddial ar y Cymry a thalu'r pwyth yn ôl am yr hyn oedd wedi digwydd dros ugain mlynedd ynghynt! Roedd angen buddugoliaeth arnynt, doed a ddelo, o gofio'r embaras o golli i gais Teddy Morgan ym 1905. A dyna ddigwyddodd – y Duon a orfu ar dir tywodlyd Heol y Mwmbwls, a gan fenthyca un o ddywediadau Napoleon, *'Not victory, annihilation'*. Enillodd Seland Newydd 19-0, a'r cefnogwyr penisel yn barod i gydnabod perfformiad o wir safon.

Arwr y prynhawn oedd y cefnwr pedair ar bymtheg mlwydd oed, y disglair George Nepia. Yn ôl pob tebyg, pan lwyddodd blaenwyr Cymru i dorri'n rhydd ag ambell ymosodiad bygythiol, roedd Nepia yn y man a'r lle bob tro i achub y dydd. O bryd i'w gilydd gwelwyd y cefnwr yn plymio'n ddewr ar y bêl rydd gan godi'n wyrthiol mewn un symudiad a chicio'r bêl yn gywrain i ddwy ar hugain Cymru. Gwylio a gwerthfawrogi wnaeth Albert ac Ernie gydol y prynhawn – y gêm yn unochrog a'r fuddugoliaeth yn un gwbl haeddiannol.

Daeth awr fawr Ernie Finch bedwar diwrnod yn ddiweddarach ar y Strade. Gweddnewidiwyd y cae, diolch i weledigaeth y pwyllgor; eisteddleoedd dros dro wedi eu hadeiladu ar gyfer yr ornest, a galw mawr am docynnau. Pan gyhoeddwyd y tîm i wynebu Llanelli yn y wasg fore Llun, roedd hi'n gwbl amlwg fod rhywun wedi rhybuddio'r dewiswyr ynglŷn â natur y dasg. Penderfynodd y Crysau Duon barchu'r gwrthwynebwyr. Yn ôl rhai, roedd y tîm a wynebai'r Sgarlets ar yr ail o Ragfyr yn gryfach na'r garfan oedd wedi maeddu Cymru yn Sain Helen! Dechreuodd y dyrfa gyrraedd am un ar ddeg y bore ac erbyn hanner dydd roedd y mwyafrif o'r ddwy fil ar hugain yn eu lle yn barod ar gyfer y frwydr.

Cafwyd clasur. Cyhoeddwyd erthygl yn yr *Auckland Sun* cyn i'r tîm hwylio o Seland Newydd yn dweud mai'r gêm ar y Strade fyddai'r anoddaf ar y daith. Gwir pob gair! Dewis pac o wyth wnaeth Llanelli yn hytrach na cheisio efelychu esiampl y tîm cenedlaethol a buddsoddi mewn saith blaenwr. Sbardunwyd y tîm cartref o'r gic gyntaf, ac er i'r ymwelwyr fod ar y blaen o wyth pwynt i ddim ar ôl pum munud ar hugain, roedd y chwarae'n glòs, yn gystadleuol ac yn gyffrous. Croesodd Hart a Svenson am gais yr un, a Nepia yn trosi un ohonynt cyn i Lanelli daro 'nôl ychydig cyn yr egwyl. Yn ôl yr arfer (ac arferiad a barhaodd tan ddechrau'r saithdegau) yr asgellwyr oedd yn gyfrifol am daflu'r bêl i'r leiniau. Roedd y symudiad a arweiniodd at y cais wedi ei gynllunio ar y cae ymarfer. Penderfynodd Ernie Finch anelu at y ddau yn yr ail reng, Gwyn Francis a Willie Lewis, gan eu rhybuddio 'mlaen llaw o'r symudiad dan sylw. Roedd pawb ar yr un donfedd, ac o fewn dim o beth roedd y bêl wedi cael ei tharo'n syth yn ei hôl i garffed Finch a'r asgellwr yn rhydd o fewn modfeddi i linell yr ystlys ac yn carlamu fel ebol dwyflwydd i gyfeiriad y llinell gais. Roedd e'n glir, tri-chwarteri'r Crysau Duon wedi'u twyllo'n llwyr â chyflymdra'r symudiad a'r cyfan yn dibynnu ar George Nepia i gorneli Finch ac achub y dydd.

Mae'r hyn ddigwyddodd yn ystod yr eiliadau nesaf yn rhan o chwedloniaeth y clwb. Roedd Ernie Finch wedi cyflawni cryn dipyn yn ystod ei yrfa ar y meysydd rygbi ond mae pawb yn ei gysylltu â'r un digwyddiad hwnnw ar y Strade. Roedd Ernie yn agosáu at gefnwr gorau'r cyfnod (yn ôl rhai o wybodusion mwyaf craff y gêm, Nepia oedd, ac yw y cefnwr gorau erioed). Doedd dim amser i feddwl; dibynnai'n llwyr, fel Maradonna, ar reddf a gras Duw am gymorth. Roedd y ddau yn agosáu at ei gilydd. Yna'n gwbl ddirybudd, pan oedd asgellwr chwith y Sgarlets o fewn hyd braich i'r Maori mawreddog, fe stopiodd Ernie yn null awyren bwerus ar fwrdd llong ryfel. Twyllwyd Nepia yn llwyr; roedd e eisoes wedi ymbaratoi ar gyfer gwrthdrawiad a fyddai wedi cludo Ernie Finch ar *stretcher* i ysbyty cyffredinol

Coed Cae. Panic? Efallai, ond roedd Ernie'n dal ar ei draed a George Nepia, druan, wedi'i ddrysu'n llwyr. Gwibiodd Ernie Finch fel cath i gythraul am y llinell gais a chroesi am sgôr godidog.

Y Crysau Duon aeth â hi o wyth pwynt i dri y prynhawn bythgofiadwy hwnnw. Enillwyd pob un gêm ar y daith ym 1924/25 ond roedd Cliff Porter a'i dîm yn llawn edmygedd o berfformiad arwrol y Sgarlets. Os y gôl anghyfreithlon a gysylltir â Maradona, yna'r *cameo* ar y Strade sy wedi anfarwoli Ernie Finch.

Y gair olaf i George Nepia:

> *Rumours have been circling that when Ernie Finch scored he was so scared that he stopped dead in his tracks and that when I went through with my tackle, I missed him and that this was how he reached the try line.*
>
> *The truth is that Ernie Finch broke through and that when I was getting across to crash tackle him, he showed what a brilliant winger he was. At the critical moment, and just a second or two before I launched the tackle, Ernie swerved into me, breaking my speed and my timing and then swung outwards again. By the time I regathered speed, Ernie had scored a lovely try.*

Ernie Finch yng nghrys a chap
Cymru.

27

9

Ivor Jones

Gŵr cant y cant

Ar hyd y blynyddoedd bu Clwb Rygbi Llanelli yn hynod ddyledus i glybiau llai, clybiau o fewn rhyw ugain milltir i'r Strade. Llwyddodd y clybiau a berthynai i Undeb y Gorllewin feithrin a datblygu chwaraewyr o wir safon. Bu'r ffynhonnell, tan yn gymharol ddiweddar, yn un gyson a buddiol a phawb yn gysylltiedig â'r Sgarlets yn cydnabod cyfraniadau clybiau megis Llandybïe, Rhydaman, Pontarddulais, Cwmllynfell, Brynaman, yr Hendy, Felinfoel, Cydweli, Bynea, Sêr y Doc, yr Aman, y Tymbl, Cefneithin, Casllwchwr ac eraill. Roedd safon rygbi'r clybiau llai yn uchel, chwaraewyr addawol yn cael eu paratoi'n gorfforol ac yn feddyliol ar gyfer pontio i lefel uwch.

Yn aml roedd yna chwaraewyr yn derbyn gwahoddiad i chwarae ar y Strade, Sain Helen neu'r Gnoll ond yn gwrthod gan eu bod yn berffaith gartrefol a chysurus yn eu cynefin. Roedd yr elfen gymdeithasol yn elfen bwysig; yn Llangennech, Porth Tywyn a Chwmgors roedd eu ffrindiau'n chwarae a doedd dim diddordeb treulio diwrnod cyfan yn teithio ar drên i Lundain a cholli tyrn o waith er mwyn cynrychioli clwb dieithr.

Mae stori eitha doniol o'r pumdegau sy'n crisialu'r cyfnod. Roedd Cwmllynfell, lle dechreuodd RH Williams ar ei yrfa, yn un o dimau ail ddosbarth gorau Cymru. Roedd pentrefi cyfagos yn ymwybodol o'i hanes ac yn cofio am y tîm di-guro, yr *Invincibles*. Roedd cael eich dewis i XV y pentref yn dipyn o anrhydedd, a gwisgo'r crys yn gyfle i wireddu breuddwyd.

Y prynhawn hwn teithio i ardal Fairwood o Abertawe wnaeth Cwmllynfell i wynebu Swansea Uplands. Roedd y gêm braidd yn unochrog a'r Cymry Cymraeg o lethrau'r Mynydd Du yn ennill yn gyfforddus o ryw ddeg pwynt ar hugain i dri. Nawr, ychydig o chwaraewyr yr Uplands ar hyd y blynyddoedd sy wedi bod yn rhugl eu Cymraeg, ac ar brynhawn heulog o Hydref clywid y geiriau 'ar ei hôl hi' yn llifo'n gyson o enau capten Cwmllynfell. A dilyn cyfarwyddiadau'r capten wnaeth gweddill y blaenwyr. Ro'n nhw fel picwns o gwmpas y bêl rydd a'r capten tanllyd yn dal i floeddio'r geiriau 'ar ei hôl hi' o'r gic gyntaf tan y chwib olaf.

Ym mhob rhifyn Nos Lun o'r *South Wales Evening Post* neilltuid tudalen gyfan ar gyfer adroddiadau bychain, bachog o bob un gêm a chwaraewyd yn Undeb y Gorllewin, gan ganolbwyntio ar y sgorwyr, natur y perfformiad a safon y chwarae. Reffari'r gêm yn Fairwood oedd George Llewelyn o Frynaman ac roedd hi'n ddefod wythnosol ganddo i alw yn siop Shepherd's ym Mrynaman Isaf a phrynu copi o'r papur er mwyn darllen sylwadau'r gohebydd lleol. Bu bron iddo lewygu pan ddarllenodd y frawddeg ganlynol: 'Cwmllynfell

28

owed their victory to the superb performance of their Italian-born wing-forward Arioli, who must surely be destined for international honours.'

Nid chwarae i Gwmllynfell wnaeth Ivor Jones 'nôl yn y dauddegau ond i Gasllwchwr. Roedd magwrfa o'r fath yn un gyfoethog. 'Arfer yw mam pob meistrolaeth' a mynnodd Ivor feistroli'i grefft ar y cae ac yn ei waith yn y ffwrnais ym mhentre Bynea. Hyd yn oed ar lefel y clybiau llai yn Undeb y Gorllewin, lle roedd yna ffwrnais danllyd o ran awyrgylch cyn gêm, derbynnid fod unigolion, a thimau, yn methu o bryd i'w gilydd. Wedi'r cwbl, r'yn ni fel pobol ym mhob un maes yn methu'n achlysurol, ond yn ystod cyfnod o galedi mawr yng Nghymru doedd dim modd osgoi un ffaith – doedd yna ddim lle yn y garfan i unrhyw un nad oedd yn fodlon rhoi cant y cant.

Dyna oedd cyfrinach chwaraewyr Cwmllynfell lawr yn Fairwood, dyna oedd athroniaeth tîm Casllwchwr, a dyna oedd yn gyfrifol am lwyddiant Ivor Jones ar gaeau chwarae'r byd rygbi – ymroddiad llwyr.

Chwaraeodd Ivor Jones ei gêm gyntaf i Lanelli ar ddydd San Steffan 1922 ar y Strade yn erbyn Cymry Llundain ac yn ystod y tymor cyntaf cyfrannodd 47 o bwyntiau gan gynnwys pum cais, un gic adlam, dwy gic gosb ac un trosiad ar ddeg. 'Drwy ymarfer y perffeithir pob crefft', ac roedd hynny'n wir am un o hoelion wyth y gêm yng Nghymru. Cynrychiolodd y Sgarlets, Birmingham, Cymru, a'r Llewod yn ystod cyfnod o ddau dymor ar bymtheg. Yn ôl

Tîm Llanelli 1935/36.
Rhes gefn (o'r chwith i'r dde): SGM Jones (ysgrifennydd), Gilbert Davies, Emrys Evans, Bryn Evans, Gwyn Monger, Percy Moxey, Arthur Every.
Rhes ganol (o'r chwith i'r dde): Gwyn Treharne, Bill Clement, Reg Brown, Ivor Jones (capten), Graham Harries, Elvet Jones, Fred Morgan.
Rhes flaen (o'r chwith i'r dde): y Parch. Jac Evans, y Parch. Glyn Jones.

gwybodusion y gêm yn Seland Newydd, Ivor, tra oedd yn cynrychioli'r Llewod ym 1930, oedd un o'r blaenasgellwyr gorau i ymweld â'r ynysoedd. Er fod y mwyafrif o'r rheiny a dystiodd i'w berfformiadau wedi ein gadael erbyn hyn, mae gorchestion y cawr pengoch yn dal ar gof a chadw. Roedd y gohebydd rygbi adnabyddus, Terry McLean, yno yn Dunedin ar yr 21ain o Fehefin 1930 ar gyfer y Prawf Cyntaf rhwng Seland Newydd a'r Llewod. Dyma eiriau McLean:

Tri phwynt yr un. Ro'n ni lawr yn eu dwy ar hugain; dw i'n cofio hynny'n reit eglur. A bod yn onest, ro'n ni reit ar eu llinell gais nhw. Yn ôl y wats ro'dd llai na muned yn weddill. Porter ddododd y bêl mewn i'r sgrym, sgrym a enillwyd gan y Crysau Duon. Pan gydiodd Jimmy Mill yn y bêl rydd ro'dd e wedi colli'i gydbwysedd, rywfaint. Ei fwriad oedd defnyddio'r ochr dywyll – ro'dd e'n feistr ar y dacteg ond do'dd dim lle. Penderfynodd droi a thaflu pàs i gyfeiriad Herbie Lilburne. Do'dd hi ddim yn bàs wych ond o gofio'r amgylchiadau crëwyd cyfle i ailsefydlu ac ennill y gêm. Ac fe fyddai'r bàs wedi bod yn un dderbyniol oni bai am flaeanasgellwr pengoch y Llewod.

Ro'dd e bown o fod wedi taranu fel bwled o ochor y sgrym oherwydd fe ryng-gipiodd e'r bàs ar gyflymdra. O fewn cam neu ddau ro'dd e'n glir o bawb a phobun. Anhygoel! Dw i'n dal i weld ei goesau'n mynd lan a lawr fel pistynnau peiriant torri gwair. Aeth fel cath i gythraul i gyfeiriad yr ystlys chwith a phen y Gweithdai.

Roedd Cookie a Freddie Lucas yn cwrso am 'u bywyd ar ei ôl e a George Nepia yn sefyll yno o'i flaen fel craig Gibraltar. Am eiliad do'dd pethe ddim yn edrych mor ddrwg â hynny i'r Crysau Duon. Yna, yn nodweddiadol o Gymro, gwelwyd rhyw awgrym o ffug-bàs. Yn anesboniadwy, jyst am hanner eiliad, arweiniodd y weithred at ansicrwydd yn yr amddiffyn. Ro'dd Jones wedi cyrra'dd hanner ffordd a Nepia yn ei wynebu. (Gobeithio fod pob un ohonoch yn gallu dychmygu'r olygfa). Ro'dd Jones fan hyn a Nepia fan'na. Ar y dde roedd Cooke yn symud fel roced. Ar y chwith, asgellwr y Llewod a Chymro arall, Jack Morley, yn fychan o ran corff, o fewn dim i'r ystlys ac yn carlamu fel teriar. Ro'dd pawb ar y cae ar eu traed, yn methu â chredu'r peth. Roedd y sŵn yn aflafar; digon i suddo llong!

Ro'dd Ivor Jones bron yng nghôl Nepia pan drosglwyddodd e'r bêl yn gelfydd i Morley. Ro'dd Nepia wedi'i ynysu'n llwyr. Roedd dau ar ôl o safbwynt y symudiad, Morley a Cooke. Ro'dd hanner can llath 'da'r ddau i redeg. Hanner can llath. 'Ych chi wedi bloeddio cymaint fel ei bod hi'n amhosib i chi feddwl a rhesymu? 'Ych chi wedi cydio yn eich het neu gap a'i daflu i'r awyr heb ofidio dim am effaith y tywydd gaeafol ar eich iechyd? 'Ych chi erio'd wedi colli pob rheolaeth ar eich synhwyrau? Ac roedd 27,000 yn yr un sefyllfa! [Os nad 'ych chi, d'ych chi ddim wedi byw!] Y ddau ar garlam. Chwe eiliad ddiddiwedd! O am ailchwarae ac ail-weld yr olygfa unwaith cyn gadael yr hen fyd 'ma! Am ras! Y llinell gais yn agosáu a Cookie yn agosáu fesul modfedd at gorff esgyrnog y Cymro. Cookie'n barod i blymio a Morley'n dal i wibio am 'i fywyd. Anfarwol! Morley aeth â hi o lathen. Y Llewod yn fuddugol 6-3. Sŵn – dw i'n dal i glywed y sgrechiadau.

Mae'r ffaith i Ivor Jones gael ei anwybyddu'n llwyr gan y dewiswyr cenedlaethol ar ôl iddo ddisgleirio yng nghrys y Llewod yn Seland Newydd yn ddirgelwch llwyr. Roedd papur y *Mercury* yn Llanelli o'i go:

> There was one selectorial decision that even struck many outside boiling Sospanville as bordering on lunacy.
> 'The Big(-oted) Five – inexcusable insult to great Llanelli forward', blared the Mercurial trumpet.

Ar ôl iddo ddechrau'i yrfa fel cefnwr i Gasllwchwr a symud i Sain Helen am gyfnod byr o amser, treuliodd gyfnod hynod ddedwydd ar y Strade. Bu'n gapten am naw tymor a'u harwain yn erbyn pedwar tîm teithiol: Maoris 1926, Waratahs 1927, Springboks 1931 a Chrysau Duon 1935. Perffeithiodd y ddawn o ddriblo'r bêl, datblygodd yn flaenasgellwr agored deallus a chreadigol mewn cyfnod pan oedd y dewiswyr cenedlaethol â thuedd i ddilorni cyfraniad chwaraewr o'r fath. Roedd e'n ymwybodol o holl ofynion y safle; loetran yn fygythiol o fewn hyd braich i'r maswr, yn y man iawn i fanteisio ar unrhyw sefyllfa, a sicrhau fod ei gyd-chwaraewyr yn derbyn y meddiant ar yr eiliad dyngedfennol.

Bu'n rhaid iddo symud am dymor i Ganolbarth Lloegr am fod swyddi'n brin yng Nghymru. Treuliodd y cyfnod yn cael ei hyfforddi ar gyfer crefft newydd a sgorio 34 o geisiau i glwb Birmingham. Cynrychiolodd y Sgarlets 522 o weithiau, record a dorrwyd yn y nawdegau gan y clo Phil May. Datblygodd yn weinyddwr diflino a'i urddo'n Llywydd yr Undeb yn nhymor 1968/69. Bu farw ym 1982 yn 80 oed.

Ivor yn croesi'r llinell gais i Lanelli yn erbyn y Crysau Duon yn 1935. Gwrthodwyd y cais!

10

Shamateurism

Diwedd y gân yw'r geiniog

Mae meysydd parcio prif glybiau rygbi Prydain a Ffrainc yn datgan cyfrolau am gyflwr presennol y gêm. BMWs, Audis, Porsches (nifer o'r rheiny yn Cabriolets ac yn Coupés) sy'n boblogaidd gan sêr y bêl hirgron. A phan fydd hi'n gyfnod gwyliau, rhaid ffoi i heulwen y Seychelles neu fanteisio ar breifatrwydd campws gwyliau Sandals yn y Caribî. Sbectolau haul Rayban ac Oakley, jîns Armani, siwts Gucci a dillad isa Calvin Klein ... mae'r chwaraewyr rygbi cyfoes yn byw bywyd bras, a'r cyflogau'n caniatáu iddynt wario'n hael.

Mae nifer fawr o garfan Llanelli yn hawlio arian sylweddol – a phob lwc iddyn nhw. Gellir dweud ag elfen o sicrwydd mai rhyw ddeuddeg mlynedd, ar gyfartaledd, yw oes y chwaraewr proffesiynol, ac mae'n ofynnol iddynt berfformio'n raenus a chyson er mwyn chwyddo'u cownt banc a pharatoi gogyfer â'r dyfodol. I'r rheiny sy'n meddu ar bersonoliaeth ddymunol ac yn gyfathrebwyr da, mae 'na gyfle i ddenu sylw cwmnïau busnes a'r cyfryngau a chreu cysylltiadau a allai arwain at yrfa lwyddiannus ar ôl ymddeol o brysurdeb a pheryglon y cae chwarae.

Tra gwahanol oedd pethe 'slawer dydd! Doedd arian ddim yn ffactor cyn yr Ail Ryfel Byd. Roedd chwaraewyr yn gweithio'n gydwybodol drwy'r dydd, yn ymarfer yn achlysurol yn ystod yr wythnos ac yn diddanu torfeydd ar brynhawnau Sadwrn. I gyfartaledd uchel ohonynt roedd tyrn caled dan ddaear a shifft gorfforol yn y ffwrneisi yn golygu eu bod yn cyrraedd y sesiwn ymarfer yn chwys domen ac wedi llwyr ymlâdd. Gwir gariad tuag at y gêm oedd yn eu cynnal. Denwyd rhai i'r gêm broffesiynol yng Ngogledd Lloegr, ac aeth degau ar ddegau o chwaraewyr Llanelli, yn eu tro, i Swyddi Caerhirfryn ac Efrog. Dyna, i rai, oedd yr unig obaith i brynu tŷ a gyrru dim mwy nag Austin Seven.

Sgrifennodd y darlledydd GV Wynne Jones lyfr yn y pumdegau o dan y teitl *Shamateurism*, gan restru enghreifftiau o rai chwaraewyr yn derbyn taliadau cyfrinachol mewn amlenni bychain brown. Roedd sôn am ambell glwb yn cyflwyno derbyniadau'r maes parcio i rai chwaraewyr allweddol. Clywais lais cyfarwydd yng nghlwb rygbi Brynaman yn dweud yn y chwedegau cynnar, 'Gall e byth â ffwrdo mynd lan i 'ware *Rugby League*. Ma'r cyflog yn well lawr fan hyn!' Doedd 'na ddim sicrwydd fod taliadau cyson yn cael eu cyflwyno i chwaraewyr; os oedd taliadau, mae'n rhaid mai symiau bychain oedden nhw.

Yn ystod deugain mlynedd gynta'r ganrif ddiwethaf gellid dweud ag elfen o sicrwydd fod y mwyafrif llethol o'r chwaraewyr mas o boced. Cyflwynid ambell i ddeg swllt, ambell i bunt i ddigolledu unigolion am dreuliau teithio, ond doedd yna ddim ceiniog goch ar gael i gynnig pryd bwyd neu i gadw'r ddysgl yn wastad pan fyddai chwaraewr yn gorfod colli tyrn. Dyna oedd y rheswm pam fod cymaint yn cael eu denu gan gynigion dynion dŵad mewn siwts *Saville Row* a ymddangosai ar stepen drws sawl tŷ teras yng nghymoedd Gwendraeth ac Aman â llyfr siec yn eu pocedi.

A rhywbeth tebyg o'dd hi ar y llwyfan rhyngwladol. Roedd Ysgrifenyddion Undeb Rygbi Cymru yn gwybod yn nêt faint oedd pris *return* ar y trên o Stesion Llanelli i Gaerdydd. Doedd neb yn meiddio gofyn am gostau ychwanegol gan eu bod yn gwbl ymwybodol o'r gyfundrefn. Roedd yr Undeb Rygbi yn Lloegr 'run mor haearnaidd a chyntefig eu hagwedd. Mae'r stori am asgellwr eu tîm cenedlaethol yn adlewyrchiad o'r hyn oedd yn digwydd yng Nghymru.

'Nôl yn y dauddegau gofynnodd HC Catcheside (chwe chais yn ei bedair gêm gyntaf i Loegr) i'r Trysorydd yn Twickenham am dreuliau o £3 ar ôl teithio o Newcastle i Orsaf Euston yn Llundain. Fe ffoniodd y Trysorydd y stesion er mwyn cadarnhau'r gost a darganfod mai £2.19s.11d (£2.99 yn ein harian presennol) oedd y pris. Cyflwynwyd cyfanswm o £2.19s.11d iddo ar ddiwrnod y gêm!

Pan deithiodd Catchside i Lundain ar gyfer y gêm nesaf fe gwblhaodd e'r ffurflen dreuliau fel hyn:

Tocyn ail ddosbarth o Newcastle i Euston	£2	19s	11d
Defnydd o'r tŷ bach yn Euston			1d
Cyfanswm	£3	0s	0d

Ie, fel 'na ro'dd hi yng Nghymru hefyd! Ddiwedd y chwedegau pan o'dd timau rhyngwladol yn ymweld â gwledydd cyfagos ar gyfer Pencampwriaeth y Pum Gwlad, teithiai un neu ddau o chwaraewyr yn ychwanegol rhag ofn y byddai panic am ffitrwydd neu salwch fore'r gêm. Mae'n debyg fod un chwaraewr yn anfodlon nad oedd wedi derbyn treuliau am ddychwelyd i'w filltir sgwâr i gael triniaeth gan ffisiotherapydd. Ugain munud cyn y gic gyntaf hysbyswyd yr Ysgrifennydd nad oedd y chwaraewr, nid anenwog, yn fodlon chwarae oni bai ei fod yn derbyn yr arian oedd yn ddyledus iddo. Talwyd yr arian ac enillwyd y gêm!

Diolch i'r drefn fod y chwaraewyr y dyddiau yma, mewn oes broffesiynol, yn cael eu parchu a'u trin yn broffesiynol. Mae hynny, rhaid dweud, yn wir ar y Strade.

33

11

Lewis Jones

Gŵr y gwyrthiau

Y ddamwain oedd yn gyfrifol am yr helynt. Disgyn yn bendramwnwgl ar y grisiau concrit, treulio wythnosau mewn ysbyty lleol a phenderfynu dwyn achos o esgeulustod yn erbyn y cwmni. Chwe mis yn ddiweddarach, ar ôl hawlio a derbyn can mil o bunnoedd o iawndal, cyhuddwyd y claf o dwyll y tu allan i'r llys gan un o archwilwyr cwmni yswiriant adnabyddus.

'Ti'n holliach a dw i'n mynd i dy ddilyn di am weddill dy oes i brofi hynny,' oedd y cyhuddiad. 'Croeso,' oedd yr ateb. 'Well i chi gael gwybod lle rwy'n mynd yn ystod y diwrnodau nesaf. Dw i'n dal y trên pump o Stesion Abertawe; teithio dosbarth cyntaf i Paddington ac aros y noson yn y Ritz yn Piccadilly . . . awyren ben bore i ddinas Paris, cinio ysgafn yng ngwesty'r George cyn dal y TGV i Lourdes ar gyfer y *miracle*!'

Miracle. 'Gwyrth.' Gair digon cyfarwydd i fi yn blentyn naw mlwydd oed, ond rwy'n cofio'i glywed e'n cael ei ddefnyddio mewn sefyllfa eitha anghyfarwydd, un tro. Ro'n i'n teithio mewn Sunbeam Talbot i Gaerdydd ar y 9fed o Fawrth 1957 i weld y gêm rhwng Cymru ac Iwerddon – y tro cyntaf i mi weld gornest ryngwladol yn y cnawd. Roedd fy nhad yn dreifo, fy nhad-cu yn y sedd flaen, a tri ohonon ni wedi'n gwasgu'n anghysurus i'r sedd gefn – Ronald Francis, Cadeirydd Clwb Rygbi Brynaman, Edward ei fab, a finnau. Gwrando o'n i ar sgwrs o'dd, yn naturiol, yn gysylltiedig â'r bêl hirgron, a'r tri arbenigwr yn doethinebu. Yna trodd y sgwrs i drafod unigolion talentog – a dyna lle clywais i'r gair yna eto. Bu trafodaeth fanwl am allu a doniau chwaraewyr, gan gynnwys y presennol a'r gorffennol – Bleddyn Williams, Haydn Tanner, Cliff Jones, Jackie Kyle, Jeff Butterfield, gan roi sylw arbennig i un o gyn-chwaraewyr Llanelli, Lewis Jones.

'*Genius*,' meddai Dad-cu gan ychwanegu, 'Roedd y cefnogwyr yn cynhyrfu jyst i'w weld e'n rhedeg ar y cae. Gwyrth i'r gêm.'

''I 'ware fe ar adege'n *miraculous*. Mae e bown o fod yn un o'r wharaewyr gore erio'd,' o'dd sylw Ron Francis, a ro'dd e siŵr o fod yn gwbod ei bethe gan ei fod e'n Gadeirydd y Clwb Rygbi yn y pentre.

Nawr, fel dwedes i'n gynharach, ro'n i'n fachgen naw oed wedi clywed y gair 'gwyrth' droeon. Roedd yn air a ddefnyddid yn gyson yng Nghapel Gibea ar fore'r Sabath gan y Gweinidog, y Parchedig Gerallt Jones a'r athrawon Ysgol Sul. Ro'dd y gair yn gysylltiedig â phorthi'r pum mil a iacháu merch Jairus. Roedd defnyddio'r gair i ddisgrifio chwaraewr rygbi siŵr o fod yn golygu fod y Lewis Jones yma yn rhywun eitha 'sbeshal'. Wel, dyna fel y cofnodais i'r digwyddiad yn feddyliol y bore hwnnw, a'r hen gar yn ymlusgo fesul modfedd ar hyd yr A48 drwy Bort Talbot.

Daeth Lewis Jones i amlygrwydd ym mis Ionawr 1950, ac yntau ond yn ddeunaw oed. Ddwy flynedd ynghynt, rai munudau ar ôl cyfrannu â'i fiola yn y gerddorfa yng ngwasanaeth boreol Ysgol Ramadeg Tregŵyr, cyhoeddodd y prifathro ei fod wedi'i ddewis yn gefnwr i dîm Ysgolion Uwchradd Cymru yn erbyn Ffrainc ar Barc yr Arfau, o dan gapteniaeth Carwyn James. Doedd y penderfyniad yn fawr o sioc i ddisgyblion yr ysgol; roedd Benjamin Lewis Jones yn chwaraewr go unigryw, yn dwmpyn o dalent. Roedd e'n un o'r ychydig rai oedd â'r gallu i newid cwrs a chyfeiriad gêm mewn amrantiad.

Lewis Jones yn rhoi hwp llaw i Noel Henderson yn Nulyn, 1952, pan gipiodd Cymru'r Goron Driphlyg.

Ar ôl gadael ysgol ym mis Gorffennaf 1948 roedd hi'n ofynnol iddo wasanaethu yn y Lluoedd Arfog, a threuliodd gyfnod yn y Llynges. Cynrychiolodd Gastell-nedd am rai misoedd (profiadau tebyg i Ieuan Evans, John Davies, Rupert Moon a Jonathan Davies) cyn ymuno â Llanelli a chreu argraff arhosol yn ei gêm gyntaf i'r clwb, gan sgorio deunaw pwynt. Roedd llygaid craff *y* 'pump mawr' wedi bod arno ar ôl iddynt dystio i'w berfformiadau arallfydol yng nghrysau *Devonport Services* a'r Llynges yn y brwydrau yn erbyn y Fyddin a'r Llu Awyr yn Twickenham. Ym mis Ionawr 1950, felly, penderfynodd y dewiswyr ei fentro hi a chynnwys 'y crwt mewn trowsus byr' yn gefnwr yn erbyn Lloegr yn Twickenham. Roedd e'n ddeunaw a naw mis oed, deufis yn ifancach na Haydn Tanner, un arall o Ysgol Ramadeg Tregŵyr a enillodd ei gap cynta yn erbyn y Crysau Duon ym 1935.

Roedd record Cymru yn HQ yn un drychinebus – un fuddugoliaeth mewn deugain mlynedd yn Twickenham, a hynny ym 1933 pan gipiwyd buddugoliaeth o saith pwynt i dri, diolch i gais a chic adlam Ronnie Boon. Lloegr oedd y ffefrynnau y tro hwn eto, y tocynnau wedi'u gwerthu fisoedd ymlaen llaw a Lewis Jones, druan, yn methu â chael gafael mewn tocyn i'w dad! Addawodd Eric Evans, Ysgrifennydd yr Undeb, y byddai'n fodlon sefyll ar y teras a chyflwyno'i docyn personol e i Mr Jones petai rhaid! A gyda llaw, roedd y pris wedi codi'n aruthrol; deg swllt oedd y tâl arferol ond er mwyn ariannu gwaith cynnal a chadw ar Eisteddle'r Dwyrain, codwyd y pris i bymtheg swllt!

Capten Cymru y prynhawn hwnnw oedd John Gwilliam, arweinydd heb ei ail, ac fe ddaeth y gallu hwnnw i'r amlwg cyn i'r gêm ddechrau. Roedd Lewis bown o fod yn ansicr; y pili-pala'n dawnsio yn y bol a'r wefr o gamu i'r maes hanesyddol o flaen 75,500 yn brofiad ysgytwol i fachgen yn ei arddegau, nad oedd ond wedi chwarae llond dwrn o gêmau dosbarth cyntaf. A'r chwaraewyr yn ymbaratoi ar gyfer yr anthemau, sibrydodd Gwilliam air yng nghlust y cefnwr, 'Ti sy'n cymryd y gic gynta, a dw i am i ti ei chicio yn ddwfn i dir y gelyn.' O'r eiliad honno, roedd Lewis Jones yn gwybod ei fod yn rhan o'r tîm, y capten yn ymddiried yn llwyr ynddo. Diflannodd y nerfusrwydd fel gwlith y bore.

Aeth Lloegr ar y blaen ar ôl wyth munud o chwarae; yr asgellwr John Smith yn rhyng-gipio pàs ac yn gwibio am ddeugain llath am y cais. Ymatebodd Cymru wyth munud cyn yr egwyl. Crymanodd cic y cefnwr, Hofmeyr, i gyfeiriad yr ystlys ar hanner ffordd ac yno i'w chasglu yr oedd Lewis Jones. Arhosodd y capten, John Gwilliam, yn stond yn dyst i ugain eiliad cwbl wefreiddiol. Yn rhengoedd y Cymry roedd yna un chwaraewr oedd â'r haerllugrwydd i redeg pan oedd 75,000 o gefnogwyr, naw ar hugain o chwaraewyr, un dyfarnwr a dau lumanwr yn aros iddo gyflawni yr hyn roedd e fod i'w wneud – cicio'r bêl i ddiogelwch yr ystlys! Oedd, roedd hwn ugain mlynedd o flaen ei amser a thystiodd y miloedd i gais i'w gymharu â'r goreuon a sgoriwyd ar y tir sanctaidd – y gorau yn Twickenham oddi ar ymdrech ryfeddol y Tywysog Obolensky ym 1936 yn erbyn Seland Newydd.

Ar ôl cofleidio'r bêl o gic Hofmeyr, synhwyrodd Jones fod chwaraewyr Lloegr yn araf iawn yn agosáu ato. Roedd cyfle i ennill tir ac efallai dod o hyd i fwlch. Aeth yn ei flaen gan frasgamu'n gyflym i gyfeiriad y gwŷr yn y crysau gwynion. Cyflwynodd ffug bàs glasurol i gyfeiriad dau amddiffynnwr. Fe'u hypnoteiddiwyd gan ardderchogrwydd y weithred. Cyflymodd, gwyrodd ac edrych am gymorth. Roedd yna elfen o banic yn rhengoedd y tîm cartref ond llwyddwyd i gornelu'r cefnwr mentrus. Serch hynny, ymddangosodd Malcolm Thomas i barhau'r symudiad oedd wedi cynhyrfu'r Cymry yn y dorf, trosglwyddodd Thomas y bêl i Bob Evans o Gasnewydd a hwnnw, yn ei dro, yn canfod Cliff Davies, y prop cydnerth o Fynydd Cynffig a Chaerdydd. Cais i swyno dilynwyr rygbi ledled y byd; cais a arweiniodd at fuddugoliaeth o 11 pwynt i 5 a Champ Lawn. Roedd Lewis Jones wedi prifio a datblygu'n arwr mewn un prynhawn, ac fe'i cariwyd e a'i gapten oddi ar y cae ar ysgwyddau'r cefnogwyr!

O ganlyniad i gampau Lewis yn ystod y tymor, credai'r gwybodusion y dylai fod wedi ei gynnwys yn nhîm y Llewod ar gyfer y daith i Awstralia a Seland Newydd yn ystod haf 1950. Ond er nad oedd yn ddewis cyntaf, fe anfonwyd amdano yn sgil yr anaf i'r Gwyddel, George Norton. Fe fanteisiodd ar y cyfle i brofi'i allu cynhenid a'i weledigaeth i gynulleidfa ehangach. Chwaraeodd ei gêm brawf gyntaf i'r Llewod ar Barc Eden, Auckland, ar y 29ain o fis Gorffennaf. Y Crysau Duon enillodd yr ornest 11-8, ond roedd trigain mil o gefnogwyr cartref yn dystion i gêm fythgofiadwy. Fe'i

36

disgrifiwyd gan gapten Seland Newydd, Peter Johnstone, fel y gêm orau iddo fe chwarae ynddi erioed. Roedd agwedd y Llewod o dan eu capten, Bleddyn Williams, i'w chanmol yn fawr: 'ymosod ac ymosod yw'r amddiffyn gorau' oedd bwrdwn y sgwrs yn yr ystafell newid cyn y gêm, ac un a fanteisiodd ar yr athroniaeth hon oedd y bachgen ifanc o bentre Gorseinon, Lewis Jones. Mae'r cais a greodd i'r gwibiwr Olympaidd Ken Jones yn rhestr ceisiau'r ganrif a luniwyd gan y *Weekly News* yng Ngwlad y Cwmwl Gwyn.

Fe benderfynodd y Llewod symud y bêl o'u llinell gais gan synhwyro y byddai'r Crysau Duon yn aros am y gic at yr ystlys. O sgrym, lledodd y maswr, Jackie Kyle, y bêl ar unwaith i gyfeiriad Bleddyn Williams ond ymddangosodd Lewis Jones yn y gwagle megis seren wib gan ochrgamu'n wyrthiol i'r chwith i osgoi amddiffynnwr ffwndrus. Ymddangosodd bwlch o'i flaen. Rhedodd y crwt (yn dal yn ei arddegau) fel mellten i gyfeiriad hanner ffordd gan ryfeddu fod y bwlch lleiaf yn ymyl pyst y Llewod wedi ymagor a mynd mor llydan â'r Serenghetti! Lled-edrychodd i'r dde i weld a oedd Ken Jones o fewn cyrraedd, a daeth rhywfaint o foddhad pan sylweddolodd fod yr asgellwr dibynadwy yn y man iawn. Yna, y *coup de grace*. Aeth yn ei flaen gan arafu ychydig cyn wynebu Bob Scott, y cefnwr gorau ar wyneb daear, bryd hynny. Roedd y bàs yn berffaith, Ken Jones yn derbyn y bêl ar linell ddeg Seland Newydd ac yn cyrraedd y llinell gais heb fawr o drafferth, a Henderson a Roper yn methu'n lân yn eu hymgais i'w ddal. Heb unrhyw amheuaeth, hwn yw un o geisiau gorau'r gêm erioed.

Cynrychiolodd Lewis Jones dîm rygbi Llanelli am ddau dymor cyn ymuno â chlwb proffesiynol Leeds yng Ngogledd Lloegr lle bu'n gaffaeliad iddynt am ddeuddeg tymor. Yn y cyfnod yna, chwalodd holl recordiau'r gêm XIII gan hawlio 505 o bwyntiau yn nhymor 1956/57. Yn ystod ei gyfnod byr ar y Strade profodd ei hun yn gymaint o eilun ag y bu Albert Jenkins yn y dauddegau. 'Y gallu i greu'r annisgwyl, y gallu i ddiddanu a chreu cyffro' – dyna oedd cyfrinach un o chwaraewyr gorau Cymru, erioed! Gwir athrylith; gŵr y gwyrthiau, BL Jones.

Cais arall i Lewis i Leeds yn Wembley.

12

Ray Williams

Y Ray gwreiddiol

Gwisgodd Ray Williams grys y Sgarlets am un tymor ar bymtheg, chwaraeodd 450 o gêmau a chroesi am 213 o geisiau. Mae'r record yn un anrhydeddus a phan dreuliais awr yn ei gwmni yn ddiweddar yn ei gartre yn Hedley Terrace, gyferbyn â Pharc Howard, Llanelli, roedd yr asgellwr a hanai o bentref Felinfoel yr un mor frwdfrydig ag erioed ac yn dishgwl yn ddigon iach a heini i wynebu grym y Crysau Duon. Petai cystadleuaeth Olympaidd 100m i'r rheiny dros 75 oed, byddai Ray yn ffefryn am fedal!

Talwyd teyrnged ddiffuant i Ray Williams yng Nghyfarfod Blynyddol y Clwb ym mis Mai 1961. Yn ôl yr Ysgrifennydd, Arthur Davies, roedd Ray yn chwaraewr gonest, disglair a dibynadwy. Profodd yn gaffaeliad i'r clwb o'r diwrnod y cynrychiolodd y Sgarlets am y tro cyntaf, ddydd Gwener y Groglith, 1946. Penarth oedd y gwrthwynebwyr ar y Strade a Ray ond yn grwtyn ifanc deunaw oed. Creodd argraff arhosol drwy hawlio tri chais. Daeth ei yrfa i ben ar y lefel uchaf ar Barc Ynysangharad ym mis Ebrill 1961 pan dderbyniodd anaf reit ddifrifol i'w ên yn erbyn Pontypridd. Roedd e'n uchel ei barch gan ei gyd-chwaraewyr a'i wrthwynebwyr a phenderfynwyd ei urddo'n aelod am oes yn y Cyfarfod Blynyddol – y chwaraewr cyntaf i dderbyn yr anrhydedd. Roedd ei yrfa yn un liwgar a llwyddiannus.

Profodd y tîm gyfnodau o lanw a thrai yn ystod gyrfa Ray, ond rywsut, rywfodd, hyd yn oed yn ystod y dyddiau duaf, roedd yna ymdeimlad o berthyn, teimlad y byddai'r clwb yn goresgyn yr holl ansicrwydd a'r argyfwng ariannol ac yn llwyddo i adeiladu ar gyfer dyfodol llewyrchus. Roedd cyfraniad Ray i'r ymdeimlad hwnnw'n fawr. Rhannodd lwyfan â rhai o gewri'r cyfnod; chwaraewyr a lwyddodd drwy ddawn ac athrylith a nerth bôn braich i greu delwedd gyffrous, ramantus sy'n dal yn rhan annatod o'r clwb hanner can mlynedd yn ddiweddarach.

Llithrig, cyfrwys a chyflym – dyna eiriau i ddisgrifio'i gyfrinach. Pan fydd y mwyafrif ohonom yn chwarae gwyddbwyll, y cam nesaf sy'n mynd â'n bryd. Mae yna bwyso a mesur difrifol; poeni a fydd y penderfyniad yn arwain at roi'r brenin o dan warchae. I'r arbenigwyr, nid yw'r cam nesaf ond un cam arall yn y cynllun mwy a gafodd ei greu reit ar y dechrau, gyda buddugoliaeth mewn golwg.

Yn ôl chwaraewyr ei gyfnod, roedd elfen o Spasky a Fischer yn chwarae Ray Williams. Pan oedd e'n chwarae yn y canol neu ar yr asgell i'r Sgarlets roedd 'da fe'r gallu i synhwyro gwendidau; ymwybyddiaeth o ble yn hollol y byddai'r bylchau'n ymddangos, ac roedd y dadansoddi'n mynd ymlaen yn ei feddwl gydol y gêm. A phan fyddai'r bêl yn ei gyrraedd byddai'n gweithredu'r cynllun oedd eisoes yn ei feddwl. Yn amlach na pheidio, cyflymdra yw arf penna'r chwaraewyr ar y lefel uchaf. Mae yna sgiliau gwych yn cael eu dangos ar lefel ail ddosbarth, ar feysydd Tregaron, Tondu a Thonyrefail, ond y gallu i ddewis yr ongl gywir ac i redeg fel mellten sy'n aml yn gwahanu'r galluog a'r rhyfeddol.

Dyn ei filltir sgwâr oedd Ray. Y Strade oedd ei ail gartref ac ymfalchïai ei fod yn dilyn ôl traed rhai o fawrion y gêm. Petai e wedi symud i Abertawe neu i Gaerdydd neu Gasnewydd, byddai wedi ennill deg ar hugain o gapiau yn hytrach na'r tri chap a drysora. Doedd codi'i bac ddim yn opsiwn, *non-negotiable,* ys dywed y Sais. Gwisgai sgarlad ei glwb, a choch ei wlad, â balchder rhyfeddol, ond tybiaf mai crys Llanelli oedd agosaf at ei galon.

Treuliodd Ray gyfnod hir o amser yn athro Addysg Gorfforol yn Ysgol Ramadeg y Gwendraeth, yn datblygu a chynghori rhai o chwaraewyr rygbi gorau'r ugeinfed ganrif. O'r academi yn Nrefach y daeth Robert Morgan, D Ken Jones, Barry John a Gareth Davies – y pedwar yn dechrau eu gyrfaoedd ar y Strade a mynd yn eu blaen i gynrychioli'u gwlad. Aeth Ken, Barry a Gareth ar daith gyda'r Llewod Prydeinig, a'r pedwar yn fythol ddiolchgar am y cyfle a ddaeth i'w rhan yn y Gwendraeth.

Gwisgodd Ray grys ei wlad am y tro cyntaf yn erbyn yr Alban ar gae Sain Helen yn Abertawe ym 1954 – y gêm olaf ym Mhencampwriaeth y Pum

Ray Williams – y cyntaf i'r bêl rydd yn erbyn Seland Newydd, Tachwedd 1953.

Gwlad i'w chwarae ar y maes hanesyddol hwn. Enillodd Cymru 15-3, a Ray yn hawlio un o'r ceisiau. Roedd yna nifer o asgellwyr talentog yng Nghymru ar y pryd – Ken Jones, Trevor Brewer, Malcolm Thomas, Gareth Griffiths, Gwyn Rowlands, Haydn Morris – ond mae lle i gyhuddo'r dewiswyr o ffafriaeth, gyda Llanelli a chlybiau'r gorllewin yn cael eu hanwybyddu.

Bu tair blynedd cyn iddo ddychwelyd – Ray ar yr asgell dde a Geoff Howells ar y chwith yn wynebu'r Ffrancod mas ar y Stade Colombes, a Chymru eto'n fuddugol o 19 i 13. Cynrychiolodd ei wlad am y tro olaf yn ei gêm nesaf yn erbyn Awstralia ym mis Ionawr 1958. Bu'r diwrnod yn un cofiadwy o ran y sgôr (buddugoliaeth o 9 i 3 i dîm Clem Thomas) ac o ran cyfansoddiad y tîm. Roedd chwech o Lanelli yn chwarae – Terry Davies yn gefnwr, Cyril Davies yn ganolwr, Ray ar yr asgell, Carwyn James a Wynne Evans yn haneri ac RH Williams yn yr ail reng.

Roedd Ray yn wên o glust i glust wrth ramantu am y blynyddoedd – chwarae un gêm ar y Strade yn erbyn Nuneaton ar Sadwrn y Pasg ym 1960 (Llanelli'n fuddugol o 42 i 3) a D Ken Jones, oedd yn dal yn ddisgybl iddo yn Ysgol y Gwendraeth, yn bloeddio nerth esgyrn ei ben, 'Syr, syr . . . fi moyn y bêl!'

Pan ofynnais iddo am y cewri a greodd argraff yn ei erbyn ar y Strade, cyfeiriodd at dri Sais – canolwyr Northampton yn y pumdegau cynnar, Jeff Butterfield, a Lewis Cannell, ac asgellwr Coventry, Peter Jackson, a oedd, yn nhyb Ray, yn ddewin. Cyn ffarwelio, soniodd am faswr talentog o Bontyberem a chwaraeodd am gyfnod i Lanelli. 'Alun,' meddai, 'petai Hubert Daniels amboutu y dyddiau 'ma fe fydde clybie Ewrop i gyd ar ei ôl e. Weles i neb gwell i ddod â'r gore mas o chwaraewyr erill.'

Ac ro'dd y munudau ola o'r sgwrs yn Hedley Terrace yn crisialu Ray i'r dim – canolbwyntio'n llwyr ar ei gyd-chwaraewyr a'i wrthwynebwyr a diystyru ei gyfraniad amhrisiadwy personol ei hun i gampau cewri'r gorllewin. Mae e'n dal yn wyneb cyfarwydd ar y Strade, yr un mor gefnogol ag erioed ac yn un o *stalwarts* Côr Meibion Llanelli. Ond stori arall yw honno!

13

RH

Y cawr o Gwmllynfell

Ro'n i'n naw mlwydd oed ar y pryd, ac ar y ffordd ar hyd yr A40 i gyfeiriad Llundain ac i ardal St John's Wood. A bod yn onest, ro'n i ar bigau'r drain! Nid teithio i'r brifddinas i ryw arddangosfa arbennig oedd pwrpas y siwrnai, nac i weld rhyw sioe yn y West End. Roedd fy nhad wedi trefnu'i wyliau ar yr union adeg y byddai tîm criced India'r Gorllewin yn ymrafael â Lloegr ar Gae Thomas Lord ym 1957.

Mae'r atgofion a'r holl ddigwyddiadau cyffrous yn dal mor fyw ag erioed; y cyfan fel ailredeg rîl o ffilm – ffurfio llinell drefnus ar yr heol fawr ben bore gan obeithio y byddai tocynnau yn dal ar ôl. Yn naturiol, roedd yr eisteddleoedd crand yn llawn i'r ymylon ond fe lwyddon ni i gael mynediad, ac eistedd ar y glaswellt o fewn tafliad carreg i'r pafiliwn hanesyddol, adeilad oedd yn dipyn o ryfeddod i blentyn o oed cynradd. Roedd gweld rhai o sêr y byd criced yn y cnawd, ac o fewn hyd braich, yn brofiad bythgofiadwy o gofio mai cricedwyr Brynaman oedd arwyr bechgyn ifanc pentre'r Gwter Fawr.

Roedd nifer o hoelion wyth y pumdegau a'r chwedegau yn cynrychioli'u gwledydd – Kanhai, Sobers, Ramadhin, Valentine, Worrell, Walcott ac OG Smith i'r ymwelwyr o'r Caribî, a Graveney, May, Cowdrey, Bailey, Trueman a Statham i Loegr. Roedd y profiad i gyd yn un gwerthchweil ond, o'r holl atgofion, mae 'na un sy'n cael ei ailchwarae'n gyson yn theatr y cof.

Am ddeng munud i chwech ar y nos Wener, camodd Everton de Courtenay Weekes mas o gludwch y pafiliwn i wynebu un ar ddeg o gricedwyr Lloegr oedd yn synhwyro buddugoliaeth. Roedd partneriaeth o 180 rhwng Colin Cowdrey a Godfrey Evans yn golygu fod Lloegr, o dan gapteniaeth Peter May, yn dawel hyderus. Roedd angen *cameo* gan Weeks i achub y sefyllfa. Edrychais arno drwy'r ddau-lygadur; dilynais y gŵr cydnerth, pum troedfedd a hanner o'r ffin i'r llain. Roedd rhywbeth mas o'r cyffredin yn ei gerddediad; roedd yr edrychiad a'r osgo yn cyfleu sicrwydd, dawn a disgyblaeth. Fe berthynai iddo rywbeth magnetig. O fewn munudau roedd y cefnogwyr (cefnogwyr Lloegr, cofiwch) wedi'u swyno. Roedd Cae Thomas Lord yn fyw ac yn aflonydd. Er mor fregys y sefyllfa, roedd Weekes ar dân – trawsergyd sgwâr i'r ffin, a finnau'n dychwelyd y bêl o'r rhaff i Brian Statham, oedd yn maesu yn ein hymyl. Yna'r maestro yn cadw'i lygaid ar y bêl, un ben-glin ar y llain ac yn tynnu pelen fer a fowliwyd gan Freddie Trueman yn ogoneddus i'r ffin. Yna'r *coup de grace*: pelen dda gan Trevor Bailey o ran hyd a chyfeiriad ond y cricedwr cyflawn yn dawnsio i'w chyfarfod, yr amseru'n berffaith a'r bêl yn hedfan drwy'r cyfar i'r ffin. Roedd e'n fatiwr a feistrolodd yr holl ergydion ond, yn anad dim arall y noson honno, ei bresenoldeb, ei garisma, ei awdurdod a'i benderfyniad a greodd argraff arhosol ar fachgen ifanc yn dal i wisgo trowsus byr. Pan gydiodd Emrys Davies yn y ddwy gaten am hanner awr wedi chwech i ddirwyn y chwarae i ben, roedd cyfanswm Everton de Courtenay Weeks yn 42. Aeth yn ei flaen drannoeth i hawlio 90 o rediadau, a phob un rhediad yn gyffrous a chlasurol.

Presenoldeb, carisma, awdurdod, penderfyniad; geiriau a ddefnyddiwyd i ddisgrifio Everton Weekes . . . ie, a dyna'r union eiriau i ddisgrifio un o'r blaenwyr gorau a gamodd ar gae rygbi yng Nghymru erioed. Dw i'n cyfeirio at RH Williams, ail reng Llanelli, Cymru a'r Llewod Prydeinig yn ystod y pumdegau.

Yn syml, Rhys Williams yw'r ail reng gorau i ymddangos i Lanelli (fe fyddai RH a Delme wedi bod yn bâr rhyfeddol!), yr ail reng gorau a wisgodd grys rygbi Cymru, a heb unrhyw amheuaeth, yr ail reng gorau a gynrychiolodd

Meistr y lein.

y Llewod, a dw i'n cynnwys Willie John McBride, Martin Johnson a Gordon Brown yn y rhestr. I rai byddai'r gosodiad yn or-ddweud, ond mae datganiadau mawrion y gêm, yn ohebyddion gwybodus, yn gefnogwyr craff ac yn chwaraewyr, yn cadarnhau'r gosodiad. Mae modd dadlau am rinweddau cant a mil o chwaraewyr y gorffennol a'r presennol, ond yn blwmp ac yn blaen, mae'r term *simply the best* yn ddisgrifiad perffaith ar gyfer RH.

Disgrifiwyd yr ail reng yn 'gawr' gan rai o chwaraewyr amlycaf Seland Newydd ar ôl iddo ddisgleirio yno ym 1959. Doedd Tiny Hill a Colin Meads ddim yn parablu'n aml ond rhaid eu dyfynnu, 'Petai RH Williams wedi'i eni yn Seland Newydd byddai wedi cynrychioli'r Crysau Duon.' A dyna'r farn a adlewyrchwyd yn Ne Affrica, lle llwyddodd yr ail reng o Lanelli i dawelu van Wyk, Claassens a du Rand. Roedd RH yn un o'r ychydig rai a fyddai'n hawlio'i le yn nhimau gorau'r byd rygbi – mewn unrhyw wlad. Ond yng Nghwmllynfell wrth odre'r Mynydd Du y ganed Rhys Haydn Williams!

Roedd y gŵr serchus a dymunol yn benderfynol o lwyddo'n academaidd yn ogystal â datblygu gyrfa ar y maes chwarae. Bu'n ddisgybl yn Ysgol Ramadeg Ystalyfera, a dilyn ôl traed Claude Davey, capten buddugol Cymru yn erbyn Seland Newydd ym 1935. Graddiodd o Brifysgol Cymru, Aberystwyth, ond rygbi oedd yn mynd â'i fryd. Chwaraeodd i Gymru am y tro cyntaf yn Nulyn ym 1954, gan gipio buddugoliaeth o 12 pwynt, diolch i gic adlam Denzil Thomas yn y munudau olaf. (Gyda llaw, dyna unig gap y canolwr o glwb Llanelli; ennill y gêm a cholli'i le!)

Ond nid un i ganolbwyntio'n llwyr ar ei yrfa ryngwladol oedd RH. Pan chwaraeai dros Lanelli roedd sôn yn gyson am un gŵr yn anad neb arall. Roedd adroddiadau Harry *Scarlet* Davies yn yr *Evening Post* yn frith o gyfeiriadau at yr ail reng pwerus. Beth oedd ei gryfderau fel chwaraewr? Grym a nerth, yn amlwg, ond mae'r elfennau yma'n gyffredin i nifer fawr o flaenwyr. Roedd ganddo'r 'presenoldeb', fel y cyfeiriais yn gynharach, cryfder ceffyl a'r gallu i wrthsefyll grym y gelyn. Doedd ildio ddim yn rhan o'i gyfansoddiad.

Dewrder, techneg, stamina, egni dihysbydd, y gallu i ddioddef triniaeth giaidd yn ddi-gŵyn, ymladdwr i'r carn, dwylo da a sicr, ysbrydoli eraill, gafael gadarn ar brif anghenion ei safle a'r awydd i roi o'i orau o'r gic gyntaf i'r chwib olaf. Dyna ddisgrifio RH Williams i'r dim . . . boed ar Barc Eden yn Auckland, yn Twickenham, ar Ellis Park, ar y Strade neu ar Barc y Bryn yng Nghwmllynfell. Tystio i gyflymdra asgellwyr a dewiniaeth ambell faswr yw prif atyniadau'r gêm i rai, ond mae'r gwir gefnogwr yn gwerthfawrogi cyfraniad y blaenwyr. Gyda nhw y mae'r gallu pennaf i ddylanwadu ar natur a chwrs y gêm.

Y gair olaf i Carwyn James a John Reason yn eu cyfrol ardderchog *The World of Rugby*. Yn eu tyb nhw:

> *Rhys Williams was that rarity among British locks, a world class player. Of all the positions in a Rugby team, lock forward has been that in which British Rugby has found it most difficult to match the forwards produced by South Africa, New Zealand and, in latter years, France. But as Colin Meads himself says, Rhys Williams was a champion. Meads rates Rhys Williams and Johan Claassen as the best two locks he played against, with Benoit Dauga not far behind.*

Clod, yn wir!

14

Terry Davies

Athrylith o flaen ei amser

Ar ddalennau rhaglenni'r dyddiau da fe'th welaf: wyt ŵr cydnerth 5'11",
13.5 stôn. Wyt olau dy fwng, wyt lydan dy wên. Terence John, wyt swil,
wyt ddiymhongar, wyt Lew (1959), wyt Farbariad (1957). Ac ym mhob
man wyt Gymro bonheddig. Wyt bennaf ffefryn Parc y Strade, wyt TE
yn ôl y rhaglen.

Wyt fudan o edmygydd ar brynhawn Sadwrn ymysg corachod ffraeth
y banc wech: y gwybodus rai glodfora'r gŵr o galon a allodd
ddychwelyd wedi clwyf a galar. Wyt lachar mewn gornest, wyt eofn ar y
maes, wyt gawr ymysg cewri: Carwyn, RH, Onllwyn, a Ray . . . a Llew.

Cefnwr gorau dy gyfnod, eryr yn gwarchod yr adwy: pedwar mab ar
ddeg a thithau'n bymthegfed â siars i ddiogelu'r llinell rhag y baedd. Wyt
darw pob brwydr, wyt afaelwr di-ffael, wyt ysgwydd lydan, wyt ddyn y
dwylo diogel, wyt gywir dy annel o'r ystlys, wyt droswr di-feth o
ddeugain llath, wyt olwyn, wyt grwn.

Twickenham 1958, ond doeddwn i ddim yno: rhy ifanc medd 'nhad,
rhy bell medd Mam. Dim digon o arian poced, meddwn innau. Gêm
gyfartal, triphwynt yr un: cais iddyn nhw a chic gosb i ni. Cyfle arall.
Hanner can llath o gic yn erbyn y gwynt i selio'r fuddugoliaeth ac i
gipio'r Goron Driphlyg. Y trawst yn rhwystro'r trosi. Ond fe'i llifiwyd ac
fe'i tynnwyd ac fe'i cipiwyd dros y ffin ac ôl dy annel a'th lofnod arni.

Oeddet lifiwr dy hun ond graen gwaith dy law a gyfyngwyd i'r
gweithdy. A'r gweithdy a gynigiodd drawst newydd a'r trawst newydd a
wrthodwyd ond ni ddarfu byth am y twrw a'r traethu am y trawst o
Twickenham. Ro'dd blas ar y wilia. Erys blas ar y wele. Crwt ar y banc
wech a gofia'r gŵr o galon.

Geiriau'r Dr David Thorne, gynt o Langennech, a dreuliodd blentyndod yn
edmygydd mawr o'r cefnwr cydnerth o'r Bynea, Terry Davies, un o gefnwyr
disgleiriaf y byd rygbi.

Chwaraeodd i'r Llewod mas yn Seland Newydd ym 1959. Disgleiriodd yn
yr ail brawf (colli 8-11) a'r pedwerydd prawf (ennill 9-6). Yn ôl gohebyddion
y cyfnod, gan gynnwys Terry McLean o Seland Newydd, profodd Terry
Davies ei fod yn feistr ar ei grefft. Talwyd teyrnged arbennig iddo ar ddiwedd
y daith pan gytunai chwaraewyr y Crysau Duon ei fod yn ddigon da i chwarae
i unrhyw dîm rhyngwladol yn y byd,

Terry yn croesi'r llinell gais ar y Gnoll yn erbyn Castell-nedd.

45

15

DK a DBD

Dau ryfeddod prin

Dyddiad : Prynhawn Sadwrn, 23 Ebrill 1960
Lleoliad : Parc yr Arfau, Caerdydd
Achlysur: Ysgolion Cymru v. Ysgolion Ffrainc

Ro'n i yno! Trefnwyd trip o Ysgol Ramadeg Dyffryn Aman i'r brifddinas ar gyfer yr ornest a ro'dd hynny'n *bizarre* o feddwl bod neb o'r ysgol yn chwarae. Yr athro Addysg Grefyddol, Bryn Roberts, oedd yn gyfrifol a gan ei fod yn un o ddewiswyr y tîm cenedlaethol (dan ddeunaw oed), roedd e a gweddill y pwyllgor am fod yn siŵr fod yna griw go dda o gefnogwyr yn bresennol.

Dw i'n dal i gofio ambell symudiad oherwydd ces i, a gweddill y dorf, ein gwefreiddio gan ddawn ac athrylith dau o chwaraewyr Cymru: y canolwr Brian Davies o Ysgol Ramadeg Llanelli a'r maswr o Ysgol Ramadeg y Gwendraeth, Ken Jones. Ces i 'nghodi ar aelwyd lle roedd fy nhad a fy nhad-cu byth a beunydd yn cyfeirio at allu Bleddyn Williams o Gaerdydd a Peter

WELSH SEC. SCHOOLS		FRENCH SCHOLAIRES
Colours: RED		*Colours:* BLUE
1 R. G. BAYLIS (*Tonyrefail G.S.*)	Full Back	15 G. MARCHADOU (*Stade Aurillacois*)
2 H. L. JONES (*Barry County*)	Right Wing Left	14 C. SEGUIN (*Stade Cadurcien*)
3 D. B. DAVIES (*Llanelly G.S.*)	Right Centre Left	13 M. SABATHIE (*St. Vincent*)
4 E. JAMES (*Pontardawe G.S.*)	Left Centre Right	12 J. CADAUGADE (*Peyrehorade*)
5 M. MORGAN (*Brynmawr G.S.*)	Left Wing Right	11 L. COUDEYRE (*Montferrandaise*)
6 D. K. JONES (*Captain*) (*Gwendraeth G.S.*)	Outside Half	10 P. CLAUERIE (*Toulouse*)
7 B. J. WILLIAMS (*Bridgend County*)	Inside Half	9 R. ANTONUCCIO (*Beziers*)
8 J. YOUNG (*Garw G.S.*)	Forwards	2 J. BIDEGARAY (*La Perolliere*)
9 C. R. WILLIAMS (*Tonypandy G.S.*)		1 Y. YACONO (*Ussel*)
10 C. JONES (*Pontypridd G.S.*)		3 G. RASCOL (*Mazametain*)
11 D. K. EDWARDS (*Bridgend County*)		4 P. CHAINIER (*Angoulene*)
12 C. S. DUTSON (*Grove Park*)		5 J. CONTI (*Stade Toulousain*)
13 K. G. BROWN (*Haverfordwest G.S.*)		7 G. DUHOMEZ (*Bressane*)
14 D. HUGHES (*Pengam G.S.*)	Referee:	6 L. PORCHIER (*U.S. Romanaise*)
15 F. OWEN (*Quakers Yard G.S.*)	Mr. F. G. PRICE, W.R.U. [Blaenavon]	8 B. DUNET (*U.S. Bergeracoise*)

D Ken Jones yn croesi am gais unigol cofiadwy i'r Llewod yn erbyn De Affrica ym 1962.

Jackson o Coventry i ochrgamu'n wyrthiol. Do'dd eu disgrifiadau emosiynol yn golygu fawr ddim nes i mi weld Brian a Ken yn perffeithio'r grefft y Sadwrn hwnnw.

A nid yn unig eu gallu i faeddu dynion a ddaeth i'r amlwg. Roedd eu cyflymdra'n eu cario'n glir o'r gwrthwynebwyr – roedd y ddau hyn yn athletwyr ac yn gallu rhedeg can llath mewn llai na deg eiliad. Dysgais yn ddiweddarach fod cyflymdra'n angenrheidiol ar y lefel uchaf. Mae chwaraewyr dawnus, sy'n meddu ar ystod eang o sgiliau, yn cynrychioli'r clybiau llai; chwimdra dros y llathenni cyntaf, yn ogystal â'r doniau greddfol, sy'n denu sylw dewiswyr y prif glybiau.

Wythnos yn ddiweddarach fe weles i'r ddau am yr eildro yn chwarae i Lanelli yn y *Snelling Sevens* ar yr un cae. Enillodd y Sgarlets y tlws am y tro cyntaf yn ei hanes o dan gapteniaeth Onllwyn Brace, a'r ddau fachgen ysgol yn creu cynnwrf â'u gallu i ochrgamu a gwibio. Ro'dd cefnogwyr wedi'u cynhyrfu a gohebwyr wedi'u syfrdanu.

Yn ystod y tymhorau canlynol teithiai nifer fawr i'r Strade i weld y ddau'n gweu hud a lledrith. Ar hyd y blynyddoedd mae chwaraewyr sy'n meddu ar ddoniau cynhenid a dôs o garisma yn arwain at gynnydd yn y niferoedd ar y teras. Meddyliwch am Billy Boston yn Wigan, Matthew Maynard ym Morgannwg a Ryan Giggs ym Manchester United.

Pan symudon ni i fyw yng Nghastell-nedd yn yr wythdegau cynnar des i adnabod Haydn Morris, un o ddiaconiaid Capel Soar Maes-yr-Haf. Roedd e'n ffanatic am griced. A thra o'n i'n bersonol yn canmol Ian Botham i'r cymylau, gan ei fod shwd chwaraewr cyffrous ac amryddawn, ro'dd Mr Morris yn amau. Doedd e heb ei argyhoeddi. 'Smo fe yn yr un ca' â Wally Hammond a Keith Miller' oedd ei sylw bob tro – tan iddo fe fynd i Taunton ar ei wylie haf un flwyddyn a digwydd galw heibio am ddwy awr yn y *County Ground* a thystio i fatiad bythgofiadwy gan y meistr. Rhuthrodd ataf y bore Sul canlynol gan

47

ddweud, 'Dw i a'r wraig yn mynd 'nôl i Taunton ar ein gwylie y flwyddyn nesaf eto!'

Yn sicr, roedd Brian Davies a Ken Jones (am gyfnod o ryw dair blynedd ar y Strade) yn cyflymu curiad calon y cefnogwyr gan eu bod â'r gallu i gyflawni'r annisgwyl. Roedd yna ryw ddealltwriaeth delepathig rhwng y ddau. Dw i'n cofio un gêm yn erbyn Aberafan ar y Strade pan benderfynodd Brian fentro rhedeg bron o'i linell gais. Fe faeddodd e'i ganolwr ar y tu fas, fe ochrgamodd e'n ddeheuig oddi ar ei droed dde i dwyllo un arall a chyrraedd y dwy ar hugain. A chefnwr y Dewiniaid yn closio, trosglwyddodd i Ken Jones oedd o fewn hyd braich, a hwnnw'n mynd fel trên am wyth deg llath am y cais.

Bu Brian yn anlwcus gan ddiodde cyfres o anafiadau. Chwaraeodd i Gymru deirgwaith gan gynnwys un gêm yn Murrayfield pan lwyddodd i dreulio wyth deg munud yn loetran yn segur yng nghanol y cae. Polisi'r capten, Clive Rowlands, oedd cadw pethe'n dynn, cicio a chwrso ac aros i'r Albanwyr wneud camgymeriadau. Fe lwyddodd y tactegau a Chymru'n ennill am y tro cyntaf yng Nghaeredin ers degawd. Ond, yn rhyfeddol, fe gollodd Brian ei le yn y tîm – Meirion Roberts yn ei ddisodli yn y XV ar gyfer dyfodiad y Gwyddelod i Gaerdydd. Dw i'n argyhoeddedig o un peth. Petai Brian Davies wedi dewis chwarae fel asgellwr yn y chwedegau fe fyddai'i yrfa wedi bod yn dra gwahanol. Byddai'r cyflymdra a'r doniau cynhenid wedi esgor ar gyfnod hir a llwyddiannus yn y tîm cenedlaethol.

Sgoriwyd un o'r ceisiau unigol gorau erioed gan Ken Jones mas yn Ellis Park, Johannesburg, ym 1962. Yn y prawf cyntaf yn erbyn y Springboks, derbyniodd y bêl rhwng dwy ar hugain y Llewod a'r llinell ddeg. Ymddangosodd bwlch ac fe aeth e fel cath i gythraul gan ochrgamu heibio i un amddiffynnwr ffwndrus a gwibio fel mellten o afael dau neu dri arall. A chefnwr De Affrica, Lionel Wilson, yn agosáu ar draws y cae penderfynodd Jones gyflymu a phlymio'n acrobataidd dros y llinell gais. Mae'r cais yn un o'r goreuon a sgoriwyd gan Lew ar daith i Hemisffer y De.

Fortnum & Mason, Tate & Lyle, Huntley & Palmer. Ychwanegwch Davies & Jones, dau o feibion disgleiriaf y Sgarlets.

Brian Davies yn ei ddyddiau chwarae.

16

'Beth am Terry Price?'

Os 'ych chi'n sôn am dalent . . .

Dadlau o'n ni mewn bar yn Buenos Aires. Nid dadl danllyd o bell ffordd ond bu bron i bethe fynd dros ben llestri ar un adeg! Chi'n gweld, pan r'yn ni'r Cymry yn trafod y campau, r'yn ni'n mynnu dweud ein dweud. Ma' 'da ni farn bendant ar strwythur a thactegau a chwaraewyr unigol. A thrin a thrafod y goreuon o'n ni yn ardal Recoleta o'r ddinas adeg taith Cymru i'r Ariannin ym mis Mehefin 2004 . . . y maestros, y *geniuses*; rhestru'r ffwtbolyrs mwya greddfol a gynhyrchiwyd yng Nghymru yn hanes y gêm, a ro'dd rhyw ddeg ohonon ni am gael ein clywed.

Ro'dd angen pensil a phapur i'w rhestru. *Gareth, Gerald, Barry, Phil, Jonathan, Albert, Cliff (Jones a Morgan), Bancroft, Gould, y brodyr James o Abertawe, Bleddyn, David Watkins, Lewis Jones.* Do'dd Robert Jones a Gwyn Jones yn gwybod fawr ddim am Arthur 'Monkey' Gould a'r ddau frawd o Abertawe ond yn fodlon gwrando ar gyngor y rheiny oedd wedi darllen amdanynt. Nid eu bod nhw wedi'u hargyhoeddi, gan mai Victoria oedd y frenhines pan o'n nhw wrthi'n perffeithio'u crefft! Ro'dd Gareth Charles eitha *upset* fod neb o Bontypridd yn y rhestr ond fe brynodd e rownd arall pan sylweddolodd e fod dau o'i *alma mater* wedi'u cynnwys. A ro'dd Huw Llywelyn Davies yn ddigon balch fod cynrychiolydd o Heol Coelbren Uchaf ar y Waun o dan ystyriaeth cyn i Clive Rowlands, ar ôl gorffen glased arall o win gwyn rhanbarth Mendoza, darfu ar y sgwrs.

'Dw i wedi bod yn gwrando'n astud fan hyn am dros awr ac yn rhyfeddu nad 'ych chi wedi cyfeirio at un o'r chwaraewyr mwya amlwg.' Aeth yn ei flaen gan ddweud, ''Sdim amheuaeth y dylse Terry Price o'r Hendy fod yn y deg ucha. Os 'ych chi'n siarad am dalent naturiol, os 'ych chi'n sôn am *superman* o ran y campau'n gyffredinol, yna Terry amdani. Ro'dd popeth 'da fe.' A phwy o'n i i anghytuno!

Fe weles i Terry Price am y tro cynta ar gaeau chwarae Ysgol Ramadeg Llanelli. Ro'n i'n fachgen ifanc pedair ar ddeg mlydd oed ac yn awyddus i weld shwd bydde Ysgol Ramadeg Dyffryn Aman yn ymdopi yn erbyn un o dimau ysgol gorau Prydain Fawr. Y bore hwnnw, gan nad oedd neb arall ar gael, cytunais i redeg y lein a chael cyfle uniongyrchol i werthfawrogi dawn y gwrthwynebwyr ac athrylith un o'i chwaraewyr oedd yn dishgwl fel dyn o'i gymharu â'r bobol ifanc eraill ar y cae. Cyn hanner amser ro'n i'n ei ddiawlio! Bob tro byddai 'na gic gosb o fewn hanner can metr, a phob tro byddai cyfle i drosi'r ceisiau (a ro'dd tri cyn yr egwyl) ro'n i'n aros fel *zombie* y tu ôl i'r pyst yn edrych mewn stad o anghrediniaeth ar y bêl yn codi'n urddasol i'r awyr, yn hedfan rhwng y pyst ac yn parhau ar ei ffordd (diolch i wynt cryf) i gyfeiriad canol Llanelli. A gan fod y llumanwr arall dros ei drigain oed, y fi *muggins* o'dd yn gorfod mynd ar ôl y bêl! Anghofia i byth mo'r diwrnod, ac anghofia i byth mo'r tro cyntaf i mi weld *superstar* ar gae rygbi.

Flwyddyn yn ddiweddarach fe weles i fe am yr eildro. Ro'dd e'n dal yn ddisgybl yn yr Ysgol Ramadeg leol, ond y tro hwn yn arddangos ei ddoniau o flaen deunaw mil o gefnogwyr unllygeidiog ar y Strade. Dewiswyd Terry Price ar yr asgell chwith i Lanelli yn erbyn Crysau Duon Wilson Whineray ym 1963 ac ynte'n dal yn y chweched dosbarth. Dychmygwch y peth. Terry yn cnoco ar ddrws y Prifathro, Stan Rees, ac yn gofyn yn garedig am ganiatâd i 'ware i'r Sgarlets yn erbyn yr All Blacks ar ddiwrnod ola'r flwydyn. Dyna beth o'dd anrheg Nadolig!

Ro'dd Llanelli 8-3 ar y bla'n ar yr egwyl diolch i ymdrech arwrol y blaenwyr o dan arweiniad ysbrydoledig y capten, Marlston Morgan. Roedd gohebydd y *Llanelli Star* wedi'i blesio gan y perfformiad yn yr hanner agoriadol. *'After dominating the first half it looked as if they might well pull it off. The Llanelly forwards showed the way with a rip-roaring display. They kept up on the ball like tigers and were on top of a New Zealander as soon as he gained possession.'*

Ond ro'dd hi'n stori wahanol yn yr ail hanner. Yn amlwg, roedd pregeth Whineray ar yr egwyl yn ffactor ond roedd ffawd yn ffafrio'r ymwelwyr. Roedd Robert Morgan yn cloffi ar yr asgell ac fe waethygodd pethe pan gariwyd y maswr Beverley Davies o'r maes ar ôl pum munud o'r ail hanner ar ôl tacl nerthol. I bob pwrpas ro'dd Llanelli yn cystadlu yn erbyn tîm gorau'r byd gyda dim ond tri dyn ar ddeg. I ddyfynnu Tom Cruise, *mission impossible*! Enillodd y Crysau Duon 22-8 ond ro'dd Wilson Whineray yn y ginio swyddogol yn ddigon cwrtais a diffuant i gydnabod ymdrech ddewr Llanelli. Mae'n werth rhestri tîm y Crysau Duon y prynhawn hwnnw, o bosib un o'r timau cryfa erioed i chwarae ar y Strade: Mac Herewini, Malcolm Dick, Ian McRae, Pat Walsh, Ralph Caulton, Bruce Watt, Chris Laidlaw, Wilson Whineray (capten), Dennis Young, Ken Gray, Colin Meads, Kevin Barry, Dave Graham, Brian Lochore, Waka Nathan.

Pan chwythwyd y chwib olaf, a'r cefnogwyr yn llifo o'r cae i ymbaratoi ar gyfer dathliadau'r flwyddyn newydd (chwaraewyd yr ornest ar ddiwrnod ola'r flwyddyn) roedd pawb yn sôn am un chwaraewr yn anad neb arall. Roedd pawb, gan gynnwys cefnogwyr, gohebwyr a chwaraewyr Seland Newydd, yn rhyfeddu fod yna fachgen ysgol wedi creu y fath argraff. Roedd rhai'n hel atgofion o 1935 pan ddisgleiriodd haneri Ysgol Ramadeg Tregŵyr, y cefndryd Haydn Tanner a Willie Davies, i Abertawe yn erbyn Crysau Duon Jack Manchester.

Cyfareddwyd y dorf gan y bachgen o'r Hendy. O'dd, ro'dd 'na bedigri – ei dad-cu, Dai Hiddlestone, yn enw cyfarwydd yng nghrys Castell-nedd a Chymru yn y dauddegau, a ro'dd ei frodyr yn chwaraewyr talentog. O'r eiliad y camodd ar y Strade i hawlio'i le ar yr asgell roedd y dorf yn ymwybodol o'i bresenoldeb. Roedd yna hyder yn llifo drwy'i wythiennau. Efallai fod nifer o chwaraewyr Llanelli yn llawn tensiwn a thyndra cyn y gic gynta, ond roedd yn amlwg nad oedd Terence Graham Price ddim yn rhannu'r emosiynau hynny. Roedd e'n gartrefol ymhlith mawrion y gêm ac ambell gic gosb o'r dwylo yn y munudau agoriadol yn brawf pendant ei fod e'n wir seren. Ar ôl i Beverley Davies gael ei gario bant, symudodd Terry i safle'r maswr a gosod ei stamp ar y chwarae. Yn y munudau olaf brasgamodd y blaenasgellwr Waka Nathan at y llinell gais. Roedd nifer yn synhwyro cais arall i'r Crysau Duon ond mynnodd y disgybl chweched dosbarth ei rwystro. Roedd y dacl yn un ddigyfaddawd. Lloriwyd y Maori â thacl gyfreithiol ond cwbl ddinistriol. Torrwyd gên Waka Nathan yn y gwrthdrawiad. Y fuddugoliaeth i'r ymwelwyr, ond roedd yna glod a chanmoliaeth mawr i Lanelli, ac roedd enw Terry Price ar dafod pawb o'r Hendy i Hamilton.

Yn ddiweddarach daeth y ddau ohonom yn ffrindiau agos. Treuliwyd oriau pleserus yn teithio i Ogledd Lloegr i sylwebu ar gêmau Rygbi'r Cynghrair ac i Wembley ar gyfer Rowndiau Terfynol y Cwpan Her. Enillodd wyth cap i Gymru rhwng 1965 a 1967 a rhaid cyfaddef ei fod yn ddylanwad hollbwysig pan gipiodd Cymru'r Goron

Paratoi ar gyfer sesiwn ymarfer i Brifysgolion Prydain.

Driphlyg yn nhymor 1964/65. Roedd un gic adlam lwyddiannus yn erbyn y Gwyddelod, cic o ddeugain metr o ganol y llacs, yn ymdrech anhygoel. Llofnododd gytundeb â Bradford Northern ym 1967 cyn ymuno â thîm Pêl-droed Americanaidd, y Buffalo Bills, ym mlynyddoedd olaf ei yrfa.

Bu farw Terry ym mis Ebrill 1993 o ganlyniad i ddamwain ffordd ger Rhydychen. Cofiaf dri pheth amdano sy ddim i 'neud â'i allu ar y cae (ac roedd e'n dalentog mewn ystod eang o gampau). Cofiaf ei eiriau pan o'n i ar y ffordd i Fanceinion un nos Wener aeafol – ''Sdim amheuaeth 'nes i ganolbwyntio'n ormodol ar chwaraeon yn yr ysgol. Rygbi, criced, athletau . . . do'dd dim amser i gael sbel. Ces i broblemau â'r ddwy ben-glin oherwydd o'n nhw dan ormod o straen pan o'n i'n aeddfedu.'

Cofiaf, wedyn, y croeso a dderbyniodd gan gefnogwyr Bradford Northern pan aeth y ddau ohonom i'w cefnogi ar Knowsley Road yn erbyn St Helens ar brynhawn Sul ym 1990. Roedd yn amlwg bod y cefnogwyr yn cyfarch ac yn cydnabod un a gyfrannodd yn helaeth i lwyddiant y clwb.

Ond, yn bennaf, cofiaf drafodaeth yn hwyr y nos mewn gwesty gyferbyn â Hyde Park yn Llundain. Roedd nifer o Gymry wedi goryfed ac yn bychanu cyfraniadau sawl un o chwaraewyr rhyngwladol Cymru ddechrau'r nawdegau.

Gwrthododd ymuno yn y drafodaeth. Aeth i'w wely, a ro'n ni'n gwybod pam. Doedd e byth yn canolbwyntio ar wendidau chwaraewyr. Ei dechneg e oedd rhestru cryfderau chwaraewyr, a jyst cyfeirio at yr hyn oedd yn ofynnol iddyn nhw'i neud er mwyn gwella.

Ysgrifennwyd enwau nifer o'r hoelion wyth ar y darn papur yn y bar yn Buenos Aires. Mynnodd Clive Rowlands ychwanegu enw Terry Price, a dw i a miloedd o gefnogwyr Llanelli yn cytuno'n llwyr!

Cic lwyddiannus arall tra oedd yn chwarae i Bradford Northern.

52

17

Barry John

Dal yn frenin

'*Ships that pass in the night.*' Nid oedd ond llong yn pasio yn y nos. Yr Americanwr, Henry Wadsworth Longfellow, biau'r dyfyniad. Mae llinellau allan o '*Tales of a Wayside Inn*' yn addas i ddisgrifio perthynas fer y maswr, Barry John, â Chlwb Rygbi Llanelli.

> *Ships that pass in the night, and speak to each other in passing,*
> *Only a signal shown and a distant voice in the darkness;*
> *So on the ocean of life we pass and speak to one another,*
> *Only a look and a voice; then darkness again and a silence.*

Mae'r mwyafrif o gefnogwyr y bêl hirgron yn cysylltu Barry John, neu'r Brenin, fel y'i gelwir yn Seland Newydd, â Chlwb Rygbi Caerdydd. Gwir dweud mai yno y treuliodd y rhan fwyaf o'i amser, yn rhannu partneriaeth â'r dewin, Gareth Edwards o Waun-cae-gurwen. Serch hynny, rhaid cofio mai ar y Strade mewn crys sgarlad, tra oedd e'n ddisgybl yn Ysgol Ramadeg y Gwendraeth, yr ymddangosodd y crwt ifanc, main am y tro cyntaf dros y clwb, a buodd e yno am dri thymor.

Dyma pryd y profodd ei fod yn meddu ar ddawn ac athrylith i'w cymharu â'r artist enwocaf, y cerflunydd amlycaf a'r cerddor perffeithiaf. Roedd hi'n gwbl amhosib rhag-weld beth a wnâi nesaf. Byddai'n penderfynu ar ei weithred pan fyddai'r bêl yn ei ddwylo; edrychai'n ddiniwed, ond roedd cymuned ardal y glo caled yng Nghefneithin wedi mowldio chwaraewr oedd yn wahanol i'r cyffredin. Doedd hwn ddim yn bwriadu ildio i neb!

Sgoriodd geisiau a saernïodd fuddugoliaethau ar gae Cefneithin ac ar gaeau rygbi enwoca'r byd. Cyfrannodd yn helaeth i fuddugoliaeth Llanelli yn erbyn Awstralia ar y Strade ym 1966. Mae e'n cydnabod mai ei gais gorau erioed oedd hwnnw mas yn Stade Colombes ym 1971. Brwydrai Ffrainc i rannu'r Bencampwriaeth tra oedd Cymru â siawns i gipio'r Gamp Lawn. Ar y diwrnod doedd dim i wahanu'r ddau dîm. Roedd angen dylanwad unigolyn i greu'r annisgwyl, a dyna a gafwyd. Jeff Young, bachwr Cymru, yn ennill y bêl yn erbyn y pen yng nghysgod pyst y Ffrancod a Barry yn synhwyro fod y bwlch lleiaf wedi ymddangos rhwng Berot a Bertranne. Roedd Barry'n aml yn edrych yn lletchwith ond rhaid cydnabod ei fod yn dwyllodrus o ran cyflymdra. Y tro hwn roedd e'n drech na'i wrthwynebwyr a chyrhaeddodd y llinell gais drwy gyfrwystra a phenderfyniad. Roedd y cais yn un tyngedfennol

53

Y Brenin John.

a'r fuddugoliaeth yn golygu fod Cymru wedi hawlio'r Gamp Lawn am y tro cyntaf ers tymor 1951/52.

Roedd ganddo'r gallu i ganfod gwendidau. Yn y Prawf Cyntaf yn Seland Newydd ym 1971 llwyddodd y maswr i lywio buddugoliaeth drwy gicio'n gywrain a chreu problemau di-ri i'r cefnwr, Fergie McCormick. Y Crysau Duon gafodd y meddiant ac elfen o oruchafiaeth, ond y Llewod gafodd y fuddugoliaeth, diolch i berfformiad meistrolgar y maswr.

Mae Peter Griffiths, cyn-gefnwr Glyn Ebwy a chyn-ddisgybl yn Ysgol y Gwendraeth, yn disgrifio cais Barry yn erbyn Prifysgolion Seland Newydd yn y gyfrol *Cewri Campau Cymru.*

'Derbyniodd y bêl tu allan i linell 22 metr y gwrthwynebwyr, ffugio gôl adlam ac wedyn gweu ei hun yn osgeiddig rhwng yr amddiffynwyr gan osod y bêl yn ddestlus rhwng y pyst. Roedd fel petai amser wedi peidio; roedd fel petai pawb yn stond ar y cae ac roedd y dyrfa'n hollol fud.'

Da y dywed Dic Jones amdano:

> Gŵr di-rwysg, rhedwr ysgon, – un steilus
>   Â dwylo dal sebon.
> Cŵl, gwddyn, ciciwr union,
> Boi ar jawl yw Barry John.

Ef, yn ôl Gwilym R. Jones, oedd gobaith newydd y genedl :

> Ein draig yn y newydd drin – yw gŵyl lanc
>   Y glew o Gefneithin;
> Â dybryd gampau dibrin
> Dilea graith cenedl grin.

Y gair olaf i James Davy o ddinas Auckland yng Ngwlad y Cwmwl Gwyn. Enillodd James gystadleuaeth ym mhapur Sul yr *Observer* ddiwedd y nawdegau. Gofynnwyd i'r darllenwyr ddisgrifio'i harwyr ac roedd ymdrech y tramorwr wedi plesio'r beirniaid. Roedd e'n ddigon hapus ein bod yn cynnwys ei ddarn yn y gyfrol hon.

Nijinsky, Michelangelo, Muhammad Ali, Galileo Galilei, Edmund Hillary, William Shakespeare, Johan Cruyff, The Great Wall of China, Enrico Caruso, Aristotle, Joan of Arc, Phidippides, Christopher Columbus, Nelson Mandela, William Blake, Pablo Picasso, Frank Lloyd Wright, the Beatles, Leonardo da Vinci, Mount Everest, James Joyce, Wolfgang Amadeus Mozart, Barry John.

18

Ieuan

Yr hyfforddwr (1919–2000)

Mae dyfarnwyr rygbi yn unigolion unigryw; yn debygol o gyfeirio'n gyson at yr holl gêmau cyffrous a reolwyd ganddynt yn ystod eu gyrfa; yn ymfalchïo mai nhw oedd yn gyfrifol am safon uchel y chwarae ond yn gwylltio'n lân pan fydd rhywun yn sôn am ambell berfformiad truenus. Roedd Ieuan yn gwybod yn hollol sut oedd eu trafod nhw ac, yn bersonol, mae 'na un digwyddiad sy'n dal i fflachio'n achlysurol yn yr isymwybod.

Rwy'n dal i gofio'r dyddiad; mae'r gêm yn dal yn fyw yn y cof. Pe bai 'na gystadleuaeth genedlaethol am un o berfformiadau gwaethaf dyfarnwr rygbi ers y dechrau, yna byddai gêm Abertawe yn erbyn Pont-y-pŵl ar faes Sain Helen ym mis Hydref 1974 yn debygol o fod ar y rhestr fer. Roedd rheolaeth Alun Wyn Bevan yn gwbwl anobeithiol; yn rhy awdurdodol o lawer, y ciciau cosb yn gyson, y chwaraewyr yn awyddus i geisio creu adloniant ond y dyfarnwr di-brofiad yn difetha'u hymdrechion.

Eiliadau ar ôl cyrraedd yr ystafell newid, a minnau'n ystyried cant a mil o bethau eraill i'w gwneud ar brynhawnau Sadwrn o hynny 'mlaen, bu bron i'r drws chwalu'n deilchion. Hyfforddwr tîm rygbi Abertawe, Ieuan Evans, oedd yno. Fe daranodd y geiriau mas o'i enau fel bwledi o wn, 'Ro't ti'n ofnadw! Dyna un o'r gêmau gwaetha ma' reffarî wedi'i ga'l erio'd. Os taw dyna dy safon di, paid dod fan hyn byth 'to!' A dyna ddiwedd yr araith. Roedd e wedi cael dweud ei ddweud. Ac yn ddiweddarach, ar ôl y gawod hiraf mewn hanes, roedd e y tu fas yn aros amdanaf i 'nghludo i'r clwb, ac ar y ffordd yn fy amddiffyn i'r eithaf rhag y tonnau o ymosodiadau personol. Doedd Ieuan byth yn codi hen grachen – roedd yn datgan ei farn yn glir ac yn gryno, ond byth yn dal dig.

Ac er fod yna Ieuan arall yn ystod yr wythdegau a'r nawdegau wedi swyno'r byd rygbi, fel Ieuan yr adwaenir Ieuan Evans o bentre Garnant yn Nyffryn Aman. A dewch i ni gael bod yn onest, roedd y Ieuan hwn, hefyd, yn dipyn o athrylith ym myd y bêl hirgron, yn deall y gêm, yn hyfforddwr craff a gonest, ac yn fodlon arbrofi mewn cyfnod pan oedd y grefft yn ei phlentyndod.

Yn anffodus, oherwydd natur agored ei bersonoliaeth, ni dderbyniodd ei haeddiant fel hyfforddwr. Roedd e'n rhy blaen, yn rhy ddi-flewyn-ar-dafod i holl *gurus* y byd rygbi yng Nghymru yn ystod y cyfnod. Roedd e a'r diweddar Carwyn James yn ffrindiau mawr; Ieuan yn ymweld â'r Eidal yn gyson pan fu Carwyn yn hyfforddi yno. Yng Nghymru, bron ymhob maes, hyd yn oed heddiw, mae'n ofynnol ufuddhau i'r drefn, cydymffurfio, closio at y bobol ddylanwadol. Doedd Ieuan ddim yn debygol o wneud hynny! Does gen i ddim amheuaeth, petai Ieuan Evans wedi'i eni yn Awstralia neu Seland Newydd byddai wedi derbyn cydnabyddiaeth ac wedi cyrraedd y brig fel hyfforddwr. Os oedd lle i feirniadu, yna cystal dweud fod yna styfnigrwydd ar adegau; dulliau Ieuan oedd yn gywir a doedd dim llawer o barodrwydd i resymu ag eraill.

Treuliodd gyfnodau llwyddiannus ar y Strade ac ar Sain Helen. Ei ddymuniad oedd gweld timau o dan ei ofalaeth yn chwarae rygbi pymtheg dyn, yn creu cyffro ac yn diddanu. Roedd yr athroniaeth hon yn gwbl ddigyfnewid ac roedd ei ddulliau, nôl yn y chwedegau a'r saithdegau, yn arloesol. Gellid dweud fod Ieuan yn disgyn i'r un categori â Martin Peters – ugain mlynedd o flaen ei amser!

Roedd e'n gwmni da, yn gyfathrebwr naturiol a diddorol ac yn gartrefol ymhlith ei bobol. Y cymoedd oedd ei filltir sgwâr – o Gwm Rhymni i Gwm Gwendraeth. Roedd e'n gallu uniaethu â nhw yn bennaf oherwydd dylanwad ei dad, Ianto 'Red', a oedd, fel y gellwch ddyfalu, yn gomiwnydd ymroddedig yn Nyffryn Aman. Ei gyfraniad pennaf i rygbi yng Nghymru oedd ar lefel ieuenctid; ymhyfrydai yn y ffaith ei fod wedi dylanwadu'n bositif ar nifer o fechgyn ifanc yn Nyffrynnoedd Aman a Llwchwr, ac ar chwaraewyr y tîm cenedlaethol. Siaradai â balchder am Trevor Evans, Derek Quinnell, Phil Bennett, Phil Llewellyn, Terry Holmes ac eraill. Ac yn ystod ei yrfa ddisglair, hyd yn oed yn ystod ei gyfnod fel Is-lywydd yng Nghaerdydd ac fel Llywydd yr Undeb, ni edwinodd yr egni a'r ymroddiad tuag at ddatblygiad y gyfundrefn ieuenctid.

Roedd yna gariad arall yn ei fywyd – y cariad cwbl ddigyfnewid tuag at ei wraig, Renee. Hi oedd conglfaen ei fywyd. Roedd ei cholli hi yn ergyd sylweddol. Pan fyddai Ieuan yn camu mewn i'r cartref yn Heol Cowell, roedd yna bwrpas arall i'w fywyd, pethau eraill i'w trafod. Mae atgofion melys gan eu merch, Janet – hithau'n un o ferched disgleiriaf Dyffryn Aman, yn gerddor dawnus, yn ieithydd amryddawn ac, erbyn hyn, yn awdurdod ar winoedd. Ac i rywun fel fi oedd yn ymwybodol o'i chariad angerddol at rygbi, roedd eironi llwyr o'i weld ar deithiau Cymdeithas Edward Llwyd yn gorfod gwrando'n astud ar ddisgrifiadau manwl am adar a phlanhigion.

Mae 'na lyfrau di-ri wedi ymddangos yn y Gymraeg a'r Saesneg yn trin a thrafod cymeriadau lliwgar. Mae gwir angen cyfrol am Ieuan!

Ieuan – fel yr oedd ar y cae ymarfer.

19
Llanelli 9 : Springboks 10

Colli, ond testun dathlu, ie –
ond gydag ôl nodyn mwy difrifol

Mae gan bob un ohonom sy'n ymddiddori yn y campau restr hir o atgofion. I rai, buddugoliaethau tîm mewn cystadlaethau o wir bwys sy'n cydio yn y dychymyg ac yn cael eu hailchwarae'n gyson ar dâp yr ymennydd. I eraill (a dw i'n cyfrif fy hun yn aelod o'r categori hwn) perfformiadau athrylithgar gan unigolion sy'n creu'r cyffro. Mae gen i ffrindiau sy'n gwirioni ar gerddoriaeth Mozart a Beethoven; eraill yn crwydro orielau yn rhyfeddu ar gelfyddyd y meistri megis Rembrandt, Van Goch a Monet. Gallaf gydymdeimlo â'u hobsesiwn oherwydd, yn y bôn, mae cerdd, celf, drama, a'r campau, yn werthfawrogiad o'r gwych a'r anghyffredin. Talentau cyfansoddwyr, cerddorfeydd, actorion, chwaraewyr, artistiaid, cerflunwyr, penseiri a pheirianwyr yn cael eu perffeithio a'u cydnabod. Mae pobol yn llifo i Glyndebourne, Amgueddfa'r Prada, ac i Barc y Strade, i weld ac i glywed y goreuon yn cyrraedd yr uchelfannau.

Roedd diwedd y chwedegau a'r saithdegau yn gyfle i ni weld Ilie Nastase yn concro'r byd tenis. Er fy mod yn ymwelydd cyson â Wimbledon yn ystod y chwarter canrif diwethaf (talu £6 ar y gât, crwydro'r cyrtiau allanol am deirawr ac yna gobeithio perswadio un o'r crachach i drosglwyddo'i docyn ugain punt), ches i mo'r pleser o weld y dewin o Rwmania yn y cnawd. Dibynnu ar yr hen set *Murphy* wnes i, ac eistedd o flaen y sgrîn fach yn llawn edmygedd o allu'r meistr. Roedd e'n meddu ar athrylith yr artist – roedd hwn yn gyfuniad o Brahms a Leonardo da Vinci. Roedd y raced yn aelod ychwanegol o'r corff, y bêl yn rhywbeth i'w thrin a'i hanwesu'n dirion. O bryd i'w gilydd deuai fflach nwyfus i'w lygaid a thrwy ryw ddewiniaeth llwyddai i dwyllo'i wrthwynebydd ag ergyd flaenllaw gywrain, lob anhygoel o gefn y cwrt neu foli wefreiddiol.

Defnyddiwyd pob math o eiriau i ddisgrifio Nastase. Weithiau'n giamstar, weithiau'n swynwr, weithiau'n ddewin, weithiau'n glown! Roedd e'n ben tost i'r llumanwyr a'r dyfarnwyr. Rhaid cydnabod hynny, ond 'na fe, 'smo ni i gyd yn berffaith! Cwynai byth a beunydd pan fyddai'n cael cam (yn ei dyb ef) ac fe fyddai'r dadlau a'r ffrae, gydag ambell reg, yn parhau am funudau cyn iddo ildio.

Serch hynny, o safbwynt personol, mae Ilie Nastase yn un o'r diddanwyr mwyaf athrylithgar, yn llawn haeddu rhannu llwyfan â Barry John, Johan Cruyff, Viv Richards, George Best, Michael Jordan, Olga Korbut, Evonne Goolagong, Pele, Maradona, Sachin Tendulkar, Phil Bennett a Serge Blanco. Ond beth sy a wnelo Ilie Nastase â Pharc y Strade?

Mewn cyfweliad â'r gohebydd Robert Philip yn y *Daily Telegraph* gofynnwyd i Nastase ddisgrifio'r gêm a roddodd y boddhad mwyaf iddo. Roedd y cwestiwn yn un teg ond roedd yr ateb yn annisgwyl. Meddyliais, cyn darllen gweddill y llith, y byddai'n cyfeirio at ei fuddugoliaeth ym Mhencampwriaeth Agored yr Unol Daleithiau ym 1972 pan drechodd Arthur Ashe. Cofiais yn ogystal am ei gampau ym 1973 pan gipiodd un ar bymtheg o dlysau ledled y byd. Ystyriais y posibilrwydd y byddai'n rhamantu am ei berfformiad anhygoel yn Stockholm ym 1975 pan chwalodd y ffefryn lleol Bjorn Borg 6-2, 6-2, 6-1 o flaen miloedd o gefnogwyr swnllyd ac unllygeidiog. Ond na . . . anwybyddodd yr uchod a chyfeirio'n syth at gêm yn Wimbledon ym 1972. Stan Smith oedd ei wrthwynebydd a'r Americanwr aeth â hi 7-5 yn y bumed set.

'Mae pobol yn meddwl 'mod i'n hurt,' meddai 'ond rhaid i mi gyfaddef mai cael a chael o'dd hi tan yr ergyd ola un, ac er i mi golli ro'dd yr ornest yn un bleserus ac yn fythgofiadwy o safbwynt safon y chwarae. Mae gwybodusion y byd tenis yn dal i ddisgrifio'r Rownd Derfynol honno fel un o'r goreuon erioed ac mae hynny'n plesio. I mi, mwynhad oedd tenis. Ro'n i wrth fy modd yn diddanu ac mae'n drist y dyddiau yma taw pŵer a grym sy'n hawlio'r penawdau ac yn ennill cwpanau. Rhaid dod o hyd i'r chwaraewyr naturiol – ma' nhw mas yno yn rhywle.'

Gan ddefnyddio meddylfryd, athroniaeth a synnwyr cyffredin Ilie Nastase, mae'n hen bryd i Lanelli feddwl am ddathlu'r perfformiad yn erbyn Springboks Dawie de Villiers ar yr 20fed o Ionawr 1970. Dylen ni, o bryd i'w gilydd, ymfalchïo mewn perfformiad da, a dyna a gafwyd ar y Strade y prynhawn hwnnw mewn gêm agored, danllyd, gyffrous. I Dde Affrica yr aeth y fuddugoliaeth o bwynt yn unig (9-10), ond roedd y Sgarlets yn haeddu pob clod ac anrhydedd am frwydro hyd eithaf eu gallu. Pan chwythwyd y chwib olaf, a hynny ar ôl chwarter awr o amser ychwanegol, ro'dd y gwrthwynebwyr o Hemisffer y De yn barod i gydnabod cyfraniad y tîm cartref.

Roedd yna enwau adnabyddus yng ngharfan yr ymwelwyr, a'r blaenwyr yn ddigon pwerus i herio goreuon y cyfnod – Myburgh, Marais, Greyling, Ellis, de Klerk a du Preez. Cyn ymadael â De Affrica treuliodd y tîm gyfnod yn ymarfer ym Mhrifysgol Stellenbosch o dan gyfarwyddyd hyfforddwyr gorau'r wlad, a bu'r ddeufis o gydchwarae ymlaen llaw yn fendithiol.

Ar y Strade y diwrnod hwnnw fe rannwyd yr ysbail o ran ceisiau ac er i bethau, ar adegau, fynd dros ben llestri o ran ymddygiad cyffredinol, roedd safon y chwarae yn wefreiddiol. Cafodd y cefnogwyr werth eu harian – chwaraewyr o'r naill dîm a'r llall yn llwyddo i gadw'r bêl yn y dwylo yn hytrach na chicio'r bêl i ddiogelwch yr ystlys.

Roedd yr ornest i gyd yn gofiadwy, ond roedd yna bedair munud gwbl fythgofiadwy – y cyfnod a esgorodd ar gais cyntaf Llanelli o'r prynhawn – un o'r ceisiau gorau a welwyd ar y Strade, os nad yng Nghymru, erioed! Tystiodd y dorf (oedd ar bigau'r drain) i gyfres o ymosodiadau gwyrthiol – chwaraewyr yn rhyddhau'r bêl cyn i'r dacl gael ei chwblhau, eraill yn cyrraedd a chefnogi, y dyfarnwr yn aros ychydig yn y rycs a'r sgarmesi cyn chwibanu, a'r Sgarlets anturus yn manteisio, y pasio'n gywrain, a doniau ymosodol un neu ddau yn golygu fod yna barhad i'r chwarae. Mae'r lluniau aneglur sy'n dal yn archif y BBC yng Nghaerdydd yn cadarnhau'r uchod. Ymddangosodd ambell un yn y symudiad deirgwaith, gan gynnwys y canolwr John Thomas a'r maswr Gwyn Ashby. Yn delepathig, bron, roedd y pymtheg sgarlad yn gwrthymosod yn gwbl reddfol, a'r cyfan yn ymdebygu i gêm ffwrdd-â-hi ar draeth ar drip Ysgol Sul.

A bod yn deg â'r Springboks, fe wnaethon nhw bethe'n anodd drwy amddiffyn yn styfnig a brwydro am feddiant. Ond roedd tîm Stuart Gallacher yn benderfynol o goroni symudiad o'r fath â chais. Erbyn hyn roedd yr adrenalin yn llifo (ar y cae ac oddi arno) a phan lwyddodd y cefnwr, Hamilton Jones, i ryddhau Alan Richards am y cais, roedd y bloeddio byddarol i'w glywed draw 'sha Phont Llwchwr.

Mae unigolion wedi creu cynnwrf ar y Strade droeon yn ystod hanes y clwb, ond hwn oedd y cais tîm gorau a gafodd ei sgorio yng nghartref tîm rygbi Llanelli erioed. Ac anodd credu y gwelir dim tebyg iddo byth.

Y bywiog Jan Ellis groesodd am ddau gais y Springboks. Crëwyd ail gais Llanelli gan Clive John a lwyddodd drwy ryw ddewiniaeth i wyro heibio i un neu ddau cyn trosglwyddo i'r prop llathraidd Brian *Bull* Butler. Fe a'th yntau nerth ei draed a chyrraedd y llinell gais a thri amddiffynnwr ar ei gefn.

Roedd y perfformiad gydol y gêm yn un arwrol. Annheg fyddai canolbwyntio ar gyfraniadau un neu ddau; doethach o lawer fyddai enwi'r XV. Mae'n bryd iddyn nhw ddod at ei gilydd yn achlysurol i ddathlu'r golled!

15 Hamilton Jones

14 Alan Richards   13 Graham Griffin   12 John Thomas   11 Roy Mathias

10 Gwyn Ashby   9 Gareth Thomas
Selwyn Williams (eilydd)

1 Brian Butler   2 Arwyn Reynolds   3 Byron Gale

4 Stuart Gallacher (capten)   5 Derek Quinnell

6 Clive John   8 Hefin Jenkins   7 Alan John

Dyfarnwr: Frank Lovis

O.N.

Carwyn James oedd y gŵr a fu wrthi'n paratoi'r garfan ar gyfer yr ornest ond pan gamodd y tîm ar y cae, roedd Carwyn ar ei ffordd i gyfeiriad Cwm Gwendraeth a Chefneithin. Tra bod miloedd wedi gwir fwynhau perfformiad Llanelli, roedd yna rai, gan gynnwys Carwyn, yn meddwl am stad y bobl dduon yn Ne Affrica, ac yn dymuno dangos eu gwrthwynebiad i'r apartheid dienaid. Tristwch y sefyllfa oedd mai tref y sosban oedd milltir sgwâr y glowyr, y gweithwyr dur, tun ac alcan. Roedd yr ardal yn ymgorfforiad o oes y diwydiannau trwm a'r werin bobl. Yma, bu'r gweithwyr yn byw mewn caledi difrifol; yma bu'r undebau a'r pleidiau gwleidyddol yn brwydro dros hawliau'r unigolyn. Tybed a ddylid fod wedi croesawu'r Springboks i Gymru – ac i Lanelli – ar y pryd?

Gêm glwb ar y Strade, ond dyma dri o arwyr Llanelli yn erbyn De Affrica: (o'r chwith i'r dde) Stuart Gallacher, Alan John, a'r mewnwr amryddawn, Gareth Thomas.

20
Carwyn – y Meistr

Teyrnged bersonol

Cysylltir Clwb Rygbi Llanelli â chant a mil o chwaraewyr amryddawn; nifer ohonyn nhw'n gewri'r gorffennol. Am ganrif a chwarter bu mawrion y gêm yn gwisgo'r crys sgarlad, ond mae 'na rai sy'n wir ymgorfforiad o'r clwb – Harry Bowen, Albert Jenkins, RH Williams, Delme Thomas, Ray Gravell, Phil Bennett, Ieuan Evans, Gareth Jenkins – i gyd yn hoelion wyth yng ngwir ystyr y gair – ac, wrth gwrs, Carwyn. Byddai sawl lle arall, o Gefneithin i bedwar ban y byd, yn hoffi hawlio Carwyn ar ôl ei lwyddiant ysgubol yn hyfforddi'r Llewod yn Seland Newydd ym 1971, ond y Strade oedd ei gartref mynwesol ac ysbrydol.

Ysgrifennwyd erthyglau a chyfrolau di-ri amdano, a phawb a ddaeth i gysylltiad ag e'n tystio i'w gymeriad hoffus, ei allu aruthrol fel llenor, ei ddawn fel hyfforddwr, ei wybodaeth eang a'r meddwl craff a'i gwnaeth yn ddarlledwr a newyddiadurwr o wir safon. Yn wir, ni ellir talu mwy o deyrngedau i Carwyn na sydd wedi eu rhoi'n barod, ond ni ellir cyhoeddi llyfr am y Strade heb bennod arbennig iddo fe. Dyma, felly, rai sylwadau personol.

I mi, un o uchafbwyntiau'r wythnos ddiwedd y saithdegau a dechrau'r wythdegau oedd codi ben bore a derbyn copi dydd Gwener o'r *Guardian* (yr un 'cenedlaethol', nid y rhifyn lleol a argraffid yn Rhydaman!) a darllen llith Carwyn o ryw fil o eiriau ar y bêl hirgron. Roedd e'n sicr wedi llosgi'r gannwyll yn y creu, wedi pwyso a mesur yn ofalus, wedi dadansoddi a dehongli'n ddeallus cyn bwrw pìn ar bapur. Roedd cynnwys yr erthyglau yn ddeifiol, yn ddiddorol ac yn ddi-flewyn-ar-dafod. Meistr wrth ei waith.

Rugby football is a player's game. He is the warrior who mattered in the primitive society; he takes the field, he does the actual thing, and he should have the qualities of honour, courage and pride in performance. Others; administrators, referees, coaches, scribes, are interpreters of the scene, but they should all observe the similar disciplines if they care for the game – to be interpreters and not mere describers, caring and not knocking, sensible rather than sensational. Such is not always the case.

*

A young player must think and rethink his game many times over if he wants a first class career. If he does not, it will all be short, sharp and painful. To round up Dylan's lines: 'We shall see the boy of summer in his ruin'.

*

I love an inner calm, a coolness, a detachment; a brilliance and insouciance which is devastating. Like Barry or Gerald. Some sniff the wind – they created it.

*

We are breeding robots. We have few thinking players at the moment. The 80s promise little. Perhaps the drudge and the monotony of club training sessions, where everything is done by numbers, has numbed the brain to such an extent that it is incapable of original thought during an actual match. In some clubs players are even ordered not to think. So no wonder they take the wrong options at critical moments.

Cryfder Carwyn oedd ei ddealltwriaeth o'r hil ddynol. O'dd e'n gwbod shwd i drafod pobol. Wrth gwrs bod y pethau amlwg angenrheidiol ganddo fe – gwybodaeth drylwyr o'r gêm a meistrolaeth ar dactegau ac ar y rheolau – ond yn anad dim arall, ro'dd gydag e'r gallu i ga'l y gore mas o'i chwaraewyr.

Roedd Carwyn yn hyddysg i ddylanwadu'n seicolegol ar y chwaraewyr. Roedd y ffactor X yn rhan annatod o'i gyfansoddiad. Roedd ganddo'r gallu i ddelio â chwaraewyr oedd wedi cael eu gadael mas o'r tîm. Roedd e'n gallu ysbrydoli. Un o gryfderau'r hyfforddwr oedd canfod unigolion oedd yn frwdfrydig, yn fodlon rhoi cant y cant i'r achos.

Gellid crisialu'i athroniaeth mewn un cymal: 'Ymosod ac ymosod yw'r amddiffyn gorau' – athroniaeth sy'n dal yr un mor berthnasol ag erioed, ac yn cael ei harddangos yn fynych ar y Strade. Byddai hynny'n ei blesio'n fwy na dim. Rwy'n cofio'i glywed yn dweud mewn araith yng Nghlwb Rygbi Quins Caerfyrddin ar ôl i'r clwb ddathlu'i ganmlwyddiant â gêm yn erbyn Llanelli, mai gwahodd ei chwaraewyr i gyflawni camgymeriadau oedd ei nod. 'Drwy wneud hynny,' meddai, 'maen nhw'n dysgu sut mae perffeithio symudiadau, ac yn fodlon ei mentro hi.'

Oedd, roedd e bob amser yn chwilio'n dâr am gelfyddyd ar y cae ac roedd presenoldeb unigolion fel Phil, Barry, John Dawes, Gareth, Gerald, JPR a David Duckham yn nhîm y Llewod yn hwb aruthrol i'w syniadaeth. Lluniodd erthygl yn y cylchgrawn *Barn – Ceffylau Bragdy a Dawnswyr Bale* (a luniwyd ar y cyd gyda Tom Davies). Mae'r darn, a gyhoeddwyd ym 1971, yn crisialu'i athroniaeth:

Ymffrostia Rwsia a'r gwledydd Comiwnyddol yn eu cymdeithasau diddosbarth. Ymffrostia gwledydd y Gorllewin, gwrthgomiwnyddol yn y dybiaeth mai delfryd anymarferol yw hon. Rhaid wrth ddosbarth, medden nhw. Ta waeth, daw tro ar fyd ym mhob cymdeithas. Ac fe ddaeth, gobeithio, ar werin y maes rygbi. Gynt, yn wir, hyd at y flwyddyn hon yng Nghymru (ac nid dylanwad unrhyw Lecsiwn a gyfrif am hyn), roedd yna ddwy gymdeithasol-haen ym mhob pymtheg. Gelwch nhw beth a fynnoch; yr wyth a'r saith, y taeogion a'r tywysogion, y labrwyr a'r lordiaid. A phetai gofod yn caniatáu gallem roi enwau'r naill garfan am y llall; digon fydd dweud yma y galwyd nifer ohonom ni'r pwysau plu yn ddawnswyr bale, yn dylwyth teg ac yn Harlem Globetrotters, ymhlith pethau eraill. Ond roedd angen y dawnswyr bale a'r ceffylau bragdy. Ac allan i'r maes â'r pymtheg, pob un i'w safle, a'r ddwy gymdeithas falch yn ceisio ymdoddi'n un gymdeithas glòs.

Carwyn yn ennill ei gap cynta dros Gymru yn erbyn Awstralia ym 1958, gyda'r pum chwaraewr arall o Lanelli.
Rhes gefn (o'r chwith i'r dde): Ray Williams, Cyril Davies, Wynne Evans,
Rhes ganol (o'r chwith i'r dde): Carwyn James, Handel Rogers (URC), R.H. Williams.
Rhes flaen: Terry Davies.

Ond os oedd yr awydd i fentro yn bwysig iddo, roedd e hefyd yn chwilio am natur styfnig, benderfynol. Roedd tîm Carwyn James yn cynnwys y disglair, y disgybledig – a'r digyfaddawd. Fe fyddai gweld Steve Waugh yn mynnu chwarae yn y prawf criced ola' ar yr Oval yn 2001 ar ôl derbyn anaf reit gas, wedi ei blesio'n fawr. Sgoriodd capten Awstralia 157 (heb fod mas) ar un goes, tra bod Graham Thorpe, batiwr gorau Lloegr, ar y llaw arall, yn methu â chwarae o hyd ac o hyd oherwydd mân anafiadau. Roedd Carwyn yn llwyddo i gael ei chwaraewyr i fabwysiadu ysbryd di-ildio Owain Glyndŵr.

Bu'r seicolegydd Albert Bandura yn weithgar ym maes hunan-effeithiolrwydd. 'Shwd mae'r unigolyn yn ei ystyried ei hun?' oedd ei gwestiwn mawr. Yn ôl Bandura, yr arwydd cynta o hunan-barch isel yw ymddwyn yn ymosodol tuag at eraill. Ystyriwn y sefyllfa ym myd rygbi yng Nghymru heddiw – a meddyliwn 'O am ddawn Carwyn i ddatgan ei deimladau'n glir ac yn gryno, heb daro bai ar eraill.'

Y Meistr, Carwyn, oedd pensaer buddugoliaeth Llanelli yn erbyn y Crysau Duon ym 1972. Cystal dweud y byddai Llanelli, y prynhawn hwnnw, ar Barc y Strade, wedi maeddu XV y Byd neu XV o blaned arall. Roedd y garfan gyfan yn barod yn seicolegol, yn dactegol ac yn gorfforol ar gyfer yr ornest. Gweledigaeth ac athroniaeth Carwyn James sy wedi bod yn gyfrifol am y llwyddiant sy wedi bod yn rhan o fywyd beunyddiol tîm rygbi Llanelli am dri deg a phump o flynyddoedd. Os Llanelli yw Manchester United y byd rygbi, yna roedd Carwyn yn gyfuniad o Syr Matt a Syr Alex.

Darllenai'r gêm fel cerdd, â dawn
Y meistr troes bob chwarae'n farddoniaeth fyw.
Ym mhair swnllyd y Strade ar brynhawn
Efe oedd bensaer pob symudiad syw.

21

Y canmlwyddiant – tair stori

i. Mr Rogers y bonheddwr

Pwy oedd y bobol a drefnodd ddathliadau'r canmwlyddiant ym 1972? Bu'r
tymor, o dan gapteniaeth Delme Thomas, yn un llwyddiannus – maeddu
Caerdydd yn y Cwpan 30-7; sgrabyn buddugoliaeth 6-4 yn erbyn y Jacks yn
Rownd Derfynol Cynghrair y Llifoleuadau; llorio'r Crysau Duon 9-3 ar
brynhawn hanesyddol ac emosiynol ym mis Hydref; cipio Cwpan Snelling yn
y gystadleuaeth Saith Bob Ochr boblogaidd drwy chwalu Trecelyn 52-6 yn y
Rownd Derfynol; croesawu'r Barbariaid ddechrau'r tymor mewn gêm
unochrog – y Sgarlets yn fuddugol o 33 i 17. Roedd tymor y canmlwyddiant
1972/73 yn un bythgofiadwy a'r cinio ysblennydd a drefnwyd ar gyfer chwe
chant o westeion mewn *marquee* anferthol ar y Strade, yn goron ar y cyfan.
Allwch chi gredu mai un o'r ychydig dimau i faeddu Llanelli yn ystod tymor
eu canmlwyddiant oedd XV yr Hendy, a hynny o 18 i 16!

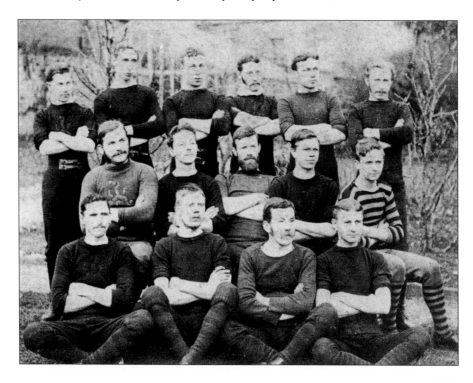

Ond roedd y *champagne* a'r *caviar* wedi ymddangos o'r rhewgell ryw dair
blynedd yn rhy gynnar! Ai camgymeriad mathemategol oedd yn gyfrifol am y
blerwch? Ai penderfyniad cwbl fwriadol ar ran y swyddogion oedd hyn er

mwyn i'r dathlu gyd-fynd ag ymweliad y Crysau Duon? Pwy a ŵyr, ond dewch i ni gael tanlinellu'r ffaith, unwaith ac am byth, mai ar yr 11eg o fis Tachwedd 1875, yn yr Athenaeum yn y dref, y ffurfiwyd clwb rygbi Llanelli. Roedd yna ddeg ar hugain yn bresennol ac yn eu doethineb gwahoddwyd y diwydiannwr dylanwadol Mr Rogers i arwain y tîm ar y maes chwarae. Bu'n ddisgybl yn Ysgol Breswyl Rugby ac, yn ôl nifer o adroddiadau o'r cyfnod, roedd ei frwdfrydedd a'i gyngor yn dyngedfennol wrth sefydlu'r clwb. Er lleied mesen, hi ddaw yn dderwen. Gwnaethpwyd un penderfyniad arall yn ystod y noson – lliwiau'r clwb fyddai glas: crysau glas a chapiau glas.

Chwaraewyd pump o gêmau yn ystod y tymor cyntaf, dwy yr un yn erbyn Abertawe a Chlwb Cambria, ac un yn erbyn Caerfyrddin. Yn absenoldeb y capten swyddogol, bu'n rhaid i Mr Buchanan a Mr WY Nevill (hwn yn aelod o deulu â chysylltiadau diwydiannol a morwrol) arwain ar y cae. Chwaraewyd gêm baratoi mewn parc lleol ddiwedd Tachwedd, y timau wedi eu dewis gan y capteniaid uchod. Roedd hi'n amhosib eu gwahaniaethu ar y cae a bu'n rhaid i dîm Mr Nevill wisgo capiau a thîm Mr Buchanan i frwydro'n ddi-gap. Y tîm heb y capiau aeth â hi o gôl a chais i ddim.

Chwaraewyd y gêm swyddogol gyntaf yn erbyn Clwb Cambria o Abertawe ar y 1af o Ionawr 1876. Roedd y canlyniad yn ddiddorol; gêm gyfartal yn ffafrio Llanelli gan i Cambria orfod tirio bedair gwaith yn amddiffynnol i gymharu ag un tiriad amddiffynnol Llanelli. Allwch chi ddychmygu'r pennawd yn y *South Wales Press* – gêm gyfartal ond Llanelli'n fuddugol!

Abertawe oedd yr ymwelwyr ar gyfer yr ail gêm a chwaraewyd ar gae yn Felinfoel. Parhau wnaeth y dirgelwch ynglŷn â'r dulliau sgorio. Roedd hon, hefyd, yn ornest gyfartal (y tro hwn yng ngwir ystyr y gair), y ddau dîm yn tirio'n amddiffynnol ddwy waith yr un a'r ddau gapten yn cael eu galw i wneud dau benderfyniad dadleuol. Chi'n gweld, pan oedd yna amheuaeth ynglŷn â chais neu sgôr, y capteniaid oedd yn gorfod dyfarnu ar y mater!

Fe fyddai system gyffelyb heddiw yn grêt; torri lawr ar gostau reffarîs, dim angen camerâu ychwanegol i gynorthwyo'r dyfarnwr fideo, a lot llai o ffws a ffwdan o gwmpas y ryc, y sgrym, y lein a'r sgarmes. Petai unrhyw amheuaeth yn deillio o ddigwyddiad neu symudiad, gellid gofyn i'r ddau gapten drafod a dehongli'n synhwyrol am eiliad neu ddwy, cyn dyfarnu. Syml!

A gyda llaw, i chi'r darllenwyr ifanc, cofiwch mai yn nhymor 2075/76 y dylai Sgarlets Llanelli ddathlu'u daucanmlwyddiant.

LLIWIAU'R CLWB

1875–79	Crysau glas a chapiau glas
1879–80	Glas a gwyn
1881–83	Du gyda sane coch a du
1883–84	Rhosyn a briallu.
1884	Coch â chwarteri siocled
1884–	i'r presennol: Sgarlad

ii. Mr Buchanan yr heliwr

Petai e'n adaryddwr fe fydde Arthur Buchanan yn dal yn fyw (wel, fe fydde fe wedi byw yn hirach!). Fe ddyle'r gŵr o Lundain, a fu'n gapten ar Lanelli yn ystod y tymhorau cyntaf ym 1875/76 ac 1876/77, fod wedi defnyddio sbienddrych a chrwydro'r arfordir yn hamddenol gan gofnodi'r pethau pluog o gwmpas y Morfa yn yr un modd ag y gwnaeth Ted Breeze Jones, Ted Walker a Iolo Williams yn ddiweddarach. Petai e wedi gwneud hynny galle'r blaenwr tanllyd fod wedi gwisgo crys gwyn Lloegr a chwarae yn erbyn Cymru ar Barc y Strade.

Ariannwr oedd Mr Buchanan yng ngwaith Marshfield ac o'r funud y cyrhaeddodd yr hen Sir Gâr fe ymgartrefodd yn nhre Llanelli. Roedd e'n fachan am yr awyr agored, yn ymuno yng ngweithgareddau'r dre ac yn hynod boblogaidd yn y gymuned leol gan yr hen a'r ifanc. Penodwyd Buchanan yn gapten ar Lanelli gan ei fod yn chwaraewr cystadleuol, yn arweinydd ysbrydoledig ac yn unigolyn oedd yn deall y gêm ac yn fawr ei barch. Roedd cael ei gydnabod fel hynny, ac yntau ond wedi byw yn y dre am ddwy flynedd, yn datgan cyfrolau amdano.

Chwaraewyd tair gêm yn ystod tymor 1876/77. Abertawe oedd yn fuddugol ar Faes Sain Helen ar y 7fed o Dachwedd, o un gôl a chais i ddim. Yn ôl pob tebyg roedd hon yn gêm glòs, y blaenwyr (pedwar ar hugain ohonyn nhw) o fewn llathen i'r bêl drwy gydol y chwarae a'r deuddeg o olwyr yn loetran yn segur ac yn aml yn anwybyddu'r chwarae gan werthfawrogi'r golygfeydd. ('Ych chi'n iawn – roedd 18 ym mhob tîm y dyddiau hynny!) Gêm olaf Mr Buchanan oedd honno ar y 25ain o'r mis yn erbyn Coleg y Drindod, Caerfyrddin; yr ornest yn un gyfartal ond yn ôl yr adroddiadau gwnaethpwyd cam aruthrol â'r capten. Roedd e'n cwrso ar ôl y bêl ac yn debygol o groesi am gais pan gydiodd rhywun ynddo gerfydd ei goler a'i rwystro'n fwriadol. Dirywiodd y gêm ar ôl hynny.

Bum niwrnod yn ddiweddarach roedd y capten yn farw. Ac yntau'n ŵr dibriod, treuliodd ei amser yn y dref yn lletya yn Greenfield Place. Aeth allan ar y 30ain o Dachwedd yn llawn brwdfrydedd. Ymunodd â grŵp o saethwyr hwyaid. Yn anffodus, wrth geisio dilyn trywydd hwyaden collodd ei gydbwysedd, llithrodd dros ymyl wal ger yr arfordir a saethu'i hun yn ddamweiniol. Roedd y digwyddiad yn un trychinebus a'r golled yn un sylweddol.

iii. Y gŵr o Barbaria

Ro'n i'n hen gyfarwydd â'r dywediad – dywediad o'dd yn ddigon cyffredin i gefnogwyr rygbi yng nghymoedd Gwendraeth, Tawe, Nedd a dyffrynnoedd Afan ac Aman. Pan fydde'r tîm cartre'n drech na'r gwrthwynebwyr, clywid rhyw hen wag yn bloeddio, 'Er mwyn popeth bois ewch 'nôl i Gwmllynfell!' neu Gwmafan, Llandybïe, Cefneithin neu Lyn-nedd – p'un bynnag o'dd yn berthnasol! Ro'dd y frawddeg yn bychanu'r ymwelwyr a'u hymdrechion.

Ma'r Sgarlets wedi croesawu tîm y Barbariaid i'r Strade ar ddau achlysur yn y gorffennol. Fe dda'th y cefnogwyr yn eu miloedd yng nghanol y chwedegau i weld rhai o chwaraewyr gorau'r cyfnod yn mynd trwy'u pethe. Y tro hwnnw fe faeddon nhw'r tîm cartre yn gymharol gyfforddus, ond doedd neb yn poeni rhyw lawer am y canlyniad – ffocws yr achlysur oedd agor yr ystafelloedd newid newydd sbon! Cytunodd pwyllgor y Barbariaid i ddychwelyd am yr eildro ym 1972 i fod yn rhan o ddathliadau'r Canmlwyddiant. Y tro hwn ro'dd Llanelli'n awyddus i dalu'r pwyth yn ôl. Ro'dd yr hyfforddwr, Carwyn James, yn benderfynol fod y tîm yn ymuno yn yr hwyl, yn lledu'r bêl o bobman – ond yn pwysleisio pwysigrwydd ennill.

Mae'n werth i ni restru'r ddau dîm :

LLANELLI 33 : BARBARIAID 17

Roger DAVIES	15	Ray CODD
Andy HILL	14	Viv JENKINS
Roy BERGIERS	13	Arthur LEWIS
Bernard THOMAS	12	Geoff EVANS
Ray GRAVELL	11	Lewis DICK
Phil BENNETT	10	Colin TELFER
Selwyn WILLIAMS	9	Ian McCRAE
Adrian EVANS	1	Fran COTTON
Roy THOMAS	2	David BARRY
Tony CROCKER	3	Mike BURTON
Delme THOMAS	4	Peter LARTER
Derek QUINNELL	5	Chris RALSTON
Gareth JENKINS	6	Dai MORRIS
Hefin JENKINS	8	Andy RIPLEY
Barry LLEWELLYN	7	Fergus SLATTERY

Dyfarnwr : Meirion JOSEPH (Cwmafan)

Sgorwyr :

Roger Davies (2 gais)	Geoff Evans (cais)
Andy Hill (cais)	Lewis Dick (cais)
Roy Bergiers (cais)	Ian McCrae (cais)
Barry Llewellyn (cais)	Ray Codd (1 gic gosb;
Phil Bennett (1 gic gosb; 5 trosiad)	1 trosiad)

69

Ta beth, a'th rhyw bump ohonon ni o Frynaman lawr ar gyfer y gêm. Ro'n ni am weld Llanelli, yn naturiol, ond 'run mor awyddus i weld y Barbariaid yn 'ware'r math o rygbi 'ffwrdd-â-hi' a gysylltid â'r clwb o'r cychwyn cynta. Ro'dd gwisgo'r crys â streipie yn dipyn o anrhydedd, a chwaraewyr enwog y cyfnod yn lico i bobol ychwanegu'r Barbariaid at restr eu hanrhydeddau. Er enghraifft: Phil Bennett (Llanelli, Cymru, Llewod a'r Barbariaid).

Ro'dd hi'n noson i'w chofio gan i'r ddau dîm gyfrannu i *extravaganza* o rygbi, ond bois y Strade a reolodd y chware. Ro'dd 'da nhw'r gallu i ymateb pan fydde'r Barbariaid yn sgorio a ro'dd dyn yn rhyw deimlo ar ôl ugen muned mai tîm Delme fyddai'n llwyddo. Ro'dd y Sgarlets ar y bla'n o 15 i 10 ar yr egwyl a'r canlyniad 33-17 yn adlewyrchiad teg o'r chware.

A deg muned yn weddill, a ninne'n aros yn yr *enclosure* o fla'n y stand, da'th y floedd a achosodd i bob Cymro Cymrag fosto mas i 'werthin. Ro'dd hyd yn o'd y reffarî, Meirion Joseph, yn ei ddwble. Ro'dd y *Baa-baas* wedi gwrthymosod o'u pump ar hugen ac wedi creu cyfle real pan dorrodd Arthur Lewis drw'r canol a rhedeg i'n cyfeiriad ni yn yr *enclosure*. O'dd y bàs i Lewis Dick yn un berffeth, a phetai'r asgellwr wedi dal y bêl fe fydde fe wedi hedfan mewn o hanner can llath. Ond 'i gadel hi i gwmpo na'th e – a dyna beth esgorodd ar y floedd anfarwol, 'Hei ban! Cer 'nôl i Barbaria!'

Y Barbariaid yn ystod taith y Pasg ddechrau'r wythdegau – ond pwy yw'r unig chwaraewr yn y garfan a gynrychiolodd y Sgarlets?

22

Delme

Ysbrydoledig ym mhob ffordd

Pwy yw'r unig chwaraewr o Lanelli i chwarae yn y rheng flaen i'r Llewod mewn gêm brawf? Pwy oedd yr ail chwaraewr o bentre Bancyfelin i wisgo crys coch ei wlad? Pwy oedd yr ail chwaraewr o Lanelli i gynrychioli'r Llewod ar y llwyfan rhyngwladol cyn ennill ei gap i Gymru? Pwy oedd y Sgarlet cyntaf i deithio deirgwaith yn lifrai'r Llewod Prydeinig? A'r atebion: Delme, Delme, Delme a Delme.

Petai rhestr yn cael ei ffurfio o'r deg Sgarlet enwocaf yn hanes y clwb fe fyddai Delme Thomas o bentref Bancyfelin ger Caerfyrddin yn y pump uchaf. Roedd ei gyfraniad a'i ymroddiad i dîm y Sosban am gyfnod o ryw ugain mlynedd yn amhrisiadwy. Cawr addfwyn, blaenwr cwbl ddi-ofn, neidiwr â'r gallu i reoli'r leiniau, arweinydd tawel ysbrydoledig ac, yn bwysicach fyth, cymeriad hoffus, diymhongar, gonest a phoblogaidd.

I Delme roedd chwarae i'r Llewod ar feysydd estron Hemisffer y De yn anrhydedd o'r mwyaf. Chwaraeodd â balchder dros ei wlad bump ar hugain o weithiau, ac mae 'na griw dethol o Gymry wedi cael union yr un nifer o gapiau – Barry John, Haydn Tanner, Terry Holmes, Gwyn Travers a Norman Gale. Ond y goron ar y cyfan oedd cael ei ddewis i arwain ei glwb i'r fuddugoliaeth fythgofiadwy yn erbyn y Crysau Duon ym 1972. Teithio'r pymtheg milltir o'i gartref yng Nghaerfyrddin i Barc y Strade y diwrnod hwnnw, gwisgo'r crys sgarlad a chamu ar faes ei freuddwydion oedd pinacl ei yrfa. Dyn ei filltir sgwâr oedd Delme Thomas, dyn oedd yn fodlon symud môr a mynydd i sicrhau llwyddiant ar y lefel uchaf i Glwb Rygbi Llanelli.

Yn gorfforol, roedd y gŵr o orllewin Sir Gâr yn gallu herio'r goreuon; y breichiau pwerus, onglog yn fanteisiol pan fyddai'n codi yn y lein i hawlio meddiant. Roedd ei wrthwynebwyr yn ei chael hi'n anodd cystadlu yn ei erbyn. Pan fyddai'n codi'n osgeiddig yn y lein naill ai i ddal y bêl neu ei gwyro'n gelfydd i gyfeiriad ei fewnwr, gwelid y peneliniau yn ei amddiffyn ac yn sicrhau ei fod wedi'i ynysu o grafangau'r gelyn. Yn syml, roedd e'n rhydd i berffeithio'i dechneg. A gan ei fod mor athletaidd, roedd y grym yn ei goesau a'i ganol yn ei alluogi i godi'n uchel i'r awyr a meddiannu'r gwagle. Fe'i gwelwyd yn aml yn codi mor uchel nes dal y bêl ledr o gwmpas ei lwnc. Roedd e'n feistr ar ei grefft.

Rhaid cofio, yn ogystal, ei fod e'n graig yn y sgrym, y ryc a'r sgarmes. Roedd y presenoldeb corfforol yn golygu fod yna bŵer yn cael ei drosglwyddo i gyfeiriad y rheng flaen pan fyddai angen hwpo'r gwrthwynebwyr i gyfeiriad y llinell gais. Ac yn y sgarmes pleser o'r mwyaf oedd ei weld yn rhwygo'r bêl o afael blaenwyr y tîm arall a'i dosbarthu'n fedrus i ddwylo chwim Selwyn neu Gareth.

Roedd buddugoliaeth Cymru o 19 i 18 yn Murrayfield ym 1971 (mewn gornest hynod gyffrous) yn un glòs a'r canlyniad yn y fantol tan yr eiliadau olaf. Ac fel y canodd Max, '*I was there!*' A bod yn gwbl onest, roedd cefnogwyr y crysau cochion yn ofni'r gwaethaf tan i Delme Thomas greu cyfle yn y lein olaf un ar ddwy ar hugain yr Alban yn ymyl yr eisteddle. (Fe gofiwch mai dim ond un eisteddle oedd yn Murrayfield bryd hynny. Roedd y pen arall yn deras sylweddol a'r cefnogwyr yn cael eu gwasgu fel sardîns mewn tun i lenwi pob centimetr sgwâr.) Fe ddylai'r Alban fod wedi hawlio'r meddiant. Y nhw oedd â'r tafliad. Roedd angen iddynt ennill y bêl, ei throsglwyddo i'r maswr Jock Turner er mwyn i hwnnw glirio i ddiogelwch hanner ffordd.

Dyna oedd y cynllun, ac mewn gêm fythgofiadwy fyddai neb wedi dadlau â'r canlyniad petai tîm Peter Brown wedi ennill. Roedd Cymru wedi sgorio mwy o geisiau ond roedd y wlad i'r gogledd o Wal Hadrian wedi cyfrannu'n helaeth at adloniant y prynhawn. Ond gwir yr hen ystrydeb, dyw'r gêm ddim drosodd tan y chwib olaf. Roedd angen cais a throsiad ar XV John Dawes i lorio'r Albanwyr, a diolch i ymdrech arwrol, funud olaf, llwyddwyd i wneud hynny.

Cododd Delme i'r awyr ar yr eiliad dyngedfennol, amseru'i naid yn berffaith a gwyro tafliad bachwr yr Alban, Frank Laidlaw, yn gelfydd i gyfeiriad Gareth Edwards. Roedd yr olwyr yn barod i ledu'n gyflym – Barry John, John Dawes ac Ian Hall yn trafod yn slic, a phan dderbyniodd Gerald Davies y bêl roedd ugain metr rhyngddo a llinell yr ystlys. Mewn sefyllfa o'r fath roedd yr asgellwr o Lansaint ger Cydweli (a ddechreuodd ei yrfa ar y Strade) yn ei elfen. Roedd cefnwr yr Alban, Ian Smith, yn agosáu ac yn barod â'r dacl, ond roedd cyflymdra Gerald yn allweddol. Croesodd yn ddiogel yn y gornel – roedd y Cymry ar y teras ac yng nghlydwch yr eisteddle yn dathlu ac eto'n gwbl ymwybodol fod angen trosiad o'r ystlys i gipio buddugoliaeth.

Roedd y tyndra yn annioddefol!

YR ALBAN 18 : CYMRU 19

Roedd angen trosiad o'r ystlys ar Gymru. Penderfynodd y capten, John Dawes, mai'r blaenasgellwr o Gymry Llundain, John Taylor, fyddai'n derbyn y cyfrifoldeb. Roedd y penderfyniad yn un doeth gan ei fod yn giciwr troed chwith naturiol. Roedd Murrayfield a gorllewin dinas Caeredin yn fud – y ddau dîm a'u cefnogwyr yn sylweddoli fod canlyniad gêm ryngwladol yn dibynnu ar allu'r blaenasgellwr barfog i grymanu'r bêl yn gywrain rhwng y pyst. Hwyliodd y bêl ledr Gilbert yn uchel i'r awyr. Roedd y cefnogwyr ar y teras yn ymwybodol yn syth fod gwir obaith, a'r eiliad nesa roedd gweddill y byd rygbi, yn yr eisteddle gyferbyn ac o gwmpas y byd, yn cyfarch y crysau cochion. O fewn dim o beth chwythodd y dyfarnwr, Mike Titcomb, y chwib am y tro olaf. Amgylchynwyd y chwaraewyr ar y cae gan gefnogwyr balch a

Y capten poblogaidd.

bodlon, ac mewn gêm mor gystadleuol, mor agos i'r asgwrn, roedd hi'n gwbl annheg fod un tîm yn gorfoleddu a'r gwrthwynebwyr, a gyfrannodd gymaint, yn eu dagrau. John Taylor a dderbyniodd glod y mwyafrif y diwrnod hwnnw. Gêm *Basil Brush* (dyna oedd y chwaraewyr yn ei alw) oedd hi, a bellach mae cais Gerald, a'r digwyddiadau a arweiniodd at y cais, yn angof. Fyddai neb yn gwarafun yr anrhydedd i John Taylor, ond pob clod i'r ddau a drigai yng nghysgod Bae Caerfyrddin, Gerald Davies a Delme Thomas.

Ymhen can mlynedd fe fydd cenedlaethau o gefnogwyr Llanelli yn dal i ramantu ac yn dal i drafod un dyddiad arwyddocaol yn hanes y clwb. Efallai y bydd y delweddau wedi pylu, y lliw ar y tâp wedi gwanhau ac araf ddiflannu, ond parhau fydd y cyffro, diolch i ddisgrifiadau David Parry Jones ac adroddiadau gohebyddion y cyfnod, sy'n ddiogel ar silffoedd ein Llyfrgell Genedlaethol yn Aberystwyth.

Delme Thomas oedd capten y tîm ar brynhawn sych a chymylog ddiwedd Hydref 1972. Roedd y Strade'n llawn dop; y clwydi wedi'u cau, plant ysgol wedi'u gwasgu'n drefnus ar feinciau ar y glaswellt y tu ôl i'r pyst. Doedd yna ddim sôn am Swyddogion Iechyd a Diogelwch. Yn ôl y *Llanelli Star* roedd

73

ffatrïoedd yr ardal wedi cau ganol dydd a theipiaduron y swyddfeydd yn dawedog. Treuliodd meddygon y cymoedd cyfagos fore cyfan yn prysur lenwi 'papurau doctor', ac roedd y *Maxis*, y *Marinas* a'r *Dolomites* yn pesychu'u ffordd i gyfeiriad tre'r Sosban ar gyfer yr ornest fawr rhwng Llanelli a Seland Newydd.

Roedd y garfan yn barod ar gyfer yr her. Yr hyfforddwr, Carwyn James, wedi llosgi'r gannwyll yn cynllunio a dyfeisio ar gyfer yr achlysur. Roedd y meistr a'i gapten yn gyfarwydd â'u gwrthwynebwyr gan eu bod wedi treulio haf 1971 yn teithio o gwmpas holl ardaloedd Seland Newydd yn aelodau hollbwysig o dîm y Llewod. Doedd dim angen astudio tapiau fideo ohonynt; (nid fod y dechnoleg honno ar gael ddeng mlynedd ar hugain yn ôl, beth bynnag!) Roedd y ddau yn adnabod holl aelodau'r Crysau Duon ac yn gallu asesu'u cryfderau a'u gwendidau. Doedd yna ddim datganiadau tân a brwmstan i'w glywed o gwmpas 'stafell newid y Sgarlets yn y cyfnod cyn i'r tîm ddechrau'r daith ugain llath i'r cae. Siaradodd Carwyn yn gall â'i garfan yng Ngwesty'r Ashburnham ym Mhorthtywyn ben bore. Roedd pob un yn ymwybodol o bwysigrwydd y prynhawn. Ychydig eiriau ddaeth o enau Delme cyn i'r dyfarnwr, Mike Titcomb o Fryste, agor y drws a'u gorchymyn yn garedig i ddilyn tîm Ian Kirkpatrick i'r maes. 'R'yn ni'n gwisgo crys sgarlad. R'yn ni'n cynrychioli cymuned a thre a sir a gwlad. Mae 'na gyfle i ni anfarwoli'n hunain.' A bod yn onest, er mor bwysig y geiriau, roedd jyst edrych ar y cawr addfwyn yn ddigon i gyflymu curiad calon.

Rhedodd y tîm allan o grombil yr eisteddle i lwyfan theatr eu breuddwydion yn llawn gobaith a hyder. Ro'n nhw'n seicolegol barod ar gyfer gornest bwysicaf eu bywydau. Mae'r gweddill yn rhan o hanes, ond roedd cyfraniad Delme Thomas yn y cynllunio, y cyflyru, a'r perfformiad ei hun, yn gwbl allweddol. Ie, Llanelli 9, Seland Newydd 3!

23
DQ

Derek, y *Q factor* cyntaf

Ro'dd *'Q'* i ni yn y pumdegau yn golygu inc *Quink* ac uwd *Quaker.* Ac yng ngwersi Mathemateg yr Ysgol Uwchradd roedd yr hen *quadrilateral* yn creu ambell ben tost. Y grŵp *Queen* ddylanwadodd ar gerddoriaeth yr ifanc yn yr wythdegau ond erbyn hynny ro'n ni yng Nghymru yn cysylltu'r llythyren *'Q'* â'r chwaraewr rygbi o bentre gwledig Pump Heol, Mistar Quinnell. Derek oedd y cyntaf i ymddangos – yn glamp o ddyn cyhyrog a lwyddodd i greu argraff ar y Strade a chaeau Seland Newydd cyn cael ei gydnabod gan y dewiswyr cenedlaethol yng Nghymru.

Ro'dd selogion y Strade yn ymwybodol o'i ddawn o'r cychwyn cyntaf. Mae 'na rai sy'n 'sefyll mas'; yn creu hunllef i wrthwynebwyr gan eu bod yn barod i wrthsefyll pob bygythiad, a ro'dd Derek Quinnell yn un o'r rheiny. Byddai'r ymwelwyr yn cyrradd yr ystafell newid, yn pori drwy gynnwys y rhaglen, yn gweld enw DQ a dweud, 'O! Na. Mae e'n 'ware!' Anghenfil o chwaraewr – weithiau'n greadigol, weithiau'n ddinistriol.

Ar hyd y blynyddoedd, prin yw'r chwaraewyr sydd wedi chwarae i'r Llewod mewn gêmau prawf cyn cynrychioli'u gwlad – oddi ar 1938 gellir enwi Elvet Jones, Dickie Jeeps, WM Patterson, Delme Thomas, Elgan Rees, Brynmor Williams a Derek. Pan gyhoeddwyd tîm y Llewod ar gyfer y daith i Seland Newydd ym 1971, roedd rhai yn synnu fod y dewiswyr wedi cynnwys chwaraewr braidd yn ddibrofiad o gofio nad oedd y Prydeinwyr erioed wedi ennill cyfres yn Seland Newydd. Ro'n nhw'n debygol o wynebu tîm a fyddai'n ddidostur, yn ddideimlad, ac yn gwbl ddigyfaddawd yn ei hagwedd a'u dull o chwarae.

Yr unig rai i gwestiynu'r dewisiad oedd yr anwybodus. I unrhyw un oedd wedi chwarae gyda Derek neu yn ei erbyn roedd y penderfyniad i'w gynnwys yn un doeth. Awgrymwyd enw Derek gan Carwyn James – yr hyfforddwr ar y daith honno. Roedd yr hyfforddwr yn gwybod beth oedd ganddo i'w gynnig ac roedd y gallu i chwarae yn yr ail reng a'r rheng ôl yn ffactor tyngedfennol.

Yn eu cyfrol *Lions' Share,* mae'r awduron Gabriel David a David Frost yn cyfeirio at allu rhyfeddol y tîm hyfforddi i greu undod a nerth yn y garfan honno mewn shwd gyfnod byr o amser. Droeon a thro cyfeiriodd David a Frost at gyfraniadau Gordon Brown, Ian McLaughlan, Sean Lynch, Fergus Slattery a'r garw Quinnell ymhlith y blaenwyr.

A'r gyfres yn gyfartal (1-1) penderfynodd Carwyn gynnwys Derek yn ei dîm ar gyfer y trydydd prawf gyda'r bwriad o warchod y mewnwr bishi (a bolshi ar adegau), Sid Going. Ar ôl ei weld yn llywio'r gêm mor effeithol yn

Christchurch, penderfynodd yr hyfforddwr fod angen 'cau'r drws' ar rediadau'r mewnwr, bod angen negyddu ei effeithiolrwydd, yn enwedig ar yr ochr dywyll, ac i wneud hynny dewiswyd DQ am y tro cyntaf yn ei fywyd mewn gêm ryngwladol â chrys rhif 6 ar ei gefn. Am wythnos gyfan yn y sesiynau hyfforddi, chwaraeodd Ray Hopkins ran Going yn yr ymarferion a Derek yn ei ddilyn fel terrier. Chwalwyd y Crysau Duon yn Wellington; y blaenwyr yn meistroli'r chwarae, yr haneri John ac Edwards yn llywio'n awdurdodol, Gerald Davies yn boen ar yr ystlys a Derek wedi 'lladd' gêm Sid Going.

Petai cefnogwyr Llanelli'n gorfod rhestru ugain o chwaraewyr mwyaf dylanwadol y tîm oddi ar y tymor swyddogol cynta yn 1875/76, byddai'r Cymro cynnes, diymhongar, Derek Quinnell, yn un ohonynt. Cofiwn y diwrnod pan enillodd ei gap cyntaf yng Nghaerdydd ym 1972, yn rhedeg fel rhyw darw dwyflwydd o grombil y twnnel, yn gwthio plismyn o'r neilltu a

Derek yn sgorio'i unig gais i Gymru – yn erbyn yr Alban yng Nghaerdydd, 18 Chwefror, 1978.

tharanu ar y cae fel eilydd i'r wythwr Mervyn Davies. Doedd dim rhyfedd fod hast ar Derek; roedd y dyfarnwr Mike Titcomb eisoes wedi dishgwl ar ei wats gan mai eiliadau'n unig oedd yn weddill. Hon oedd gêm olaf ei frawd-yng-nghyfraith, Barry John, i Gymru; pedair cic gosb y maswr yn selio'r fuddugoliaeth yn erbyn Ffrainc o 20 i 6.

Disgleiriodd, wedyn, yn y fuddugoliaeth yn erbyn y Crysau Duon ar y Strade ym 1972 – y brwdfydedd, yr egni, y penderfyniad a'r presenoldeb yn gwbl amlwg.

A phwy all anghofio'i bàs gelfydd ag un llaw yn y symudiad bythgofiadwy i'r Barbariaid yn erbyn y Crysau Duon yn nhymor 1972/73, a'i unig gais dros ei wlad yn erbyn yr Alban yng Nghaerdydd ym 1978. Bu bron i mi sgorio'r cais y prynhawn hwnnw. Tymor y Gamp Lawn oedd hi (y tro diwethaf i'r crysau cochion hawlio'r tlws) a Chaerdydd a De Cymru yn ymdebygu i Siberia. Y fi oedd y llumanwr a phan hwpodd Derek yr wythwr Alistair Biggar o'r neilltu a rhedeg rhyw ugain metr am y cais ro'n i yno o fewn deuddeg modfedd iddo, yn barod i dderbyn y bàs!

Mae cyrraedd perffeithrwydd ym myd y campau yn amhosib, ond o anelu ato, mae modd cyrraedd yr uchelfannau. Sgriptiwyd y frawddeg honno i ddisgrifio gyrfa Derek Quinnell – roedd e bob amser yn crefu am fuddugoliaeth, ac ar y Strade a thu hwnt roedd e'n perfformio i eithaf ei allu er mwyn plesio'i hun ac eraill. Yn ôl John Pesky, cyn-reolwr y Boston Red Sox, 'Mae pobol yn bwyta, cysgu a pherfformio'n well ar ôl ennill. Ac mae hyd yn oed y wraig yn dishgwl fel Marilyn Monroe!'

Cwlffyn cyhyrog, cawraidd – roedd y ffyddloniaid yn Llanelli â pharch mawr iddo, a'i wrthwynebwyr ledled y byd yn fwy na pharod i gydnabod ei fod yn chwaraewr gonest, grymus a glân. A pheidier ag anghofio ei fod yn *real* ffwtbolyr.

24

Roy Bergiers

'Dyn yr eiliad'

Mae rhai digwyddiadau fel petaen nhw wedi eu serio ar y cof, yn eiliadau prin i'w trysori am oes. Un o'r rheiny yw cais Roy Bergiers yn erbyn y Crysau Duon ar y 31ain o Hydref 1972. Fe, yn sicr, oedd 'dyn yr eiliad' y prynhawn bythgofiadwy hwnnw.

Cynrychiolodd Roy Bergiers ei wlad am y tro cyntaf yn ystod tymor 1971/72. Roedd y profiad o redeg mas yn Twickenham yng nghwmni hoelion wyth y cyfnod yn un cofiadwy – JPR, Gerald, Barry, Gareth, Delme, Mervyn a Dai Morris yn wynebau cyfarwydd, a phob un ohonynt yn gwneud ei ran i dawelu nerfau'r canolwr ifanc o Gaerfyrddin. Bu'r fuddugoliaeth o 12 i 3 yn help i'w wneud yn gwbl gartrefol ar y llwyfan rhyngwladol.

Roedd ei bartneriaeth â Ray Gravell yn nhîm Llanelli yn un reddfol, y ddau yn asio'n berffaith, yn ymddiried yn ei gilydd, a phawb ar y Strade'n cytuno fod eu dealltwriaeth yn un delepathig. Mae gan Roy lu o atgofion melys ym myd y campau gan gynnwys cyfnod llwyddiannus fel athletwr yn ei ddyddiau ysgol ac yng Ngholeg Addysg Caerdydd. Ond, heb unrhyw amheuaeth, mae yna un digwyddiad sy'n rhagori ar y gweddill.

Ro'n i yno, yn y cnawd, y tu ôl i byst pen y dref, yn gofalu am hanner cant o blant Ysgol Gynradd Llandybïe. Ro'n ni'n eistedd ar feinciau wedi'u gosod rhwng y llinell gwsg a'r teras. A bod yn onest, dw i'n cofio dim am y gêm gan fod pawb yn codi ar eu traed o'n blaenau pan fyddai rhywbeth cyffrous ar ddigwydd. Os na welais i lawer, a finnau'n chwe throedfedd pedair modfedd, yna gallwch chi ddychmygu faint welodd y plant! Rhyw olygfa mwydyn o'r gêm gawson ni, ond fe welon ni'r cais. Y cais, i bob pwrpas, sicrhaodd y fuddugoliaeth; buddugoliaeth sy'n dal yn destun trafod beunyddiol yn Llanelli ddeng mlynedd ar hugain yn ddiweddarach! Doedd cic gosb Phil Bennett o ddeugain metr ddim yn un o'r goreuon, ond roedd hi yn hofran i gyfeiriad y pyst. Dw i'n dal i ddweud petai rhai o flaenwyr Seland Newydd wedi codi'u breichiau'n uchel i'r awyr bydden nhw wedi dal y bêl! Ond wnaethon nhw ddim, ac fe fwrodd y bêl yn erbyn y bar a saethu'n syth i gôl mewnwr y Crysau Duon, Lindsay Colling, oedd yn sefyll rhwng y llinell gais a'i ddwy ar hugain. Penderfynodd capten Otago mai ei unig ddewis oedd clirio cyn gynted â phosib i ddiogelwch llinell yr ystlys ar ochr y Tanner Bank.

Ond, heb yn wybod iddo, roedd Roy Bergiers (o'r eiliad y gadawodd y bêl sgitshe *Cotton Oxford* Phil Bennett) wedi penderfynu cwrso fel gwibiwr Olympaidd gan obeithio y byddai ei bresenoldeb yn creu rhywfaint o ansicrwydd yn rhengoedd yr ymwelwyr. A dyna ddigwyddodd. Pan drodd

Lindsay Colling i gicio'r bêl roedd Roy o fewn modfeddi iddo. Yn hynod ddewr, llwyddodd i daro'r bêl i'r llawr, agorodd ei lygaid a gweld pêl *Gilbert* frown golau a llinell gais o'i flaen. Mae'r gweddill yn rhan o chwedloniaeth Llanelli.

Roedd y fuddugoliaeth honno'n un hanesyddol; perfformiad tîm os bu un erioed, ond mae'r atgof yn felysach fyth i RTE Bergiers. Y fe sgoriodd y cais! Dw i wedi gweld y cais gant a mil o weithiau ers hynny ar dâp ac rwy'n benderfynol o ddweud un peth ynglŷn â'r digwyddiad. Doedd dim bai ar Lindsay Colling (a fu farw yn greulon o gancr ddechrau 2004); cyflymdra, penderfyniad a dewrder Roy Bergiers greodd y cais.

Roy Bergiers yn cynrychioli rhanbarth Gorllewin Cymru (cyn bod unrhyw sôn am ranbarth y Sgarlets!) yn erbyn Seland Newydd ym 1978, yn Sain Helen, Abertawe. Gwelir y canolwr yn paratoi i daclo'i wrthwynebydd, Bill Osborne.

Heb amheuaeth, cais Roy Bergiers yn erbyn y Crysau Duon ym 1972 oedd un o'r pwysicaf a sgoriwyd gan Sgarlad erioed.

25

Y sgorfwrdd hanesyddol

BLE MAEN NHW NAWR?

15 Roger DAVIES
Yn wreiddiol o bentre Dafen. Chwaraeodd i Abertawe cyn ymuno â'r Sgarlets.
Fe ailymunodd ag Abertawe ac aeth ymlaen i hyfforddi'r clwb. Athro Ysgol
Gynradd yn Abertawe ac yn byw yn y ddinas.

14 JJ WILLIAMS
Yn wreiddiol o bentre Nantyffyllon ac erbyn hyn yn ŵr busnes llwyddiannus
yn ardal Pen-y-bont. Enillodd dri deg o gapiau i Gymru ac aeth ar deithiau'r
Llewod ym 1974 a 1977.

13 Roy BERGIERS
Wedi ymddeol ar ôl gyrfa fel athro ac yn byw yng Nghaerfyrddin. Sgoriwr
unig gais y gêm. Un cap ar ddeg i Gymru ac un daith yng nghrys y Llewod i
Dde Affrica.

12 Ray GRAVELL
Wyneb adnabyddus ar y teledu, llais cyfarwydd ar y radio. Dal i fyw ym
Mynydd y Garreg. Tri chap ar hugain i Gymru a thaith i Dde Affrica ym 1980
yn lifrai'r Llewod.

11 Andy HILL
O ardal Sant Thomas yn Abertawe. Fe ymunodd â'r Sgarlets ym 1967 o glwb
Gorseinon ar gymeradwyaeth tad Norman Gale. Aeth ymlaen i sgorio 310 o
geisiau i'r clwb. Chwaraeodd unwaith i dîm 'B' Cymru yn erbyn Ffrainc, gan
gyfrannu gôl gosb yn y fuddugoliaeth. Mae'n byw yn Llewitha ger Fforestfach.

10 Phil BENNETT
Byw yn Felinfoel ac yn gweithio yn y dref fel Swyddog Datblygu Chwaraeon.
Trosiwr cais Roy Bergiers. Naw ar hugain o gapiau i Gymru, seren taith y
Llewod i Dde Affrica yn 1974 a chapten y daith i Seland Newydd ym 1977.
Sylwebydd craff ar radio a theledu. Ei gêm olaf ar y llwyfan uchaf yn erbyn
Northampton ym 1981.

9 Ray HOPKINS

'Chico' i bawb yn y byd rygbi. Brodor o Faesteg, ymunodd â Llanelli o'r Hen Blwy' cyn symud i Ogledd Lloegr a Chlwb Swinton. Aeth i Seland Newydd ym 1971 a chwarae yn y Prawf Cyntaf. Un cap i Gymru a chais yn y fuddugoliaeth o 17 i 13 yn Twickenham. Prynwr a gwerthwr hen greiriau.

1 Barry LLEWELLYN

Wedi ymgartrefu yn Saundersfoot, Sir Benfro, ac yn ŵr busnes llwyddiannus. Chwaraeodd i Golegau Caerllion a Loughborough a Chlwb Casnewydd. Tri chap ar ddeg i'w wlad ac yn gapten yn nhymor 1971/72.

2 Roy THOMAS

'Shunto' i bawb o Ben-clawdd i Bontypridd. Hynod o anffodus i beidio cael cap dros Gymru. Byw yng Nghasllwchwr ac wedi ymddeol.

3 Tony CROCKER

Dal i fyw ac i weithio yn Llanelli. Mae'n ymwelydd cyson â'r Strade. Fe chwaraeodd i'r clwb tan ei ymddeoliad ym 1976.

4 Delme THOMAS

Byw yng nghyffiniau Caerfyrddin. Delme oedd y capten yn y gêm. Pump ar hugain o gapiau i'w wlad ac yn Llew ym 1966, 1968 ac 1971.

5 Derek QUINNELL

Mae'n byw ac yn gweithio yn y dre. Yn ŵr busnes llwyddiannus. Chwaraeodd i'r Llewod mewn gêm brawf ym 1971 cyn ennill ei gap i Gymru – hyn yn wir am Delme, Elgan Rees a Brynmor Williams.

6 Tom DAVID

Ymunodd â'r clwb o Bontypridd ychydig cyn y gêm yn erbyn y Crysau Duon. Bu'n chwaraewr poblogaidd ar y Strade nes iddo ailymuno â Phontypridd ym 1976. Aeth i Dde Affrica gyda'r Llewod ym 1974; pedwar cap i Gymru. Chwaraeodd i dîm proffesiynol Dreigiau Caerdydd.

8 Hefin JENKINS

Yn wreiddiol o Borthtywyn. Mae'n dal â chysylltiad agos â'r clwb ac yn un o'r Cyfarwyddwyr. Byw yn y Fforest ger Llanelli ac yn gweithio i Gymdeithas Adeiladu.

7 Gareth JENKINS

Hyfforddwr presennol y clwb. Fe gynrychiolodd dîm 'B' Cymru ac fe fydd yn teithio i Seland Newydd yn 2005 fel un o hyfforddwyr y Llewod. Un o hoelion wyth tîm rygbi Llanelli a'r Sgarlets.

Tîm y fuddugoliaeth enwog.

Rhes gefn: Selwyn Williams, Phil Bennett, Tom David, Tony Crocker, Derek Quinnell, Barry Llewellyn, Gareth Jenkins, Ray Gravell, Hefin Jenkins, Roy Thomas, Alan James, Chris Charles, Brian Llewellyn.

Rhes flaen: Gwyn Ashby, Bert Peel, Roger Davies, Andy Hill, Roy Bergiers, Norman Gale, Delme Thomas (capten), Carwyn James, JJ Williams, Ray Hopkins, Meirion Davies.

26

Barry Llewellyn

Free Spirit

Roedd hi'n tynnu am naw o'r gloch pan gyrhaeddon ni ganol Auckland. Ac ar ôl dod o hyd i'r gwesty bu'n rhaid parcio'r car mewn stryd gyfagos gan fod unedau allanol Corfforaeth Ddarlledu Cenedlaethol Seland Newydd yn amgylchynu'r adeilad. Eglurodd y ferch ifanc yn y dderbynfa fod telediad byw yn cyrraedd ei derfyn ym mhrif neuadd y gwesty a bod cyfartaledd uchel o boblogaeth y wlad yn gwylio. Roedd y dringwr, y mynyddwr a'r gwenynwr, Syr Edmund Hillary, yn dathlu'i ben-blwydd yn 80 oed, a'r wlad am ei anrhydeddu. Er fod Alun Morris Jones a finnau wedi llwyr ymlâdd ar ôl diwrnod blinedig yn ffilmio yn ardal Rotorua a Llyn Taupo, llofnodwyd y ffurflenni priodol a brysiodd y ddau ohonom i'r 'stafell i wylio'r digwyddiadau oedd ar fin cyrraedd penllanw.

Fe gofiaf eiriau'r *icon* o Seland Newydd am weddill fy oes. Roedd y gynulleidfa ar ei thraed a Syr Edmund bron yn ei ddagrau yn derbyn tarian wydr hardd yn rhestru'i orchestion:

> *I started in an University with great intentions but failed to complete the course. I then decided to concentrate on my interests and as a result received six doctorates from some of the world's foremost universities.*

Bu'n gweithio am rai blynyddoedd yn cynorthwyo'i dad. Roedd y gwaith o ofalu am y gwenyn yn gorfforol galed ond gan fod y busnes yn un tymhorol, manteisiai ar bob cyfle i grwydro mynyddoedd Ynys y De a pherffeithio'r holl ddulliau a'r technegau angenrheidiol oedd yn ofynnol cyn mentro i'r uchelfannau. Roedd Hillary yn ei elfen mas yn yr awyr agored ac ymhen rhai blynyddoedd bu'n rhaid iddo droedio i wledydd a chyfandiroedd eraill er mwyn ehangu'i orwelion. Mae'n wybyddus i bawb mai Syr Edmund Hillary a'r tywysydd o Nepal, Tenzing Norgay, oedd y ddau gyntaf i gyrraedd copa Everest, mynydd ucha'r byd, ar y 29ain o fis Mai, 1953.

Nid mynyddwr oedd Barry Llewellyn, er ei fod yn fynydd yn gorfforol. Cafodd ei eni a'i fagu yng nghanol tre Llanelli ac yno y derbyniodd ei addysg. Roedd ei dad, Bryn, yn enedigol o bentre glofaol Gwaun-cae-gurwen, ac yn berchennog gwaith glo preifat yn Nyffryn Aman a gynhyrchai lo caled o ansawdd uchel. Ar ôl cynrychioli Ysgol Ramadeg y Bechgyn, Llanelli, ac Ysgolion Uwchradd Cymru, aeth yn ei flaen i Brifysgol Loughborough i astudio Addysg Gorfforol cyn symud i Goleg Addysg Caerllion ar Wysg ym 1967.

Cynrychiolodd Lanelli yn ddeunaw oed, ac er ei fod yn awyddus i wisgo'r crys sgarlad, penderfynodd aros yng Ngwent a chwarae i'r Coleg. Ei ddymuniad oedd mwynhau ei hun a chwarae yn y rheng ôl fel wythwr yn hytrach na hawlio'i le mewn clwb dosbarth cyntaf yn ei safle naturiol fel prop. Barry oedd ciciwr y tîm a'i 180 o bwyntiau yn ystod ei dymor cyntaf yn tystio i'w ddoniau cyffredinol.

Ar ddechrau tymor 1967/68 cysylltodd Nick Carter, Ysgrifennydd Clwb Rygbi Casnewydd, ag awdurdodau'r Coleg yn dilyn digwyddiad trychinebus. Roedd capten y clwb, y prop Martin Webber, ar ei ffordd 'nôl i Rydychen pan fu ei gar mewn gwrthdrawiad angheuol. Roedd angen prop pen rhydd arnynt. Caniatawyd i Barry symud i chwarae i'r clwb yn Rodney Parade, ac yn dilyn ei berfformiadau grymus yn y rheng flaen fe'i dewiswyd yng ngharfan Cymru i deithio i Awstralia a Seland Newydd ym misoedd Mai a Mehefin 1969.

Bythefnos cyn hedfan o faes awyr Heathrow i Hemisfffer y De penderfynodd Barry chwarae yng ngêm olaf y Coleg ar Barc Virginia yn erbyn Caerffili. (Roedd hyn wedi digwydd droeon yn ystod y tymor; Casnewydd yn ymarfer ar ambell nos Fercher ond y prop cydnerth yn mynnu chwarae i'r Coleg yn ystod y prynhawn.) Yn ystod munudau agoriadol yr ornest anafwyd mewnwr Caerllion, Billy James, a fu'n gaffaeliad i'r Crwydraid a Cross Keys am flynyddoedd lawer. Er fod yna eilyddio ar y llwyfan rhyngwladol, doedd dim modd gwneud hynny ar lefel clwb. Am weddill y gêm chwaraeodd Barry fel mewnwr, ei basio i'r naill ochr a'r llall yn gywrain a'i faswr, Gethin Thomas o Abercraf, yn llawn edmygedd ar ddiwedd yr ornest.

Beth, felly, oedd yn cysylltu Syr Edmund Hillary â Barry Llewellyn? Y term cyfoes yw *free spirit*. Roedd hi'n amhosib eu caethiwo; roedd penrhyddid yn bwysig i'r ddau. Roedd gan Barry ystod eang o ddiddordebau – hela, pysgota, hwylio, syrffio, ac roedd gwaed y tad yn y mab. Datblygodd yn ŵr busnes llwyddiannus gan ganolbwyntio ar ennill ei fara menyn yn Sir Benfro a thu hwnt. Roedd e'n gwbl hapus yn chwarae'r gêm ond yn cyfaddef fod yr ymarfer a'r teithio'n fwrn. Fe allai fod wedi ennill hanner cant o gapiau a chynrychioli'r Llewod ar deithiau'r saithdegau ond gwrthododd yr holl wahoddiadau. Roedd meddwl am dreulio misoedd ar deithiau tramor mewn caethiwed yn annerbyniol, a chyn hir ffarweliodd â'r Strade gan chwarae'n achlysurol i Ddinbych-y-pysgod.

Ar y cae roedd Barry yn gawr; nid y mwyaf dinistriol yn y sgrym ond yn ddigon cryf a phwerus i ddal ei dir. Yn sicr, roedd ganddo afael gadarn ar brif ddyletswyddau'r safle. Yn y chwarae rhydd gellir dweud ei fod yn un o'r goreuon erioed, ac roedd ei weld yn ôl-redeg o ffrynt y lein a derbyn pêl wedi'i gwyro i'w gyfeiriad yn olygfa ddigalon i unrhyw un o'r gwrthwynebwyr oedd yn ceisio'i ffrwyno. Meddyliwch am darw yn cael ei ryddhau ac yn carlamu i ganol y talwrn i herio'r matadôr. Brasgamai fel rhyw anifail aflonydd gan hollti llinellau amddiffynnol y gelyn.

Roedd ganddo egni dihysbydd ond roedd e hefyd yn ffwtbolyr naturiol â dwylo maswr. Roedd ei weld yn tynnu'i ddyn yn glasurol a rhyddhau'r bàs i'w gyd-chwaraewr yn olygfa artistig. R'yn ni'n sôn fan hyn am ŵr chwe throedfedd tair modfedd oedd yn ddwy stôn ar bymtheg ac yn gyflym ar ei draed. Roedd ei amlochredd yn fantais amlwg iddo a gallai fod wedi llenwi unrhyw safle ar y cae. Roedd dechrau'r saithdegau yn gyfnod llwyddiannus yn ei yrfa – Barry a Delme oedd yr unig chwaraewyr o Lanelli yng ngharfan Cymru pan gipion nhw'r Gamp Lawn mas yn Stade Colombes ym 1971 ac, yn naturiol, roedd y fuddugoliaeth yn erbyn y Crysau Duon ar Barc y Strade ym 1972 yn ddiwrnod bythgofiadwy iddo ac yntau, ers yn grwtyn ifanc, wedi bod yn cefnogi'r Sgarlets. Chwaraeodd i Lanelli fel blaenasgellwr yn Rownd Derfynol y Cwpan Schweppes yng Nghaerdydd ym 1974 yn erbyn Aberafan a chyfrannu'n helaeth i fuddugoliaeth Llanelli o 12 i 10.

Mae nifer fawr o wybodusion yn ystyried Barry yn un o hoelion wyth y gorffennol a hynny, cofiwch, ar lefel ryngwladol. Derbyniodd ganmoliaeth uchel gan arbenigwyr Seland Newydd pan deithiodd yno ym 1969. Mae naw deg y cant o'r *aficionados* sy'n cyfarfod bob hyn a hyn i ddewis y XV gorau a gynrychiolodd y Sgarlets erioed, yn ei gynnwys e yn y rheng flaen. A shwd chwaraewr fydde fe o dan y gyfundrefn bresennol? Mae'r cwestiwn yn un syml i'w ateb – byddai'n chwarae'n ddi-dâl i'r Hendy (lle y dechreuodd ei yrfa) neu i Ddinbych-y-pysgod. Byddai ymarfer drwy'r dydd a threulio cyfnodau hir yn teithio a gwastraffu amser drwy chwarae *Play Station*, gwrando ar ribidires o gryno ddisgiau a gwylio DVDs wedi'i felltithio. Nid rebel ond realydd!

Barry Llewellyn yn barod i ôl-redeg o ffrynt y lein – un o'i symudiadau nodweddiadol.

27

Phil Bennett

Duende

Mae 'na air yn Sbaeneg sy'n gwbl addas ar gyfer Phil Bennett – neu Philip, fel mae ei wraig, Pat, yn ei alw. *Duende* yw'r gair Sbaeneg, ac mae'n anodd ei gyfieithu – rhyw elfen o'r annisgrifiadwy; cyfeirir at ddoniau sy'n ymestyn y tu hwnt i ardderchogrwydd, y tu hwnt i ddisgleirdeb, ac yn cynnwys rhyw ddimensiwn arallfydol. Mae *duende* yn berthnasol i ddisgrifio Cliff, Bleddyn, Barry, Gareth, Gerald, Ieuan a Jonathan! Does dim angen y cyfenw i adnabod y chwaraewyr athrylithgar yma. Ac yn naturiol, Phil, maswr Llanelli, Cymru, y Barbariaid a'r Llewod – fyddai ar frig y rhestr i rai. Mae Cymru ar hyd y blynyddoedd wedi cynhyrchu chwaraewyr unigol o wir safon; chwaraewyr sy'n meddu ar athrylith yr artist.

Yn nhafarndai a chlybiau rygbi ledled y byd ceir sgyrsiau dibaid (tanllyd, ar adegau) ynghylch doniau cewri'r gêm, ac am ryw reswm y maswr, y rhif deg, sy'n creu'r dadlau pennaf. I'r rheiny sy yn eu hwythdegau mae'r Cymro o Bont-y-clun, Cliff Jones, yn uchel ei barch, a'r disgrifiadau wrth sôn am ei gais yn erbyn yr Alban yng Nghaerdydd ym 1934 yn creu elfen o anghrediniaeth ymhlith darllenwyr a gwrandawyr. Mae 'na eraill yn clodfori Cliff Morgan a Jackie Kyle. Yn ystod y blynyddoedd diwethaf, diolch i dystiolaeth ffilm a fideo, mae dawn ac athrylith Barry John, Hugo Porta, Mark Ella, Carlos Spencer, Frederic Michalak ac, yn naturiol, Phil Bennett, wedi cyflymu curiad calon.

O bryd i'w gilydd rhaid cydnabod fod celfyddyd y cicwyr – Jonny Wilkinson, Neil Jenkins, Grant Fox, Diego Dominguez ac Andrew Mehrtens – yn allweddol ym muddugoliaethau'u timau. Ond y rhif deg yw'r prif destun dadl ac, ar ôl ystyried rhestr hir ac anrhydeddus o faswyr y gorffennol, mae ceisio dewis y *crème de la crème* yn dasg gwbl amhosib. Un peth sy'n sicr – roedd Phil Bennett yn dywysog ymhlith tywysogion a heb unrhyw amheuaeth yn un o'r maswyr a'r 'ffwtbolyrs' gorau yn hanes y gêm.

Dawn Paul Daniels wrth drafod cardiau; crefft a disgyblaeth y diweddar Ayrton Senna yn llywio'r car Fformiwla Un; techneg, steil a chreadigaethau ffwrdd-â-hi cynllunwyr tai ffasiwn Gucci ac Armani; ergydion clasurol, dewinol Lara a Tendulkar; gallu lleisiol cwbl unigryw Bryn Terfel; mawredd a manylder y penseiri megis y ddau Frank, Gehry a Lloyd Wright, yn creu adeiladau chwyldroadol. Ychwanegwch at y rhain enw'r maswr o Lanelli, Phil Bennett – meistr, maestro hyd yn oed, a lwyddodd mewn gyrfa hynod lwyddiannus i wefreiddio torfeydd ar hyd a lled y byd â'i ddoniau cynhenid, rhyfeddol.

Cicio celfydd – un o grefftau'r meistr.

Fe welais i Phil Bennett am y tro cyntaf ddechrau'r chwedegau ym Mhencampwriaeth Saith Pob Ochr Ysgolion Llanelli, a gynhaliwyd ar y Strade. Roedd e'n gwisgo crys glas golau a glas tywyll Ysgol Coleshill yn y gystadleuaeth i fechgyn dan 15 oed. Cofiaf wylio rhai o dimau gorau Prydain yn cystadlu; roedd yna hygrededd i'r twrnamaint, diolch i ymdrechion a llafur athrawon y dref, a phob heol yn arwain i dref y Sosban adeg y Pasg. A nid yr hufen o'r ysgolion gramadeg a'r ysgolion uwchradd oedd yn brwydro am y tlysau a'r cwpanau. Cafwyd ymateb ffafriol o gyfeiriad yr ysgolion bonedd, y wasg yn lleol ac yn genedlaethol yn anfon gohebwyr, a gwir gefnogwyr y bêl hirgron yn Ne Cymru ben baladr yn tyrru i Lanelli.

Un prynhawn eisteddais yn ddisgwylgar yn yr eisteddle ar y Strade o gwmpas hanner ffordd ar gyfer gêm nesa Ysgol Ramadeg Dyffryn Aman, a fyddai'n dechrau ymhen munudau. Ac yna, o flaen fy llygaid, cafwyd arddangosfa ryfeddol o ddoniau maswr a fyddai, o fewn degawd, yn enw cyfarwydd ar y llwyfan rhyngwladol. Yn ystod pum munud ola'r gêm fe lwyddodd y crwt, bychan o gorff, i greu hafoc yn yr heulwen a gwefreiddio'r cannoedd oedd yn llygad-dyst i gydbwysedd artistig, cyflymdra aruthrol a doniau ochrgamu greddfol oedd, ar adegau, yn wyrthiol.

Sonnir yn aml am bwysigrwydd 'y cyflymdra dros y llathenni cyntaf'. Dyma, yn y bôn, beth sy'n gwahanu'r gwych a'r cyffredin. Mae yna chwaraewyr celfydd yn cynrychioli clybiau di-ri ledled Cymru ar brynhawnau Sadwrn, nifer fawr ohonynt wedi meistroli'r holl sgiliau. Ond prin yw'r rheiny sy'n gelfydd *ac* yn gyflym. Roedd Phil Bennett yn un ohonynt ond roedd ganddo fe rywbeth oedd bron yn unigryw. Roedd 'y cyflymdra dros y llathenni cyntaf' ganddo fe, yn sicr, ond yn bwysicach fyth, roedd ganddo gyflymdra eithriadol dros y troedfeddi a hyd yn oed y modfeddi cyntaf. Roedd ei symudiadau cyntaf yn rhai 'helô, gwdbei' – roedd hi'n gwbl amhosib i feidrolion ei ddal, yn enwedig ar dir sych a chaled.

Mae'r mwyafrif ohonoch yn gallu hiraethu a rhamantu am eiliadau prin pan lwyddodd Mistar Bennett i hypnoteiddio gwrthwynebwyr a gwefreiddio tyrfaoedd. Dw i'n siŵr fod gennych chi'r darllenwr *gameos* personol – dyna i chi'r cais anfarwol yn Ail Brawf y Llewod yn erbyn De Affrica yn ninas Pretoria ym 1974. Y maswr yn ymdebygu i redwr Olympaidd ar dir oedd mor galed â chragen crwban, yr ochrgamu'n atgoffa dyn o ryfeddodau Torvill a Dean ar yr iâ. A bod yn onest roedd Bennett fel petai'n perfformio ar ddarn o wydr llonydd, yn gwbl fodlon ei fyd a'r gwrthwynebwyr yn cael eu gadael yn llipa ac yn lletchwith ar ei ôl. Cais arall sy'n ffefryn gan y werin yw hwnnw ym Murrayfield ym 1977; y tîm yn cyfrannu a Phil yn creu'r cyffro rhyfeddol cyn disgyn yn gwbl ddiymadferth o dan y pyst â'r bêl wedi cwtsho'n gyfforddus yn ei gôl.

Gorffen symudiad ac, o bryd i'w gilydd, dechrau symudiad. Mae cais Gareth ar y Maes Cenedlaethol ym 1973 yn rhan o chwedloniaeth y gamp; y clod i Edwards, Quinnell, David, Dawes, Pullin a JPR am gadw'r bêl yn y dwylo ac am gadw'r cefnogwyr ar flaenau'u traed. Ond pwy ddechreuodd y symudiad? Y meistr o Felinfoel yn derbyn y meddiant o dan bwysau aruthrol, yn rhedeg sha 'nôl a phenderfynu creu anhrefn. Mae'r cais yn un sydd ar frig rhestr ceisiau gorau'r gorffennol – a Phil oedd ffynhonnell y cyffro.

Mae gen i ffefryn, a dw i'n siŵr y byddai'r dorf ar y Strade ar nos Fercher ar ddiwedd y saithdegau yn cytuno. Roedd y maswr yn safle'r cefnwr yn erbyn Casnewydd ac wrth ei fodd mas yn y tir agored. Roedd e'n aml wedi'i ynysu fel heliwr cyntefig mas ar y Kalahari ond yna, mewn fflach, yn gwrthymosod fel bwled o wn. Sha 'nôl o'dd Phil yn camu y tro hwn, yn ymyl ei ddwy ar hugain, pan benderfynodd frasgamu ac ochrgamu gan ddal i symud i gyfeiriad pen y Pwll. Y nod oedd cyrraedd llinell gais pen y dre, ac o fewn ugain eiliad roedd e'n tirio'r bêl yno, yn sefyll ger y llinell gais mor ddigyffro a bodlon â boda ar ben postyn teligraff. Y fi o'dd y dyfarnwr, yn llygad-dyst i'r rhediad ac yn ceisio'i ddilyn. Ar ôl troi a wynebu'r gelyn fe redodd am ryw ddeg metr o fewn modfeddi i linell yr ystlys cyn crymanu i gyfeiriad canol y cae. Ac yna, mewn amrantiad, fe benderfynodd fwrw 'nôl tuag at yr ystlys. Roedd chwaraewyr Casnewydd yn sefyll yn stond mewn math o wewyr, un yn aros i'r llall gyflawni'r dacl. Roedd y cais yn un bythgofiadwy, a finnau a rhyw bum mil arall wedi gwirioni.

Roedd 1977 yn argoeli'n dda i Phil. Fe'i hanrhydeddwyd â chapteniaeth y Llewod ar y daith i Seland Newydd ond fe drodd y freuddwyd yn hunllef. O ganlyniad i dywydd difrifol o ran gwynt a glaw fe gollodd y Llewod y gyfres ac roedd hynny'n siom aruthrol, yn enwedig o gofio goruchafiaeth y blaenwyr ym mhob un o'r pedwar prawf. Am y tro cynta yn ei yrfa profodd Phil Bennett

Phil Bennett yn gwau hud a lledrith ar y Strade.

y lleddf. Roedd e'n hen gyfarwydd â'r dathlu, yn ymlawenhau yn yr adroddiadau canmoliaethus, ond yn ei chael hi'n amhosib ymdopi â'r paragraffau beirniadol a phigog. Bu'n daith annifyr, a'r hyfforddwr, John Dawes, yn ei chael hi'n anodd i ysbrydoli. Roedd y creithiau'n amlwg a'r capten yn teimlo'r peth i'r byw. Ond ar ôl dychwelyd i'w filltir sgwâr i flasu cysur cartref a phrynhawnau Sadwrn yn camu i'r llain ar gae criced Felinfoel dechreuwyd ar bennod lwyddiannus arall mewn gyrfa ddisglair.

Y tymor canlynol Phil Bennett oedd capten y tîm cenedlaethol pan gipiwyd y Gamp Lawn, y tro diwethaf i Gymru gyflawni'r gamp honno. Cafwyd buddugoliaeth o 9 i 8 yn Twickenham, yr Alban yn cael crasfa yng Nghaerdydd a'r Gwyddelod yn ildio i rym y Cymry yn Nulyn.

Roedd yna gryn ddishgwl ymlaen at yr ornest yn erbyn y Ffrancod a doedd neb yn cymryd dim yn ganiataol. A'r sgôr yn 7 i 0 i'r tricolor ysbrydolwyd y crysiau cochion gan y maestro – ochrgamodd yn wyrthiol a chroesi yn y gornel. Hawliodd ail gais ar ôl derbyn pàs JJ Williams. Ar y chwib ola cyhoeddodd Phil Bennett a Gareth Edwards eu hymddeoliad o rygbi rhyngwladol. Pa well ffordd i orffen cyfnod ar y lefel uchaf?

Y dyddiau 'ma mae Phil Bennett yn llais cyfarwydd ar radio a theledu, yn fawr ei barch ac yn llwyddo i ddatgan barn yn ddi-flewyn-ar-dafod ond eto'n deg ac yn gyfiawn. Heb unrhyw amheuaeth, mae Phil Bennett yn ymgorfforiad o'r Strade a tybiaf y dylai'r bwrdd presennol ei anrhydeddu drwy enwi eisteddle ar y maes newydd ar ei ôl.

28

Mynydd Allt-y-grug

Stori wir

Dim ond ar y Strade y galle fe fod wedi digwydd. Ddim yn unman arall. Ddim ar y Gnoll, ddim ar Sain Helen, ddim ar Heol Sardis. Mae'r Strade wedi bod yn fangre i gymeriadau; cymeriadau yn rhugl eu Cymraeg, yn onest, yn ffraeth, ac yn ddi-flewyn-ar-dafod. D'yn nhw byth yn pilo wye. A bod yn onest, does yna ddim unrhyw gofnod yn ymwneud â'r digwyddiad dan sylw. Ddim hyd yn oed yn y Llyfrgell Genedlaethol yn Aberystwyth nac yn seleri archifdy Cyngor Sir Gaerfyrddin. Ddwedyd dim am y peth yn y *Western Mail* na'r *South Wales Evening Post* . . . Ro'dd gohebyddion rygbi'r cyfnod yn ddi-Gymraeg ac yn y niwl ynglŷn â'r floedd, er fod y chwerthin iach wedi creu rhywfaint o gyffro.

Ro'dd mynydd Allt-y-grug, uwchben pentre Godre'r Graig yng Nghwm Tawe, yn y newyddion ddiwedd y chwedegau a dechre'r saithdegau. Achoswyd sawl tirlithriad adeg glaw trwm, a llifogydd, a bu'n rhaid i swyddogion cownsil Dyffryn Lliw fonitro'r sefyllfa'n ofalus. Bu'n rhaid i nifer o deuluoedd symud o'u cartrefi yn sgil symudiadau daearegol. Caewyd yr hen heol o Ystalyfera i gyfeiriad Ynysmeudwy (neu 'Smitw', fel ma' nhw'n weud yn yr ardal) pan agorwyd yr heol newydd ar waelod y Cwm. Ro'dd yna adroddiadau yn y wasg ac yn y cyfryngau fod y mynydd yn symud (r'yn ni'n sôn am filimetrau, nid modfeddi!) ac aethpwyd ati i berswadio rhai i symud yn barhaol i ardaloedd saffach.

Nawr, dw i ddim yn cofio'r mis y chwaraewyd y gêm. A dweud y gwir, dw i ddim yn cofio'r flwyddyn na lliwiau'r ddau dîm, ond ma' gen i gof am yr achlysur. Trefnwyd yr ornest ar y Strade i godi arian at achos da. Pan drefnid gêmau o'r fath yn ystod y cyfnod roedd yna gefnogaeth wych bob tro. Dylanwadwyd ar chwaraewyr rhyngwladol y presennol a'r gorffennol i chwarae, a gan mai'r bwriad oedd mwynhad a phleser, roedd y mwyafrif yn fwy na bodlon i gynnig eu gwasanaeth. Ychydig o bwyslais a roddwyd ar yr ochr gorfforol, a'r chwaraewyr, ran amlaf, yn rhedeg yn ddi-baid am awr a hanner ac yn camu o'r cae yn ysu am gawod oer a glased o lager. Yr unig chwaraewr yng Nghymru oedd byth yn derbyn gwahoddiad i ymuno mewn *extravaganzas* o'r fath oedd y cefnwr cadarn, JPR Williams. Roedd e'n chwarae pob un gornest o ddifrif, fel petai e'n wynebu'r Ffrancod neu'r Crysau Duon. Byddai Garth Morgan o Frynaman yn derbyn yr un driniaeth â Jean-François Gourdon o Ffrainc. I JPR doedd yna ddim shwd beth â gêm gyfeillgar, ddi-bwys.

Dau dîm cymysg o'dd wrthi'n herio'i gilydd. Yr hen elynion Llanelli ac

Abertawe yn wynebu tîm cymysg o Gastell-nedd ac Aberafan. Roedd hi'n noson ddelfrydol i'r plantos – bu'n rhaid ymestyn yr egwyl ar yr hanner er mwyn i gant a mil ohonynt hawlio'u llofnodion. Roedd Strade dan ei sang . . .

Ma' 'da fi ryw deimlad mai canol y saithdegau o'dd hi, gan fod un o'r chwaraewyr wedi hen ymddeol ond wedi cytuno i 'ware gan fod yr achos yn un mor deilwng. Brian Thomas, ail reng Prifysgol Caergrawnt, Castell-nedd a Chymru oedd hwnnw; un o'r blaenwyr caleta a wisgodd grys rygbi erioed. Roedd ei yrfa yn un liwgar, lwyddiannus.

Yn ystod ei gyfnod fel chwaraewr roedd Brian o gwmpas deunaw stôn. Yn gorfforol ac yn feddyliol ro'dd e'n gawr. Fe fydde'r Ffrancod yn ei ddisgrifio yn *très formidable*. Roedd yna gydnabyddiaeth i'w allu, y teip o foi fyddech chi am ei gael yn eich tîm chi. Ar ôl ymddeol, ychwanegodd Brian (am gyfnod byr o amser) sawl stôn at ei gyfansoddiad. Pan gamodd ar y Strade ar gyfer yr ornest gyfeillgar y noson honno, ro'dd hi'n gwbl amlwg nad o'dd e'n mynd i redeg rhyw lawer – a fel 'na buodd hi. Brian yn bresennol ym mhob lein a phob sgrym ac, i bob pwrpas, yn treulio gweddill yr amser yn cerdded yn gysurus o'r naill i'r llall.

Ta beth. Ro'dd rhyw ugain munud yn weddill pan sylweddolodd un o'r dorf, o'dd yn ishte yn rhes flaen yr eisteddle, fod y chwaraewr arbennig yma'n cymryd ei amser i symud ar draws y cae. Fe fyddai rhai yn disgrifio'r symudiad yn un ling-di-long, eraill ddim *quite* mor garedig! Yn sicr, doedd yna ddim cyfle i fod yn rhan o unrhyw symudiad. Ac o enau y cefnogwr dienw daeth y frawddeg anfarwol, *'Brian! Siapa hi! Ma' 'na fynydd yng Ngodre'r Graig yn symud yn glouach!'*

A dyna'r unig beth dw i'n 'i gofio am y noson!

29
Grav

West is best!

Balchder, diffuantrwydd, gonestrwydd – dyna rai o'r rhinweddau sy'n perthyn i'r cawr annwyl, mynwesol a diymhongar o bentre tawel a chysglyd Mynydd y Garreg ger Cydweli. Mae'n wir dweud mai'r pentre hwn yng Nghwm Gwendraeth yw ei filltir sgwâr ac yno, yn ei baradwys, y bydd Ray tan Ddydd y Farn. Ond ei gartre mynwesol yw Parc y Strade. Yno yr aeth yng nghwmni'i dad pan oedd yn blentyn a chefnogi Llanelli o glydwch y Tanner Bank; yno, yng nghrys sgarlad y clwb, y profodd lwyddiant ysgubol am flynyddoedd maith fel canolwr disglair; yno y mae e o hyd, yn gefnogwr tanbaid – unllygeidiog ar adegau – ac yno mae e'n Llywydd bodlon ar dîm sy'n ymgorfforiad ohono fe ei hunan.

Gwyro ar y tu fas – unwaith eto!

Ysgrifennwyd geiriau, cymalau, paragraffau, penodau a hyd yn oed lyfrau ar yr *ecsoset* o Orllewin Cymru. *West is best* yw cri Ray o'r cyfnod cynnar ond mae 'na barch aruthrol iddo ledled Cymru a thu hwnt. Profiad reit emosiynol yw bod yn ei gwmni ar deithiau ar draws y byd – pobol Limerick, Hawick, Caerfaddon, Perpignan, Mendoza, Manley, Durban a Rotorua yn ei adnabod ac yn croesi'r hewl i'w gydnabod ac, yn naturiol, o'i ran e, mae'r cyfarchiad yn real a thwymgalon. Ond dyna ni, mae'r dywediad Saesneg yn gwbl addas ar gyfer Grav, *'What you see is what you get!'*

Mae 'na duedd y dyddie 'ma, wrth ganmol canolwyr y degawd diwethaf, chwaraewyr fel Brian O'Driscoll, Philippe Sella, Tim Horan, Jeremy Guscott a Tana Umaga, i anghofio a diystyru cewri'r gorffennol – ac roedd Ray Gravell yn gawr, credwch chi fi! Weithiau'n greadigol, weithiau'n ddinistriol – roedd yna rai yn ei ddisgrifio fel *crash ball centre* ond braidd yn annheg oedd hynny. Oedd, roedd e'n gwlffyn cadarn, nerthol, a fyddai wedi peri i rywun lewygu o orfod ei wynebu ar noson dywyll mewn ale lawr sha North Dock ar Nos Sadwrn. Y dyddiau 'ma s'mo dyn yn siŵr beth sy'n gyfrifol am gyrff ambell i unigolyn – ai tabledi neu beth – ond crëwyd Ray â gofal gan enynnau teuluol a bwydydd cartre a brynwyd ym marchnadoedd Llanelli a Chaerfyrddin.

Yn ystod cyfnod hynod lwyddiannus y clwb yn y saithdegau a'r wythdegau, roedd yna reswm am y disgrifiad *crash ball centre*. Roedd Ray yn chwaraewr pwerus a thuedd i edrych am ei wrthwynebydd a'i chwalu. Maswr Llanelli oedd Phil Bennett, athrylith ar ei ddydd ac yn un o'r chwaraewyr rygbi gorau erioed. Cryfder Phil oedd ei gyflymdra aruthrol, Ferrari o faswr, a fanteisiai ar unrhyw gyfle i redeg fel milgi o chwarae rhydd. Pan ddigwyddai hynny fe fyddai Phil yn ei elfen, yn carlamu i gyfeiriad y llinell gais gan dderbyn cymorth (os o'dd ishe) o gyfeiriad y ddau asgellwr, JJ Williams ac Andy Hill. Roedd y Sgarlets, yn y cyfnod hwnnw, yn rhedeg y bêl o bobman a'r cyflymdra gan y garfan gyfan i greu bylchau. Roedd gwrthwynebwyr yn cael eu hypnoteiddio gan onglau rhedeg a symudiadau oedd yn mynd â gwynt dyn yn lân.

Ond, o bryd i'w gilydd, pan fyddai'r bêl yn ymddangos o sgrym neu lein a'r amddiffyn yn drefnus, fe fyddai Phil yn hala'r bêl i gyfeiriad Grav a'i gyd-ganolwr, Roy Bergiers. Dyna pryd roedd angen creu ryc cyflym, sugno'r gelyn i'r sefyllfa, adennill y meddiant a manteisio ar y bwlch. Roedd Ray yn feistr ar y grefft o hyrddio'i gorff at y gwrthwynebydd ac, o'r herwydd, yn cael ei labelu ledled Ewrop fel chwaraewr ffyrnig. Ond roedd yr elfen honno'n hollol anghydnaws â'i gymeriad.

Mae 'na stori amdano yng ngwres y frwydr ar y *Parc des Princes,* yn ninas y cariadon, yn gorwedd yn gaeth ar waelod ryc, yn edrych i'r entrychion. Ar ei ben gorweddai'r anghenfil o ail reng, Jean-Luc Joinel, oedd yr un maint – 'run sbit – â *Desperate Dan*, ac yn drewi o garlleg. Am ryw reswm gafaelodd Ray yng ngwddf y creadur a bloeddio, *'Froggie! Froggie! Froggie!'* Edrychodd Jean-Luc yn fygythiol i fyw llygaid Grav, ond cyn i'r Ffrancwr symud na bys na bawd (na dwrn, o ran hynny) gwenodd Grav a datgan, *'Only joking! Only joking!'* Bum muned yn ddiweddarach, a Ray yn codi ar ei draed ar ôl gwneud tacl galed arall, chwalwyd Mistar Mynydd y Garreg gan weret (ergyd, i chi yn y gogledd) yn ei wyneb. Roedd y gwaed yn llifo, y sêr yn dawnsio, y dyn â'r sbwnj yn cynnig cymorth; ac yno, ynghanol y *pandemonium,* parablodd Monsieur Joinel (yn wên o glust i glust ac yn llawn teimlad) y geiriau anfarwol, *'Only joking! Only joking!'*

Serch hynny, roedd Ray Gravell yn gallu bod yn chwaraewr pert, yn gelfydd â'r bêl yn ei ddwylo. Profwyd hynny yn ystod ei ymddangosiad cyntaf yng nghrys coch ei wlad mas yn y *Parc des Princes* ym Mharis ym 1975. Maswr Cymru y prynhawn hwnnw oedd y diweddar John Bevan o Aberafan – chwaraewr solet, dibynadwy oedd yn wahanol iawn ei ddull i'r dawnus Phil Bennett. Roedd Bevan bob amser yn dishgwl am [h.y. edrych am] yr hanner bwlch o sgrym a lein, yn derbyn y dacl, a rhywsut neu'i gilydd yn rhyddhau'r bêl yn ddeallus i'w ganolwr. Y prynhawn hwnnw, a Chymru, yn groes i'r disgwyl, yn chwalu'r *Tricolor*, fe brofodd Raymond Gravell ei fod e nid yn unig yn *juggernaut* o ran nerth a phenderfyniad ond yn ddawnsiwr *bale* o ran steil. Roedd ei weld yn manteisio ar wagle gan ddal y bêl yn y ddwy law a dosbarthu'n fathemategol gywir i'w asgellwyr yn wers bwysig i grwtyn ysgol.

Annwyl, dymunol, tedi bêr o ran agosatrwydd – gall miloedd o'i gyd-chwaraewyr dystio i'w gymeriad addfwyn a'i bersonoliaeth glòs a chynnes. Ond mae ei ffrindiau yn ymwybodol o'i ddifyg hyder ar adegau. Rhaid i Ray gael y sicrwydd fod ei berfformiad ar lwyfan, mewn stiwdio, adeg cyfweliad, yn dderbyniol. 'Shwd oedd y llais?' 'Ddwedes i'r pethe iawn?' Ac roedd hynny'n wir yn ystod ei ddyddiau chwarae, hefyd. Tra o'n i'n dyfarnu yn y saithdegau dw i'n cofio'r profiadau-cyn-gêm wrth archwilio cyflwr sgidie'r chwaraewyr – camu o un chwaraewr i'r llall i wneud yn siŵr fod y *studs* yn ddiogel. Ac yn gwbl ddisymwth, bydde Ray yn cydio ynof gerfydd fy ngwddf, yn llythrennol, gan ddweud, 'Pwy yw'r canolwr cryfa yng Nghymru?' Roedd rhaid ymateb ar unwaith, 'Ti, Ray!' Roedd yr holl beth yn ddefod wythnosol, y chwaraewyr eraill i gyd, yn eu tro, yn rhan o'r broses seicolegol o'i argyhoeddi.

Mae yna un hanes amdano sy'n crisialu ei baratoadau-cyn-gêm. Roedd Llanelli'n chwarae yn erbyn Pen-y-bont ar Gae'r Bragdy, ganol y saithdegau, y ddau dîm yn brwydro am bencampwriaeth answyddogol y *Western Mail*. Yn ystod y munudau tyngedfennol cyn y gic gyntaf roedd Ray ar bigau'r drain ac ar daith o gwmpas y stafell newid yn cwestiynu'r chwaraewyr: 'Pwy yw'r canolwr mwya creadigol yng Nghymru?' 'Pwy yw'r chwaraewr perta yn y byd rygbi?' *'JJ, who's the most destructive centre in world rugby?'* A chwarae teg i'r criw yn y crysau sgarlad, roedd pob un yn cadarnhau 'i allu a'i ddoniau drwy ymateb yn bositif.

Mas ar y cae, yn ystod y munudau agoriadol, fe dderbyniodd Ray y bêl o sgrym ar hanner ffordd a gweld fod y bwlch lleiaf wedi ymddangos rhwng Steve Fenwick (ei gymar yn y tîm cenedlaethol) a Lyndon Thomas. Aeth y canolwr amdano fel cath i gythraul, gwibio am ddeg metr ar hugain a thynnu'i ddyn yn berffaith cyn trosglwyddo'n gelfydd i'r asgellwr chwimwth, JJ Williams. Roedd ugain metr yn weddill a'r cais yn anochel. Ond yn brasgamu ar draws y cae fel anifail ar dân yr oedd JPR Williams, cefnwr Pen-y-bont. Roedd hwnnw, fel y mae'r mwyafrif ohonoch yn cofio, yn glamp o ddyn, yn llond corff o egni, yn ŵr oedd â'r gallu i godi braw ar gewri'r cynfyd. Â golwg filain gas ar ei wyneb, taranodd y cefnwr i gyfeiriad JJ a'i lorio fel sach o datws fodfedd neu ddwy o'r llinell gais.

Roedd asgellwr Llanelli yn gorwedd ar lawr mewn poen, yn ymwybodol ei fod wedi diodde anaf reit gas. Y cyntaf i gyrraedd oedd Raymond. Bloeddiodd JJ gyfarwyddiadau, *'Quick Ray, get Bert Peel on. I'm in severe pain. I think I might have broken my collar bone!'* Roedd yr ymateb yn ddisymwth, *'Yes, yes, yes JJ. But who's the best centre in Wales?'*

Ray Gravell – ymladdwr i'r carn; Cymro i'r carn.

Meddai'r Prifardd Robat Powel amdano:

> Ymhob modd fe ddygodd e
> Anrhydedd i gae'r Strade;
> Ni fu'i falchach i fylchu
> Fel y llew trwy afael llu;
> Ennill gwych neu golli gwael,
> Ymrwyfai i'r ymrafael!

30
JJ

Y gwibiwr heb ei ail

Mae ambell ddigwyddiad ym myd y campau sy'n cyflymu curiad calon dyn. Un eiliad o ddrama, y wefr o weld cyflawni'r anhygoel, a'r cofio – *'I was there!'*, fel y canodd Max Boyce.

Dyna a gafwyd ar y trac ar benwythnos ola'r Mabolgampau Olympaidd yn Athen. Un wraig, Kelly Holmes, sydd ers blynyddoedd wedi wynebu un ergyd ar ôl y llall, yn cipio medal aur – ei hail o'r gêmau. Ac ar ôl tystio i gamp anhygoel y ferch o Gaint, llwyddodd tîm cyfnewid y dynion yn y râs gan metr i greu elfen o embaras i'r gwybodusion, yn enwedig Michael Johnson a Colin Jackson.

Beirniadwyd gwibwyr Prydain yn llym gan y ddau athletwr byd-enwog. Ar lafar ar deledu datgelodd Johnson eu bod wedi siomi'r genedl – y rhedwyr yn llawn bwriad ac addewid ond yn tangyflawni. Roedd y datganiad wedi brifo i'r byw. Aeth Johnson yn ei flaen i amau honiadau Darren Campbell ynglŷn â'i anaf. 'Shwd alle fe barhau i redeg os oedd yr anaf mor ddifrifol â hynny?' meddai.

Ac roedd Colin Jackson yn un mor feirniadol yn ei golofn yn yr *Independent*. Ai gwastraffu'r cymorth ariannol wnaeth y gwibwyr? Pam nad oedden nhw'n tanio ar chwe sylindr? Datgelodd Jackson, cyn i'r athletwyr adael Prydain, na fyddent yn dychwelyd â medalau. Siarad plaen, siarad peryglus o bosib!

Roedd Darren Campbell o'i go'n llwyr pan glywodd am ensyniadau Johnson. Mewn noson a drefnwyd gan MTV yn Athen, bu bron i'r ddau ymosod ar ei gilydd. Gydag un ras yn weddill roedd y mwyafrif o Brydeinwyr yn cytuno'n llwyr â sylwadau Johnson a Jackson. Serch hynny, roedd yna gyfle ganddynt i adennill parch drwy berfformio'n raenus ar y Sadwrn olaf yn y ras gyfnewid dros gan metr. Yr Unol Daleithiau oedd y ffefrynnau clir – eu rhedwyr gyda'r gorau yn y byd. Yn ogystal, roedd hanes o'u plaid. Y tro diwetha i Brydain ennill y ras oedd 'nôl ym 1912 yng Ngêmau Olympaidd Stockholm. Bu'r Unol Daleithiau yn fuddugol bymtheg o weithiau ers hynny.

'Sport has the power to change the world, the power to inspire, the power to unite people in a way that little else can.'

Ai geiriau Nelson Mandela a ysbrydolodd y pedwarawd? Ai beirniadaeth y wasg a'r cyfryngau a arweiniodd at un o'r canlyniadau mwyaf annisgwyl yn Athen? Campbell, Gardener, Devonish a Lewis-Francis yn unig a ŵyr. Bu'r paratoadau munud olaf yn rhai trylwyr, bu'r sgwrsio yn ddi-flewyn-ar-dafod. Roedd y pedwar yn benderfynol o frwydro i'r eithaf er mwyn adennill hunan-barch a hygrededd a dangos yn glir eu bod yn athletwyr o wir safon. Roedd yna fwriad i brofi, am ddeugain eiliad mas yn Athen ym Mabolgampau Olympaidd 2004, mai gwibwyr Prydain oedd y gorau yn yr holl fyd. A thrwy ymdrech arwrol fe lwyddodd y pedwarawd i dawelu'r gwybodusion. Yn gorfforol roedd pob asgwrn a chyhyr yn tuchan a grwgnach; perffeithiwyd y cyfnewidiadau a manteisiwyd ar ddawn gynhenid pedwar unigolyn.

Roedd yr holl rinweddau a ddaeth at ei gilydd a sicrhau medalau aur i'r athletwyr uchod yn rhan annatod o gyfansoddiad yr asgellwr o Ddyffryn Llynfi, JJ Williams. A pheidier ag anghofio ei fod yntau yn wibiwr o fri a gynrychiolodd ei wlad ym Mabolgampau'r Gymanwlad yng Nghaeredin ym 1970. Roedd JJ Williams yn ymladdwr i'r carn, ac yn un a gredai fod paratoi'n drwyadl yn gwbl allweddol i berfformiad unigolyn ac i wead tîm. Mynnai ennill pob un gêm drwy chwarae rygbi a fyddai'n plesio'r cwsmeriaid ond roedd cipio buddugoliaeth o 3 i 0 mewn gornest ddi-liw lawer gwell na cholli 23-28 mewn gêm gyffrous.

Dechreuodd ei yrfa yn Ysgol Ramadeg Maesteg fel maswr a chynrychioli ysgolion Cymru yn y safle. Treuliodd dair blynedd yng Ngholeg Addysg Caerdydd, cynrychiolodd glwb Maesteg cyn ymuno â chlwb rygbi Pen-y-bont ar ddechrau'r saithdegau. Rhwng 1970 ac 1973 hawliodd 99 o geisiau i'r clwb o Gae'r Bragdy mewn ychydig dros gant o ymddangosiadau ac yno y byddai wedi aros oni bai am gulni'r dewiswyr cenedlaethol. Am ryw reswm dewisid pawb a phobun ar gyfer y profion cenedlaethol heblaw chwaraewyr Pen-y-bont.

Ddechrau Medi 1972, wrth loetran yn segur ar yr asgell ar y Strade yng nghrys glas a gwyn Pen-y-bont, gan werthfawrogi patrymau olwyr Llanelli, penderfynodd mai'r Sgarlets oedd y tîm iddo fe. Trefnwyd cyfarfod yng nghartre Carwyn yng Nghefneithin y nos Sul ganlynol ar ôl capel. O fewn diwrnodau ymunodd â Manchester United y byd rygbi (geiriau JJ a phwy all anghytuno!).

'I raddau roedd y penderfyniad yn un hunanol,' oedd geiriau un o'r asgellwyr gorau a welwyd ar y Strade. 'Ro'n i am 'ware i Gymru ac am 'ware i dîm o'dd ag athroniaeth bositif. Ddechrau'r saithdegau, Llanelli oedd y tîm hwnnw. O'r diwrnod yr ymunais â'r clwb i'r diwrnod y penderfynais ymddeol ym 1980, teimlais falchder rhyfeddol a gwefr bob un tro y gwisgais y crys Sgarlad.'

Yn ôl JJ roedd Llanelli'n dîm proffesiynol ddeng mlynedd ar hugain yn ôl. Roedd Carwyn James yn wir athrylith yn y maes. Llwyddodd drwy gymorth Norman Gale, yr hyfforddwr ffitrwydd Tom Hudson (oedd yn feistr ar ei waith) a phwyllgor blaengar, i greu cyfundrefn weithredol, lwyddiannus. Roedd yna ymdeimlad o berthyn; roedd yna falchder yn y perfformiadau. Athroniaeth Carwyn oedd lledu'r bêl ac fe glywid yr hyfforddwr uchel ei barch yn bloeddio'r geiriau, *'Width, width, width,'* yn ystod sesiynau hyfforddi ac yn ystod gêmau. Roedd hyn yn fêl ar fysedd y chwaraewyr, yn enwedig JJ. Cyn gornestau pwysig byddai'n targedu rhai gêmau allweddol gan sicrhau fod

JJ yng nghrys y Llewod ym 1974.

y tîm yn cyrraedd penllanw. Roedd yna bwyslais cynyddol ar ddatblygu'r unigolyn; roedd pawb yn gwybod lle ro'n nhw'n sefyll, a hyn yn arwain at ysbryd ardderchog o fewn y garfan. Byddai torfeydd yn llifo i weld Llanelli'n chwarae yn Abertileri ar nos Fercher gan fod yna werthfawrogiad o ddull chwarae'r tîm.

Cyflymdra, cyfrwystra, dewiniaeth – dyna grynodeb byr o gryfderau'r asgellwr a greodd gynnwrf ar y Strade a ledled y byd. Mae ei gyfraniad i lwyddiant y Llewod yn Ne Affrica ym 1974 yn rhan o chwedloniaeth y gêm; pedwar cais mewn pedwar prawf. Sgoriodd geisiau rhyngwladol yn erbyn pob un o brif wledydd rygbi'r cyfnod – Awstralia, De Affrica, Seland Newydd, Lloegr, Ffrainc, Iwerddon a'r Alban. Fe chwaraeodd 205 o gêmau i'r Sgarlets a chroesi am 159 o geisiau. Gwisgodd grys coch ei wlad 30 o weithiau a hawlio 12 cais.

Pleser o'r mwyaf oedd syllu a sylwi ar JJ Williams yn gwibio fel mellten ar hyd yr ystlys. Doedd e byth yn 'marw' â'r bêl – roedd ei weld yn taflu pàs berffaith i gyd-chwaraewr, i'r naill ochr a'r llall wrth redeg ar gyflymdra, yn olygfa gofiadwy. Y fe, yn anad neb arall, a berffeithiodd y grefft o gicio 'mla'n i'r tir agored a chyrraedd yno o flaen yr amddiffyn. Ac yna, mewn un symudiad, plygai'n isel a chydio yn y bêl fel rhyw anifail rheibus ar y paith yn lladd ei brai. Bu'n fraint ac yn anrhydedd ei wylio mewn crys sgarlad a chrysau cochion.

31
Y Snelling Sevens

i. 'The Magnificent Seven'

Roedd hi'n ddefod fisol – cyfarfod ag Alun Tudur, Elis Wyn a Bleddyn y tu fas i Siop Danny'r bwtsiwr am hanner awr wedi naw y bore, dal *double decker South Wales Transport* i Abertawe tua ugain munud i ddeg, a cherdded heibio'r *YMCA* a'r hen ysbyty i faes ein breuddwydion, cae criced Sain Helen, lle roedd Don a Jim yn gweu hud a lledrith a lle roedd Parkhouse a Hedges yn taro'r bêl ledr yn osgeiddig ac yn glasurol i bob pen o'r cae. Yma, hefyd, fe'n gwefreiddiwyd gan gampau rhai o faeswyr gorau'r gêm – Alan Rees, Allan Watkins, Willie Jones, Jim Pressdee, Billy Slade a'r meistr, Peter Walker.

Roedd defod arall, unwaith y flwyddyn, yn y pumdegau a'r chwedegau cynnar – naill ai'r bws *double decker* i Abertawe neu'r Sunbeam Talbot i Gaerdydd i weld cystadleuaeth fwya cyffrous byd y campau. Dw i'n cyfeirio at y *Snelling Sevens* a gynhelid ddiwedd pob tymor naill ai ar Sain Helen, Rodney Parade neu ar Barc yr Arfau. Câi miloedd ar filoedd eu denu i wylio. Roedd pobol yn cyrraedd wedi'u llwytho â digon o frechdanau (spam rhan amlaf) i fwydo byddinoedd, galwyni o Vimto, Kia Ora a Tizer, teisennod Kunzle a chyflenwad digonol o daffish. Byddai'r gic gyntaf o gwmpas un ar ddeg y bore a'r Rownd Derfynol tua hanner awr wedi chwech. Roedd y Cwpan i'r enillwyr yn un pert ac, o 1967 ymlaen, cyflwynid cwpan sylweddol arall, Tlws Coffa Bill Everson, i chwaraewr y twrnamaint.

Beth oedd yn gyfrifol am yr holl ddiddordeb? Pam yr *hype*? Pwy wnaeth ddyfeisio fformiwla o'r fath? Y tymor criced eisoes wedi dechrau a deng mil ar hugain o gefnogwyr yn tyrru i Barc yr Arfau i weld gêm gwbl wahanol oedd yn cael ei chwarae ond yn achlysurol. Tybiaf fod rhai ohonoch chi'r darllenwyr ifancaf yn aros am eglurhad. Fe geisia i egluro.

Roedd saith bob ochr yn creu cyffro rhyfeddol; gellid dweud fod maint y cae a'r gostyngiad yn y niferoedd yn golygu fod yna amser gan y chwaraewyr i arddangos eu sgiliau. Yn ystod y cyfnod roedd y prif chwaraewyr, yn enwedig y rhai cyflymaf a'r ystwythaf, yn mynnu cymryd rhan. Roedd chwaraewyr yn dawnsio, gwyro, ochrgamu, gwibio, a'r torfeydd wrth eu bodd yn edmygu'r holl ddoniau.

Mae clybiau pêl-droed Ewropeaidd, yn enwedig yn yr Iseldiroedd, yn buddsoddi yn y gêm fer. Ers blynyddoedd mae clybiau Ajax a Feyenoord wedi meithrin a datblygu'r ifanc drwy gynnal gêmau *meicro* – yn dri bob ochr, yn bedwar bob ochr ac yn bump bob ochr, a hynny er mwyn i'r plant gael amser i berffeithio sgiliau. A dyna yw athroniaeth gwledydd Hemisfffer y De – am flynyddoedd mae Seland Newydd, Fiji ac Awstralia wedi cymryd Saith Bob Ochr o ddifrif. Mae'r chwaraewyr mwyaf addawol yn treulio amser yn chwarae'r fath rygbi cyn dringo'r ysgol. Yn ddiweddar, mae Lloegr wedi mabwysiadu strwythur o'r fath ac wedi elwa'n fawr o'r penderfyniad.

Cofiaf weld tîm Casnewydd yn y pumdegau yn rhedeg reiat yn y gystadleuaeth – Ken Jones, Brian Price, Bill Prosser, Brian Jones, David Watkins a Byron Thomas yn feistri ar y grefft. Doedd neb yn gallu'u herio. Ond ym 1960 y pencampwyr oedd y Sgarlets, a'r tîm yn un hynod ddawnus – Wyn Oliver, Brian Davies, D Ken Jones, Onllwyn Brace (capten), Mel Rees, Aubrey Gale a Marlston Morgan yn saith disglair, a'r cefnogwyr o'r gorllewin wrth eu bodd â'r cyffro a'r perfformiad.

Roedd Llanelli wedi gobeithio llwyfannu'r gystadleuaeth ar y Strade ond gwrthododd Abertawe ('sdim rhyfedd eu bod nhw shwd elynion!), a chlybiau Gwent, gefnogi'r cais. Roedd cipio'r anrhydeddau yng Nghaerdydd, felly, yn brofiad pleserus o gofio'r holl gynhilath a'r cecru.

Y noson honno, roedd y penawdau'n union yr un fath ger y stesion yng Nghaerdydd ag ar y posteri ar Stryd y Frenhines – 'The Magnificent Seven' uwchben Sinema'r Capitol yn cyfeirio at griw rhyfelgar Yul Brunner a'r un geiriau ar fyrddau gwerthwyr yr *Echo* yn canmol tîm Onllwyn Brace. Ro'n i yno yn y cnawd yn rhyfeddu at ddoniau'r chwaraewyr – tîm y Sgarlets a Bernard 'Slogger' Templeman o Benarth oedd arwyr y prynhawn. Roedd pawb yn bloeddio nerth eu pennau pan fyddai Templeman â'r bêl yn ei ddwylo – ro'dd rhywbeth bownd o ddigwydd. Yna, byddai'n trosi heb gamu 'nôl o'r bêl – ei gosod ar lawr, sefyll yn stond, ymestyn ei droed dde 'nôl a'i chicio rhwng y pyst. Grêt!

Marlston Morgan, y blaenwr dibynadwy yn dangos ei grefft.

102

Ond i Lanelli y perthyn y diwrnod cyfan. Llwyddodd Onllwyn Brace i arwain yn garismataidd, roedd ei ddoniau â'r bêl yn ei ddwylo yn wefreiddiol. Gwelwyd Ken Jones a Brian Davies ar eu gorau; y ddau ohonynt yn Olympaidd o gyflym, yn ochrgamu'n reddfol a'r cefnogwyr wedi gwirioni ar yr ystod eang o symudiadau. Ar yr asgell roedd cyflymdra Wyn Oliver yn fanteisiol – y gweddill yn creu a Wyn yn rhedeg fel ewig am y llinell gais. Annheg fyddai anwybyddu'r blaenwyr; rheiny'n ddigon ffit i gyrraedd y dacl a'r bêl rydd heb sôn am sicrhau'r meddiant yn y lein a'r sgrym. Bron hanner can mlynedd yn ddiweddarach, mae'r *cameos* yn dal i lenwi'r sgrîn deledu yn y meddwl.

> *Y canlyniadau:*
> | | |
> |---|---|
> | Trecelyn | *11 – 6* |
> | Abertyleri | *8 – 5* |
> | Aberafan | *11 – 10* |
> | Penarth | *14 – 10* |

ii. John Bach

Mae yna sawl John wedi chwarae ar y Strade: John Warlow yn y rheng flaen a enillodd un cap i Gymru mas yn Nulyn ym 1962; y blaenasgellwr, John Leleu, a fu'n gapten ar dri chlwb blaenllaw – Llanelli, Abertawe a Chymry Llundain; yr asgellwr chwith John (JJ) Williams a ddisgleiriodd yn sgarlad Llanelli a chrysau cochion Cymru a'r Llewod. A pheidier ag anghofio'r canolwr John 'Bach' Thomas a brofodd ei hun yn fewnwr disglair yn nhimau saith bob ochr Llanelli ddiwedd y chwedegau a dechrau'r saithdegau.

'Pwy yw'r wythwr lleiaf, o ran taldra, i gynrychioli Cymru?' Gofynnid y cwestiwn mewn nosweithiau cwis o Fôn i Fynwy rai blynyddoedd yn ôl. Roedd yr atebion yn amrywiol. Rhai yn enwi Roger Michaelson, Dai Morris, John Jeffery a Russell Robins ond na, cwestiwn slei oedd e! Yr ateb, a byddai'r cwestiwn-feistr mewn perygl o gael ei sbaddu, oedd Brian Flynn, cyn-rif wyth tîm pêl-droed Cymru yn yr wythdegau! Roedd Flynn yn un o'r chwaraewyr, bychan o ran corff ac uchder, a lwyddodd i chwarae'r gamp ar y lefel uchaf. Ac mae yna eraill . . . y dylanwadol Jacques Fouroux i Ffrainc, y cystadleuol Billy Bremner i Leeds a'r Alban, y penderfynol Tony Cottey i Forgannwg a Sussex, Alan Ball i Everton a Lloegr a . . . John Bach.

Pêl-droediwr oedd John. Byd delfrydol y bachgen o Ddyffryn Aman oedd byd y bêl, a honno'n bêl gron, a gan fod yna

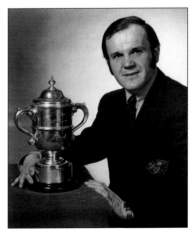

John 'Bach' Thomas, enillydd Tlws Bill Everson: Snelling Sevens 1971.

103

lawntiau ysblennydd o gwmpas ei gartref (drws nesa i Ysbyty Glanaman) cawsai gyfle cyson i ymarfer yr holl ystod o sgiliau. Fe ddyle fe fod wedi chwarae yn Wimbledon, oherwydd roedd cyrtiau tenis yr ysbyty o fewn foli Sampras i ddrws bac ei dŷ! Chwaraeai yng nghanol cae i dîm Glanaman, yn cyd-chwarae â'r golwr rhyngwladol, Dai Davies (oedd yn wythwr da dros ben), a'r diweddar Vernon Pugh, Cadeirydd y Bwrdd Rygbi Rhyngwladol. Yn ddiweddarach, graddiodd i dîm tre Rhydaman a hyfforddid gan Roy Saunders (tad Dean) ac, yn ôl y *Guardian* lleol, yn hwyr neu'n hwyrach, byddai *scouts* y clybiau mawr yn sicr o'i fachu.

A dw i'n siŵr mai dyna fydde wedi digwydd oni bai am un digwyddiad ddiwedd tymor 1967/1968. Roedd tîm rygbi'r Aman ar ei ffordd i Landybïe ar gyfer Cystadleuaeth Saith Bob Ochr Cromwell Evans ac, yn anffodus, un dyn yn brin. Roedd y bws ar ei ffordd o'r Half Moon i gyfeiriad sgwâr Glanaman pan welon nhw John ar yr heol. Ro'dd pawb yn gwbod am ei allu fel chwaraewr rygbi gan ei fod yn ymarfer 'da'r tîm rygbi bob hyn a hyn. Ond, a bod yn onest, do'dd yna ddim rhyw lawer o ddiddordeb 'da fe yn y gêm. Plediodd y tîm ag e yn daer. Cytunodd i 'ware, a hynny'n weddol rwydd pan soniodd rhywun am amlen frown! Enillodd yr Aman y gystadleuaeth, a John Bach yn rheoli'r chwarae'n llwyr. Gan ei fod mor glou dros y llathenni cyntaf roedd hi'n amhosib cyffwrdd ag e, heb sôn am ei daclo. Roedd cipio'r cwpan yn dipyn o gamp gan fod sawl tîm yn Nyffryn Aman yn cymryd saith bob ochr o ddifri, yn enwedig Llandybïe, Cwmgors, Brynaman a Chwmllynfell.

Bu'r noson yn un arwyddocaol. Penderfynodd chwarae fel maswr i'r Aman yn ystod y tymor canlynol a chyfrannodd yn fawr i lwyddiant y clwb. Ddiwedd y tymor enillwyd Cystadleuaeth Saith Bob Ochr Rhanbarthol yn Rhydaman, a hyn yn galluogi'r Aman i gystadlu yn erbyn y prif dimau mewn Twrnamaint Cenedlaethol yn Aberafan. Yn rhyfeddol, cyrhaeddodd yr Aman y Rownd Derfynol o dan gapteniaeth y bachwr a'r actor adnabyddus, Hywel Evans (Dafydd Hywel), gan faeddu Glyn Ebwy, Pen-y-bont a Chastell-nedd cyn colli 11-10 i Goleg Addysg Caerdydd yn y Rownd Derfynol. Roedd perfformiadau'r mewnwr yn gwbl anhygoel – fe oedd Serevi y prynhawn, yn creu cyfleoedd drwy synhwyro bylchau a rhyddhau eraill ar yr eiliadau tyngedfennol. Yn rhyfedd iawn, roedd ei efaill David (Dai), oedd yn ganolwr i Ysgolion Uwchradd Cymru, yn aelod o dîm y Coleg. Ro'dd hwnnw'n fwy siomedig na neb pan gollodd yr Aman o un pwynt!

Do, fe lwyddodd y *scouts* i gael gafael arno. Ond *scouts* Llanelli oedd y rhain, nid *scouts* Lerpwl a Chelsea. Dri mis yn ddiweddarach ro'dd e'n gwisgo'r crys sgarlad ar y Stoop yn Llundain. Fe enillon nhw dlws Wavell Wakefield gan drechu Coleg Loughborough 19-11 yn y ffeinal; John yn hawlio dau gais, Keith Hughes, Alan Richards a Selwyn Williams yn croesi am y gweddill.

Chwaraeodd ei gêm gyntaf i'r clwb ar y Strade ar y 1af o Fedi 1969 yn erbyn La Rochelle, a bu'n chwaraewr dibynadwy a ffyddlon am bedwar tymor, yn real ffefryn 'da'r cefnogwyr ac yn cael ei barchu gan ei gyd-chwaraewyr.

Mae hynny'n dweud y cwbwl. Bychan o gorff, fel y cyfeiriais, ond real corgi o gwmpas y cae. Roedd canolwyr yn casáu 'ware yn ei erbyn. Ro'dd 'da fe'r gallu i daclo o gwmpas y pigyrnau, a ddim yn aml bydde rhywun yn llithro o'i afael. Dw i'n cofio dweud adeg Cwpan Rygbi'r Byd ym 1995 mai'r *very boy* i ffrwyno Jonah Lomu fydde John Bach! Ei wrthwynebwyr anodda oedd Omri Jones a chwaraeai o bryd i'w gilydd i Aberafan fel canolwr, a Bob Lloyd o'r Harlequins a Lloegr. Eu gallu i godi'u pengliniau yn uchel wrth redeg oedd yn eu gwneud yn anodd i John eu ffrwyno! A nid dim ond doniau amddiffynnol o'dd 'da fe. Roedd

Hywel Thomas.

dwylo da 'da fe, a phan fyddai cyfle i fylchu, y peth cynta a ddeuai i'w feddwl oedd ceisio rhyddhau rhywun cyflymach oedd mewn gwell safle.

Ond ei awr fawr oedd ym 1971. Tan hynny, unig fuddugoliaeth Llanelli yn y Snelling Sevens oedd 'nôl ym 1960. Ro'n nhw'n benderfynol o gipio'r tlws am yr eildro. O flaen deugain mil o gefnogwyr ar Barc yr Arfau chwalodd y Sgarlets *maestros* y gorffennol, Casnewydd, yn y Rownd Derfynol, a'i maeddu 31-10. Roedd y tîm yn un talentog wedi ei hyfforddi gan feistr y gêm saith bob ochr, Hywel Thomas, oedd gyda'r mwyaf cyfrwys a chraff o ran tactegau'r gêm fer. Dyma'r tîm: Andy Hill, Roy Bergiers, Phil Bennett (capten), John Thomas, Roy Mathias, Arwyn Reynolds a Hefin Jenkins.

Roedd John ar gefn ei geffyl pan ddaeth y newyddion ei fod wedi'i ethol yn chwaraewr y gêm. Derbyniodd gwpan Bill Everson. Meddyliwch, y pêl-droediwr a chwaraeodd rygbi am y tro cyntaf yn ugain oed yn cael ei anrhydeddu o flaen torf ecstatig ar Barc yr Arfau. Enillydd cyntaf y tlws, a gyflwynwyd am y tro cyntaf ym 1967 yn dilyn marwolaeth Bill Everson, ac un o sylfaenwyr y gystadleuaeth, oedd David Watkins – chwaraewr saith bob ochr *par excellence*. Y derbynydd ym 1969 oedd Barry John – a John Bach ym 1971.

Ciniawa o'n ni yn *Chez Philippe* yn Bordeaux un noson stormus ryw dair awr ar ôl i Lanelli golli yn erbyn Agen yn 2004 ar faes oedd yn debycach i gaeau *paddy* mas yn Tseina. Fe ddechreuon ni (Phil Bennett, Gareth Charles, Clive Rowlands a finnau) siarad am chwaraewyr saith bob ochr gorau'r gorffennol. Fe wnes i gyfeirio at John Bach a medde Phil yn y Gymraeg, ''Na ti 'wariwr!' Meddyliwch, neb llai na Phil Bennett yn talu teyrnged fel 'na i John Thomas!

32
Cwpan Her Undeb Rygbi Cymru 1974

Aberafan 10 : Andy Hill 12

Mae'r pennawd braidd yn annheg ar y pedwar ar ddeg arall a gyfrannodd i'r fuddugoliaeth ond Andy, yn anad neb arall, oedd yn gyfrifol fod y Sgarlets wedi cadw'u gafael ar Gwpan Her Undeb Rygbi Cymru ym 1974. Reit ar ddechrau'r ail hanner dylai'r tîm meddygol fod wedi'i arwain oddi ar y cae. Hyn ar ôl iddo fe ac Alan Rees godi'n uchel a tharo mewn i'w gilydd. Roedd y ddau yn gorwedd ar lawr am beth amser. Munudau'n ddiweddarach, camodd 'mlaen i gymryd cic gosb.

Roedd e eisoes wedi llwyddo â dwy ymdrech ond y tro hwn, wedi plannu'r bêl ar lawr, siglodd ei ben ag elfen o anghrediniaeth. Yn hytrach nag edrych ar ddau bostyn, roedd e'n gweld pedwar! Roedd e'n diodde o effaith golwg dwbwl. Canolbwyntiodd ar gic bwysica'i fywyd o flaen pum mil ar hugain o gefnogwyr ar y Maes Cenedlaethol. A'r sêr yn hofran o'i gwmpas, cododd y bêl i'r entrychion, rhwng y pyst a thros y bar. Llwyddodd â chic arall ychydig cyn y chwib olaf a sicrhau'r fuddugoliaeth o drwch adain gwybedyn.

Dathlu oddi ar y cae – Hefin Jenkins ac Andy Hill.

Y Dewiniaid oedd y ffefrynnau. Bu'n rhaid i Lanelli chwarae heb bedwar o'u chwaraewyr amlycaf. Roedd Phil, JJ, Roy Bergiers a Tom David wedi'u dewis i gynrychioli'r Llewod yn Ne Affrica ac wedi'u hatal rhag chwarae. Yn ogystal, cofiai'r wasg fod Aberafan wedi llwyddo ar y Strade dair wythnos ynghynt. Aeth tîm Morton Howells ar y bla'n ar ôl tair munud – y canolwr, Malcolm Swain, â rhediad ardderchog ac o'r ryc fe benderfynodd Clive Shell ei mentro hi ar yr ochr dywyll. Roedd John Bevan yno i gynnig y cymorth a'i bàs berffaith e yn rhyddhau Steve Roper am y cais. Petai trosiad Allan Martin wedi llwyddo (fe fwrodd y bêl y postyn pella) byddai'r Dewiniaid wedi ennill gan mai nhw sgoriodd unig gais yr ornest.

Yn aml, dyw ystadegau'n golygu dim. Mae gwleidyddion yn hoffi eu defnyddio i brofi rhyw bwynt ond, yn aml, cuddio'r gwirionedd y mae rhifau a chanrannau. Nid felly lle mae Andy Hill yn y cwestiwn. Chwaraeodd 454 o gêmau i'r clwb, sgoriodd 2,577 o bwyntiau, yn cynnwys 310 o geisiau. Profodd ei hun yn asgellwr dibynadwy; roedd ganddo ddwylo da, doedd e byth yn 'marw' â'r bêl ac roedd e'n hynod boblogaidd gan y chwaraewyr a'r cefnogwyr. Gofynnwyd iddo ar ôl iddo gamu o'r maes am y tro olaf ym 1979, 'Andy, ti siŵr o fod yn siomedig nad wyt ti wedi gwisgo crys coch Cymru ar ôl cyfnod mor llwyddiannus yma ar y Strade.'

Roedd ateb yr asgellwr yn datgan cyfrolau amdano, 'I raddau, mae 'na rywfaint o siom. Ond, dw i'n edrych 'nôl ar fy ngyrfa ac yn teimlo fod chwarae am ddeuddeg tymor yma ar y Strade, a bod yn rhan o dîm a chwaraeodd rygbi cyffrous, anturus, wedi bod lawer gwell na chwarae i glwb arall ac ennill un cap.'

33

Fe chwaraeodd y rhain ar y Strade

GEORGE NEPIA

Dim ond un gêm rygbi welodd Mam-gu erio'd. Ro'dd hi'n un o'r ugain mil ar y Strade ar yr 2ail o Ragfyr 1924. A bod yn onest do'dd fawr o ddiddordeb 'da hi yn y gamp. Fe a'th hi o'i chartre yn Hewl Glynbeudy, heibio Capel Siloam a'r Farmers (lle arhosodd George Borrow am noswaith) i'r stesion ym Mrynaman a theithio ar y GWR i Lanelli er mwyn gweld ei brawd, Jac Elwyn, yn 'ware yn erbyn Seland Newydd.

Y Crysau Duon aeth â hi o 8 i 3 (disgrifiwyd yr ornest mewn pennod arall). Un atgof o'dd 'da Mam-gu o'r prynhawn (hen fam-gu, gyda llaw, i asgellwr y Gweilch a Chymru, Shane Williams). Do'dd hi ddim yn cofio'r sgôr a fawr ddim am uchafbwyntiau'r ornest ond wedi'i gwefreiddio gan gefnwr Seland Newydd, George Nepia. 'Do'dd dim sens ei fod e wedi ca'l caniatâd i 'ware. Ro'dd e fel talcen tŷ; yn fwy o lawer na'n bois ni!'

Ar daith 1924/25 chwaraeodd y Crysau Duon ddeg ar hugain o ornestau ac ennill pob un, ac fe chwaraeodd Nepia ym mhob gêm. Roedd yna unigolion dawnus yn y garfan gan gynnwys Cooke, Nicholls a Brownlie ond y crwt pedair ar bymtheg mlwydd oed, George Nepia, oedd y seren. Y fe oedd Wilkinson ei gyfnod.

Meddai Denzil Batchelor, gohebydd rygbi uchel ei barch, *'It is not for me a question of whether Nepia was the best full-back in history. It is a question of which of the others is fit to loose the laces of his Cotton Oxford boots.'*

Teithiodd y Crysau Duon i Dde Affrica yn ystod y dauddegau a hynny heb eu

108

harwr. Roedd polisi *apartheid* y wlad yn golygu nad oedd fawr o groeso i'r Maoris. Ym 1963 ysgrifennodd Terry McLean fywgraffiad o'r cefnwr *I, George Nepia* – un o lyfrau mwyaf darllenadwy byd y campau. Yna yn yr wythdegau, ychydig fisoedd cyn ei farwolaeth, ymddangosodd ar raglen *This Is Your Life*. Tiwniodd hanner poblogaeth y wlad i'r darllediad. Ac fe chwaraeodd e ar y Strade!

HUGO PORTA

Mae 'na wyth mlynedd ar hugain ers i mi weld Hugo Porta am y tro cynta – a hynny ar y Strade. O bryd i'w gilydd mae dyn yn cael boddhad o weld unigolyn ym myd y campau yn cerdded o'r ystafell newid i'r cae neu'r cwrt neu'r trac. Teimlais wefr o'r fath ym 1994 wrth syllu ar Brian Lara yn cerdded i'r llain yn ninas Port of Spain yn Trinidad – y cerddediad, yr hyder, y teimlad fod yna rywbeth mas o'r cyffredin ar fin digwydd. Ces i ryw brofiad tebyg o weld Evonne Goolagong yn Wimbledon ym 1978 – ymdeimlad 'mod i'n gweld rhywun â thalent gwbl naturiol oedd ar fin ffrwydro. O bosib, yn y byd rygbi yn ddiweddar, byddai Mark Ring yn yr un categori. Yn sicr, fe berthyn Hugo Porta i'r teulu hwn.

Cynrychioli Ariannin oedd e mewn gêm ganol wythnos o dan y llifoleuadau yn erbyn ail dîm Cymru. Porta oedd seren y noson. Roedd sylwadau Carwyn yn y *Guardian* drannoeth yr ornest yn crynhoi teimladau pawb *'For a critic or coach or ex-fly half, it was a question of having one's faith restored in the aesthetic and artistic possibilities of backplay . . .'*

Disgrifiwyd Porta gan John Reason o'r *Sunday Telegraph* fel *'sleepy eyed Clint Eastwood waiting to erupt from under his sombrero'*. Yn wythnosol dw i'n derbyn copi o'r papur rygbi o Ffrainc, *Midi Olympique*, a rhyw flwyddyn yn ôl darllenais ddisgrifiad perffaith o'r maswr o ddinas Buenos Aires a sgrifennwyd yn wreiddiol 'nôl yn y saithdegau: *'Porta est un symbole, un chef, le maestro du carousel, l'homme aux pieds d'or, le bon génie de la Pampa, celui qui a donné au rugby Sud-Américain ses lettres de noblesse . . . il donne une merveilleuse sensation d'équilibre et de sérénité ce que représente, à ses yeux, cette 'vuelta' dans l'hexagone'*. Mewn geiriau eraill, blydi ffantastic!

Roedd Porta yn ddewin, hynny'n ddi-os, ac fe fyddai modd sgrifennu'n sylweddol am ei dalentau a rhamantu am ei ddoniau. Yn anad dim arall, roedd gan y maswr y gallu prin i ychwanegu at yr opsiynau oedd ar gael i'w gyd-chwaraewyr.

Bûm yn ddigon ffodus i'w gyf-weld e bum mlynedd yn ôl yn ei swyddfa yn y brifddinas. Hugo Porta ar y pryd oedd y Gweinidog yn gyfrifol am y Campau yn Ariannin. Roedd e'n berson diymhongar, yn huawdl ac yn ddigon parod i rannu atgofion. Ar ôl rhyw hanner awr ymddiheurodd ei fod yn gorfod rhuthro i apwyntiad arall ond mynnodd ein bod yn aros am ychydig i gael cwpaned o goffi a theisen gyda'i ysgrifenyddes. Eglurodd honno fod Hugo ar ei ffordd i chwarae mewn gêm bêl-droed. Roedd e'n gwneud hynny bob prynhawn Iau. Aeth yn ei blaen, 'Mae'n debyg petai Mr Porta wedi dewis pêl-droed yn hytrach na rygbi fe fyddai wedi chwarae yn nhîm Ariannin a gipiodd Gwpan Pêl-droed y byd ym 1978.' Meddyliwch! Ac fe chwaraeodd e ar y Strade!

34

Llanelli 10 : Seland Newydd 16

21 Hydref 1980: Canlyniad gwleidyddol bwysig

'Just because the English close their eyes, it doesn't mean we should forget that the rules exist.'

(Urs Meier, dyfarnwr profiadol o'r Swistir, a wrthododd ganiatáu gôl hwyr gan Sol Campbell yn y gêm rhwng Lloegr a Phortiwgal yn Euro 2004.)

Rhaid cydnabod fod yna reolau. Rhaid cydnabod fod rhaid i chwaraewyr a chefnogwyr dderbyn mai'r dyfarnwr sy â'r gair olaf. Ond mae penderfyniadau dadleuol yn gallu arwain at drafodaethau tanllyd, adroddiadau beirniadol, a hyd yn oed dipyn o wawdio ar y teras pan fydd y reffari, druan, yn dychwelyd yn hwyrach yn y tymor. Nid eliffantod yw'r unig rai sy byth yn anghofio. Mae cof eliffantaidd gan gefnogwyr y bêl hirgron!

Clywais unwaith am gricedwr mewn gêm gwpan yn y gogledd yn ceisio taro'r bêl drwy'r cyfar ond yn methu'n lân, a'r wicedwr yn apelio'n daer am ddaliad. Ar ôl ystyried am eiliad neu ddwy penderfynodd y dyfarnwr gadarnhau'r apêl. Roedd y batiwr yn benwan gan ei fod e'n argyhoeddedig nad oedd y bat wedi cyffwrdd â'r bêl. Cerddodd yn araf i gyfeiriad y pafiliwn a datgan yn gwbl agored fod y dyfarniad yn annheg gan ei fod o leiaf chwe modfedd o gyrraedd y bêl.

Roedd ymateb y swyddog yn glir a phendant,

'Edrycha yn y *Leader* ddydd Mawrth a cei di weld yn glir mewn print bras, fod y wicedwr wedi dal y bêl.'

'Na,' meddai'r batiwr, 'well i ti edrych. Y fi yw golygydd y papur!'

Treuliais fis, 'nôl ym 1984, yn crwydro rhan ddwyreiniol yr Unol Daleithiau yn cynorthwyo a chynnig arweiniad i ddyfarnwyr y rhanbarth. O ddinas Efrog Newydd i Ogledd Vermont, o Hartford yn Connecticut i borthladd Boston, cafwyd croeso twymgalon, ac roedd yna wir ddiddordeb yn y gêm ac awydd i godi safonau. Petai'r wlad honno'n penderfynu buddsoddi arian yn natblygiad rygbi, dw i'n sicr y byddai'r Eryrod yn llwyddo o fewn dim i herio goreuon y gamp. Mae presenoldeb chwaraewyr fel Dave Hodges a Craig Gillies ar y Strade yn dyst i safon eu chwaraewyr; eu cryfder, eu hathletiaeth, eu proffesiynoldeb, eu maint a'u doniau trafod, i gyd yn dangos fod yna botensial aruthrol ar gael yno.

Ta waeth, un noson, cyrhaeddais Burlington yng Ngogledd Vermont, tref o fewn ugain milltir i afon St Lawrence, a rhyw hanner can milltir yn unig o ddinas Montreal. Y *brief* oedd cynnal gweithdai ymarferol gyda dyfarnwyr yr ardal, dangos *slides* perthnasol (dw i'n casáu y cyfeithiad Cymraeg tryloywderau!) a cheisio'u cyfeirio a'u hargyhoeddi fod y gêm, i'r chwaraewyr a'r dyfarnwyr, yn un i'w mwynhau. Fe aeth y sesiwn yn foddhaol ac, yn ôl y drefn arferol yn yr Unol Daleithiau, roedd yna bryd bwyd chwaethus ar ein cyfer ar derfyn y noson. Wrth i mi lwytho'r Caesar Salad a symud i gyfeiriad y *vol-au-vents* des i ar draws un o'r dyfarnwyr oedd yn awyddus i gael sgwrs. Heb or-ddweud, roedd hwn yn glamp o foi, yn fy atgoffa i o'r cymeriad Hoss yn y gyfres deledu boblogaidd o'r chwedegau, *Bonanza*. Roedd e'n bedair stôn ar bymtheg os nad mwy!

'Ble ro'ch chi'n dyfarnu y Sadwrn diwetha?' gofynnais gan obeithio y byddai'r cwestiwn yn esgor ar drafodaeth fuddiol.

'Fy ngêm gynta,' atebodd. 'Mad River yn erbyn Lake Champlain Marauders yma yn Burlington ac fe enillodd Mad River o ddau bwynt i ddim!' Dw i'n cofio'n glir fod un o'r *vol-au-vents* yn llawn samwn ffresh wedi disgyn i'r llawr.

'Dau bwynt i ddim! Mae hynny'n amhosib!' meddwn.

'Dw i'n gwbod hynny erbyn hyn,' meddai. 'Ro'dd y gêm yn un glòs a reit gyffrous ac yn gwbl gyfartal tan i Mad River wthio dros y llinell gais o sgarmes yn y munude olaf. Penderfynais ganiatáu'r cais. Doedd y Marauders ddim yn hapus â'r penderfyniad a fe fuon nhw'n coethan am dipyn. Yn y bar ar ôl y gêm, pan fuon ni'n trafod y digwyddiad, fe sylweddolais i na ddylai'r cais fod wedi'i ganiatáu ond cofiwch,' ychwanegodd yn hollol ddifrifol, 'ro'dd y trosiad reit rhwng y pyst!'

Penderfyniad a sylwadau'r dyfarnwr Americanaidd yn gwbl wallgo ond yn gwbl ddinod i gymharu â'r hyn a ddigwyddodd ar y Strade ar yr 21ain o Hydref 1980. Am y chweched tro roedd y Crysau Duon yn croesi Pont Llwchwr ac yn wynebu grym y gorllewin. Cafwyd awr a hanner o rygbi difyr; ar adegau roedd y chwarae'n gyffrous ond bob hyn a hyn roedd modd cyhuddo'r ddau dîm o orfrwdfrydedd. Trist oedd gweld unigolion yn colli rheolaeth ac yn anghofio'n llwyr am bwysigrwydd yr achlysur drwy gynnal brwydrau personol ar faes y gad.

Nid y reffarî o America oedd yn ceisio cadw trefn ar y digwyddiadau yn y gêm rhwng Llanelli a Seland Newydd ar 21 Hydref 1980, ond y dyfarnwr rhyngwladol o'r Alban, yr adnabyddus Alan Hosie. Fe alle fe, ac fe ddyle fe, fod wedi anfon un neu ddau bant yn gynnar yn y gêm er mwyn cael rhyw fath o drefn. Fe benderfynodd e beidio ac, o ganlyniad, profodd yr ornest yn un anodd i'w dyfarnu.

A rhyw dair munud yn weddill, chwythodd Mr Hosie ei chwib yn awdurdodol gan ei fod yn dyst i drosedd eitha difrifol. Cyfaddefodd yn ddiweddarach fod ail reng yr ymwelwyr, Graeme Higginson, wedi damshgyl (gair Dyffryn Aman am sathru) yn ddanjerys ar un o flaenwyr Llanelli oedd yn gorwedd ar lawr. Roedd hi'n gwbl amlwg fod y dyfarnwr wedi penderfynu hala Higginson bant. Rhuthrodd capten Llanelli, Ray Gravell, a'r maswr Phil Bennett i'r fan a'r lle a mynnu fod Mr Hosie yn newid ei feddwl. Am ryw reswm (ac roedd hyn yn ddirgelwch llwyr i bawb oedd yn bresennol a'r gwylwyr ar deledu) roedd y ddau Gymro am weld Higginson yn aros ar dir y chwarae. Roedd Higginson a'i gapten, Graham Mourie, wedi drysu, fel pawb arall, ond yna, yn gwbl ddirybudd, fe chwythodd y dyfarnwr ei chwib i ddynodi diwedd y gêm. Cerddodd y chwaraewyr a'r ddau dîm i gyfeiriad yr ystafelloedd newid mewn distawrwydd. Roedd pawb, yn enwedig y gohebyddion a'r sylwebyddion, yn y niwl ac yn awyddus i dderbyn eglurhad. A anfonwyd Higginson bant? Pam chwythu'r chwib a munudau'n weddill?

Cyhoeddwyd yn ddiweddarach mai camddealltwriaeth oedd y cwbl. Dywedodd Mr Hosie mai rhybudd a dderbyniodd Higginson, ond roedd hi'n amlwg i bawb mai ymyrraeth Ray a Phil oedd wedi achub ei groen. Roedd y Crysau Duon yn ennill 16-10 ar y pryd ac fe fyddai cais a throsiad i Lanelli yn y munudau olaf wedi arwain at gêm gyfartal. Rhyfedd o fyd! A bod yn onest, petai'r reffarî o Burlington, Vermont, wedi bod wrthi'n dyfarnu . . .

Phil a Ray yn egluro

Phil Bennett a Ray Gravell – y ddau gymodwr!

Dirgelwch llwyr! Mae gan bob un oedd yn y gêm honno ar y Strade, neu a fu'n gwylio ar deledu, safbwynt pendant ynglŷn â'r hyn a ddigwyddodd. Dyna sy'n wych am y campau. Mae digwyddiadau bach a mawr yn gallu bod yn destun trafod i'r gwir gefnogwyr am hydoedd, am oesoedd! Mae yna leisio barn, anghytuno ffyrnig, a sawl unigolyn lleol yn teimlo eu bod nhw'n gwybod yn well na'r capteniaid, yr hyfforddwyr a'r gohebyddion.

Y ddau a fu'n amlwg yn ystod munudau olaf yr ornest ar y Strade oedd Phil Bennett a Ray Gravell. Cysylltais â nhw er mwyn derbyn rhyw fath o eglurhad, ac roedd y ddau yn ddigon bodlon ail-fyw'r diweddglo a thaflu goleuni ar yr hyn a ddigwyddodd. Mae bron i chwarter canrif ers y drosedd, a'r mwyafrif wedi derbyn eglurhad y dyfarnwr ar ôl iddo ymddangos o'r 'stafell newid a datgan i griw o ohebwyr mai gair o gerydd a dderbyniodd y troseddwr.

Nid felly. Yn ôl Phil a Ray roedd Alan Hosie wedi penderfynu anfon Graeme Higginson bant. Mewn sefyllfa o'r fath mae'r gwrthwynebwyr, fel arfer, yn ymateb yn chwyrn, ac mae un weithred fileinig yn gallu arwain at anhrefn llwyr gyda chwaraewyr o'r naill dîm a'r llall yn clatsho am 'u bywyd. Nid y tro hwn. Ac roedd gweld Phil Bennett a Ray Gravell, yn hytrach na chapten y drwgweithredwr, yn treulio rhyw ddwy funud yn ceisio argyhoeddi'r reffarî i anwybyddu'r drosedd, yn un o'r *scenarios* mwyaf *bizarre* a welwyd erioed ar gae rygbi.

Pam? Roedd digwyddiadau'r saithdegau wedi achosi elfen o ddrwgdeimlad ac atgasedd yn y berthynas rhwng Cymru a Seland Newydd, ac roedd Clwb Rygbi Llanelli yn awyddus i anghofio'r hyn a fu, ac i ailosod y seiliau. Gwefreiddiwyd Phil 'nôl ym 1969 pan aeth ar daith i Seland Newydd a thystio i allu rhyfeddol y Crysau Duon. Gan mai Barry oedd y maswr yn y gêmau prawf, llwyddodd y dewin o Felinfoel i werthfawrogi mawredd y tîm o Wlad y Cwmwl Gwyn – meistrolaeth lwyr y blaenwyr ac effeithiolrwydd yr olwyr yn asio i sgubo'r crysau cochion o'r neilltu. Roedd hi'n wers ar gyfer y dyfodol.

Gwaethygu wnaeth y berthynas yn y saithdegau. Cyfeiriodd at yr helynt yng Ngwesty'r Angel ym 1972 pan anfonwyd y prop Keith Murdoch yn ôl i Seland Newydd yn dilyn cwynion am ei ymddygiad. A hyd yn oed yng ngêm y ganrif ar Barc yr Arfau, pan drechwyd yr ymwelwyr gan y Barbariaid, roedd yna un ffrwgwd annymunol rhwng Grant Batty a Tom David. Yn y gwynt a'r glaw adeg taith y Llewod ym 1977 bu'r wasg a'r cyfryngau yn feirniadol o'r tîm Prydeinig. Disgynnodd y fwyell pan dwyllwyd Roger Quittenton yn y lein nid anenwog honno yng Nghaerdydd ym 1978 pan ffugiodd Andy Haden ei fod wedi cael ei hwpo mas o'r lein gan Geoff Wheel. Cosbwyd y Cymro ac enillodd y Crysau Duon o un pwynt (13-12), diolch i gic gosb yr eilydd, Brian McKenchie.

Roedd tîm Llanelli, cyn troedio ar y cae ar yr 21ain o Hydref 1980, yn ymwybodol o bwysigrwydd y gêm, nid o ran y canlyniad ond o ran atgyfodi'r parch a'r cyfeillgarwch a fu'n rhan annatod o'r berthynas ers y cychwyn cyntaf. 'Mae yna gymaint sy'n gyffredin rhwng y ddwy wlad – yr hinsawdd, y golygfeydd, ei phobol, y diwydiannau ac, yn naturiol, y rygbi. Roedd hi'n gyfrifoldeb ar y Sgarlets i wrthdroi yr hyn a ddigwyddodd yn y saithdegau.' Geiriau Ray Gravell, a phwy all anghytuno? Wedi gwrando ar y ddau dw i'n canmol eu penderfyniad ac yn falch, erbyn hyn, mai Alan Hosie oedd wrthi'n dyfarnu ac nid y reffarî o Burlington, Vermont!

35
Llanelli v. Abertawe 1982

Teyrnged a hanner

A fyddai'r gêm yn cael ei gohirio? Dyna oedd y cwestiwn llosg yn dilyn marwolaeth annisgwyl Carwyn James yn ystod penwythnos y 9fed o Ionawr 1983. Roedd Llanelli i fod i deithio i Sain Helen ar y nos Fercher ganlynol i wynebu Abertawe ond roedd rhai yn teimlo y dylid ailfeddwl ac aildrefnu'r gêm yn hwyrach yn y tymor. Ond, ar ôl pwyso a mesur, penderfynwyd mai'r deyrnged orau i un o fawrion y Strade fyddai chwarae'r gêm a rhoi cant y cant, gan obeithio y byddai un o hyfforddwyr enwoca'r gamp wedi'i blesio ag ansawdd y chwarae.

Roedd y ddau dîm wedi dechrau'r tymor yn dda ond y tîm cartre, Abertawe, oedd y ffefrynnau – ro'n nhw wedi ennill dwy gêm ar bymtheg o'r bron! Ond, yn dilyn araith herfeiddiol Ray Gravell a'r muned o dawelwch llethol, taniwyd y Sgarlets. Fe ddechreuodd y Gwynion yn addawol a bu'n rhaid i Lanelli amddiffyn yn arwrol. Ar ôl ugain munud roedd Abertawe ar y bla'n o dri phwynt i ddim, diolch i gôl gosb eu cefnwr, Mark Wyatt. Ac yna, yn raddol, dangosodd yr ymwelwyr eu dannedd. Roedd cic hir y maswr, Geraint John (hyfforddwr presennol y Gleision), yn un hyfryd ac o'r lein fe amserodd y capten, Phil May, ei naid yn berffaith a chroesi am gais cynta'r gêm a droswyd gan Kevin Thomas. Chwe phwynt i dri ar yr egwyl.

Roedd yr elfennau yn ffafrio Abertawe yn yr ail hanner ond tra bod un tîm *am* ennill, ro'dd y tîm arall yn *benderfynol* o ennill! Hefyd, roedd rôl y cefnogwyr yn allweddol – cefnogwyr y ddau dîm. Roedden nhw wedi dod yn eu miloedd i dalu gwrogaeth i un o'r cewri. Roedd yna barch iddo ymhell y tu hwnt i'r Strade. Ro'n i yno'n bersonol i dystio i gêm wych ac awyrgylch gwbl anarferol – roedd fel petai cefnogwyr Abertawe am weld Llanelli yn disgleirio.

Croesodd y Sgarlets am ail gais: Peter Hopkins yn bylchu ar y tu fas, yn derbyn cymorth y cefnwr Kevin Thomas a David Nicholas yn gwasgu mewn yn y gornel. Roedd Geraint John yn ei elfen; llywiodd y chwarae yn feistrolgar ac, yn dilyn rhediad ysbrydol pan lithrodd heibio i ddau neu dri, tiriodd Peter Hopkins. Un arall a fu'n boen i Abertawe ar y noson oedd y blaenasgellwr David Pickering; roedd e ymhobman. Roedd yna frwydr ddiddorol rhwng y ddau fewnwr – Mark Douglas i Lanelli a Carl Douglas i Abertawe – y ddau frawd yn herio'i gilydd am y tro cyntaf ar y lefel uchaf.

Llanelli oedd yn fuddugol o 16 i 9 ond roedd y gymeradwyaeth yn dilyn y chwib olaf yn rhywbeth i'w gofio a'i drysori. Roedd hon yn noson emosiynol a'r deyrnged yn un ddiffuant. Y gair olaf i ohebydd yr *Evening Post*: '*Carwyn James would have approved. They didn't just take Swansea apart – they did it in style!*'

Tîm Llanelli: Kevin Thomas, David Kyffin, Ray Gravell, Peter Hopkins, David Nicholas, Geraint John, Mark Douglas, Anthony Buchanan, Kerry Townley, Laurance Delaney, Phil May, Russell Cornelius, Alun Davies, Phil Davies, David Pickering.

Geraint John – y maswr, erbyn hyn, wedi troi'n hyfforddwr.

36
'I'm from *The Guardian*'

Mae yna bapur lleol yn Nyffryn Aman sy wedi llwyddo i bontio'r degawdau. Dw i'n cyfeirio at y *South Wales Guardian*. Yng ngholofnau'r papur ceir hanesion o'r holl bentrefi o Gwmtwrch i Landybïe, adroddiadau o fyd y campau, hysbysebion cwmnïau lleol, lluniau unigolion ac ysgolion sy wedi llwyddo mewn rhyw faes arbennig, storïau cyfoes sy'n berthnasol i'r ardal, ac atgofion o'r gorffennol.

Dw i'n cofio Gomer Davies, oedd yn byw ar ein heol ni ym Mrynaman, yn dechrau'i daith ar brynhawn Sadwrn ar Gae'r Bryn yng Nghwmllynfell gan aros yno am ddeg muned cyn gyrru yn ei A30 i Frynaman ac aros yno, wedyn, tan hanner amser. Yna, ymlaen i Gwmgors neu'r Aman, a gorffen ei daith yn Rhydaman. Bedwar diwrnod yn ddiweddarach roedd yna adroddiadau yn ymddangos yn y *South Wales Guardian* yn cloriannu perfformiadau tri neu bedwar o'r clybiau lleol a'r cyfan wedi'i 'sgrifennu'n grefftus gan *Hawkeye*. Yr hyn oedd yn bwysig i'r papur ac i Gom, fel y'i hadwaenid, oedd sylw a chwarae teg i'r clybiau.

Fel y cyfeiriais eisoes yn y gyfrol, roedd prynu'r *Guardian* cenedlaethol yn y saithdegau yn bleser pur gan fod dau o sgrifenwyr gorau Prydain yn cyfrannu iddo. Dw i'n cyfeirio at Carwyn James a Frank Keating. Mae'r gohebydd o gyffuniau Caerloyw wedi cyhoeddi sawl cyfrol. Roedd e'n wir ffrind i ni'r Cymry ac yn cael ei gydnabod yn gyffredinol ledled byd am ei onestrwydd, ei adnabyddiaeth eang o'r campau ac am ei hiwmor.

Ym 1983 cyhoeddodd Keating ddyddiadur rygbi *Up and Under,* sy'n glasur ac yn brawf pendant fod rygbi yn gêm i'w charu a'i mwynhau. Cost y gyfrol, 'nôl yn nechrau'r wythdegau, oedd £9.95 ac erbyn hyn, yn anffodus, mae hi wedi gwerthu mas. Os digwydd i chi weld copi ar silffoedd y siopau ail-law yn y Gelli neu ym Mlaenafon yna prynwch e! Mae'n werth dwywaith y pris gwreiddiol!

Ynddi mae Frank Keating yn cyfeirio at ddiwrnod angladd ei ffrind mynwesol, Carwyn James. Cyrhaeddodd braidd yn hwyr gan fod y traffig o bentref Gorslas a Cross Hands i'r Tabernacl yng Nghefneithin yn ddifrifol. Roedd y capel yn llawn dop, y festri yn llenwi a channoedd ar gannoedd yn sylweddoli mai doethach fyddai aros o gwmpas y tir cyfagos gan obeithio clywed y teyrngedau i un o wir gewri'r genedl a'r byd rygbi.

Ysgrifennodd John Reason yn y *Daily Telegraph*: '*No cathedral in the land would be big enough to hold all those who wanted either to weep for him or to salute him or to nod in respect to a man they may not have known but whom they knew to be something very, very special.*'

Aeth Frank yn ei flaen i gyfeiriad drws y capel gan egluro'i sefyllfa: '*Please,*' eglurodd i'r porthor, '*can't you squeeze me in? I'm from The*

Guardian.' Atebodd y tywysydd yn gwrtais gan addo y byddai'n gwneud ei orau. Aeth y ddau yn eu blaen i gyfeiriad y sêt fawr. Doedd pethe ddim yn argoeli'n dda – roedd pob un sêt yn llawn! Yna, reit o dan y pulpud, yn ymyl un o oleuadau'r BBC – oedd yn darlledu'r seremoni angladdol – daeth llygad sylwgar y porthor ar draws rhyw chwe modfedd o le.

'Symudwch draw, os gwelwch chi'n dda,' meddai. 'Chi'n gweld, mae'r gŵr yma o'r *South Wales Guardian*.' Fe fyddai Carwyn wedi gwenu'n dawel.

Frank Keating – 'from *The Guardian*'!

37

Cwpan Schweppes: Rownd Derfynol 1985

Awr fawr Gary Pearce a Phil May

Yn y saithdegau a'r wythdegau, ffon fesur llwyddiant i dimau rygbi Cymru oedd y Cwpan. Cwmni Schweppes oedd y noddwyr am flynyddoedd lawer a rhaid cydnabod bod *fizz* yn elfen bwysig o'r diodydd a'r gystadleuaeth. Y Rownd Derfynol ar y Maes Cenedlaethol yng Nghaerdydd oedd uchafbwynt y tymor. Ymddangosodd Clwb Rygbi Llanelli mewn pump ffeinal yn olynol ddechrau'r saithdegau, ac ennill bedair gwaith – yn erbyn Caerdydd yn nhymor 1972/73, Aberafan ddwywaith yn y tymhorau canlynol, a'r hen elynion Abertawe yn nhymor 1975/76.

Bu'r blynyddoedd wedi hynny yn rhai siomedig o ran canlyniadau a hygrededd – hyfforddwyr yn mynd a dod, chwaraewyr dylanwadol yn ffarwelio, a'r rheiny oedd yn dal yn gysylltiedig â'r clwb yn gorfod cydnabod nad o'n nhw'n ddigon da. Cafwyd buddugoliaethau cofiadwy yn erbyn timau tramor bob hyn a hyn, ond roedd y cysondeb a'r ochr ddeinamig o'u chwarae ar goll. Roedd timau eraill yng Nghymru, gan gynnwys Caerdydd, Pont-y-pŵl, Abertawe a Chasnewydd, wedi dysgu gwersi tactegol ac athronyddol drwy wylio tîm Llanelli yn ystod ei gyfnod euraid tra fod y Sgarlets, tîm gorau Prydain am flynyddoedd, wedi sefyll yn yr unfan.

Yn dilyn ymddeoliad John Maclean fel hyfforddwr, yn 1982, apwyntiwyd dau gyn-chwaraewr i'w olynu – Allan Lewis, a fu wrthi'n bwrw prentisiaeth yn Rhydaman a Phontarddulais, a Gareth Jenkins, a fu'n dysgu'r grefft yn ei filltir sgwâr gyda Ffwrnais. Bu'r bartneriaeth yn un broffidiol. Roedd y ddau am dawelu ysbrydion diwedd y saithdegau drwy ennill y brif gystadleuaeth. Penderfynwyd ceisio gwneud hynny yn y dull a gynlluniwyd gan Carwyn – chwarae rygbi a fyddai'n creu cyffro a gwefr. Curwyd y Maoris ym mis Tachwedd 1982, gan efelychu campau'r Sgarlets ym 1888 a 1926. Roedd pedwar aelod o dîm llwyddiannus y dauddegau yn bresennol: Ivor Jones, Ernie Finch, Rees Thomas ac Emrys Griffiths. Roedd y ddau dymor yn dilyn eu penodiad yn gymharol lwyddiannus. Roedd y golled o 6 i 26 yn erbyn Caerdydd yn Rownd Gyn-derfynol y Cwpan ym mis Mawrth 1984, yn adlewyrchiad gonest o'r bwlch amlwg oedd rhwng y ddau dîm.

Y tymor canlynol, proffwydodd gohebwyr y *Western Mail* mai Caerdydd fyddai'n cipio'r anrhydeddau ac, a bod yn onest, doedd neb i'r gorllewin o Bont Llwchwr yn anghytuno. Ro'n nhw'n dîm dawnus: Gareth Davies, a ddechreuodd ei yrfa ar y Strade, yn faswr dylanwadol; y mewnwr Terry Holmes yn llond llaw, a'r rheng flaen o Whitefoot, Phillips ac Eidman gyda'r cryfa ym Mhrydain. Yn yr ail reng roedd Robert Norster yn neidiwr heb ei ail ac yn un o'r goreuon yn y byd. Roedd y mwyafrif llethol o'r deugain mil yn y dorf ar y 27ain o Ebrill 1985 yn proffwydo buddugoliaeth i Gaerdydd, ond roedd yna ddau hyfforddwr a phymtheg chwaraewr yn benderfynol o wneud pethau'n anodd i'r deiliaid.

Caerdydd oedd i fod i ennill a Chaerdydd ddylai fod wedi ennill. Cafwyd hwb sylweddol yn ystod y chwarter awr agoriadol pan sylweddolodd capten Llanelli, Phil May, fod y dyfarnwr, Derek Bevan, yn anwybyddu pob trosedd yn y lein. Bob tro byddai Robert Norster yn ceisio sicrhau'r meddiant, byddai naill ai Russell Cornelius neu'r capten sylwgar yn bwrw ati i ymyrryd yn gorfforol; braich fan hyn, penelin fan draw – dim byd difrifol ond yn ddigon i greu hafoc i obeithion y *blue and blacks.*

Roedd hi'n gêm gyffrous. Y cefnogwyr yn cnoi'u hewinedd a'r canlyniad yn y fantol tan y chwib olaf. Llwyddodd Llanelli i greu yr elfen o ansicrwydd sy mor dyngedfennol mewn gêm gwpan. Yn ystod y tymor, roedd goruchafiaeth gyson blaenwyr Caerdydd wedi creu'r lle a'r rhyddid i'r haneri. Cyflwynwyd cyfleoedd i Ring, Hadley a Cordle wau hud a lledrith, ond nid y tro hwn, diolch i ddoniau dinistriol blaenwyr y Sgarlets a dycnwch y tîm cyfan.

A dim ond eiliadau'n weddill roedd Caerdydd yn dawel hyderus. Ro'n nhw ar y bla'n o 14 i 12 a'r dyfarnwr yn dishgwl ar ei wats gan gydnabod ei fod yn chwarae amser ychwanegol o ganlyniad i anafiadau. Er pwysiced ymdrech tîm, roedd cefnogwyr y Sgarlets yn sylweddoli mai athrylith unigolyn oedd yr unig obaith am fuddugoliaeth erbyn hyn. Ro'n i'n dyst i'r digwyddiadau dramatig ar ddiwedd y gêm. O glydwch sedd yn Eisteddle'r Gogledd yn ymyl dwy ar hugain pen y ddinas, edrychais yn geg-agored ar flaenwyr Llanelli yn cipio'r meddiant a throsglwyddo'r bêl yn fedrus i'r haneri. Pan dderbyniodd Gary Pearce y bêl ro'dd e (a deugain mil o gefnogwyr yn y stadiwm a miloedd ar deledu) yn ymwybodol o fwriad y maswr. Ro'dd e ryw ddeg metr mewn o'r ystlys agosaf a'r pyst ryw ddeg metr ar hugain i ffwrdd.

Roedd yr ymdrech yn un rhagorol. Fe darodd e'r bêl yn berffaith. 'Drwy ymarfer y perffeithir pob crefft' yw'r hen ddihareb, a gan ei fod wedi hen berffeithio'r sgìl drwy ddyfalbarhad ar gaeau Tal-lacharn, Pen-y-bont a'r Strade, doedd hi fawr o sioc gweld y bêl yn codi'n urddasol i'r awyr a hofran yn fathemategol gywir drwy'r pyst a filltiroedd uwchben y bar. Llanelli ar y bla'n o 15 i 14, ond ro'dd amser i ailddechrau a Chaerdydd yn benderfynol o dalu'r pwyth yn ôl. Roedd teimladau cefnogwyr Llanelli yn rhai cymysg, y mwyafrif yn dawedog gan fod y cloc yn dal i dician.

Roedd neges Derek Bevan i Gareth Davies yn un glir a chryno. Byddai'r chwib nesaf yn dynodi diwedd y gêm. Cyrhaeddodd y bêl y llinell ddeg ac yn anfaddeuol lle roedd tîm Phil May yn y cwestiwn, trosglwyddwyd y meddiant yn ôl i Gaerdydd. Bwriad Gareth Davies pan dderbyniodd y bàs oedd anelu am gôl adlam o ddeugain metr. Roedd ynte, hefyd, yn feistr ar y gic o'r dwylo. Fe allai'r ymdrech fod wedi bod yn un lwyddiannus oni bai am ymyrraeth Phil Davies. Wrth i'r gic godi o droed dde'r maswr, plymiodd yr wythwr a llwyddo i gael blaen ei fysedd i'r bêl. Cododd y bêl yn fygythiol bwrpasol, ond roedd ymdrech arwrol y blaenwr o Flaendulais wedi newid cyfeiriad y taflegryn lledr jest digon, a hedfanodd ryw droedfedd i'r chwith o'r pyst. Chwythwyd y chwib, taflwyd y pencampwyr oddi ar eu hechel. Roedd y fuddugoliaeth yn gychwyn ar bennod newydd lwyddiannus yn hanes Clwb Rygbi Llanelli. Doedd neb y noson honno yn siarad am oes aur y saithdegau!

Dathlu cic adlam Gary Pearce: eiliadau bythgofiadwy.

38

Potensial deuawd

Fel y gwelwyd ym 1992 – Llanelli 13 : Awstralia 9

Ym myd chwaraeon yng Nghymru gellid dweud yn gwbl ddi-flewyn-ar-dafod fod nifer fawr o bobol wedi cael cam. Mae'n ystrydeb gyson a glywir gan rieni ac athrawon adeg Eisteddfodau; chwaeth beirniad sy'n bwysig, ac mae'r goreuon yn aml yn cael cam. Ond, ym myd y campau, yn reit aml, mae perfformiadau cyson dda, ac ystadegau i brofi hynny, yn cael eu hanwybyddu'n llwyr. Meddyliwch am Alan Jones, Don Shepherd, Matthew Maynard, Steve Watkin a Steve James o Glwb Criced Morgannwg – y pump yn gricedwyr o'r safon uchaf, ar frig tablau cyfartaledd ar ddiwedd tymhorau, ond yn cael eu diystyru gan ddewiswyr unllygeidiog tîm Lloegr (a Chymru!). A phetai dewiswyr tîm pêl-droed Cymru ym 1958 wedi cynnwys Ray Daniel a Trevor Ford yn y garfan, mae'n bosib y byddai'r crysau cochion yn Bencampwyr Byd mas yn Sweden!

Ac yn y byd rygbi ddechrau'r nawdegau cafodd dau hyfforddwr eu trin yn wael – y ddau hyfforddwr gorau yng Nghymru yn disgwyl am wahoddiad o gyfeiriad y Taf Mahal i lywio'r garfan genedlaethol. Roedd y ddau yn cael eu cydnabod yn arloeswyr yn y maes, y ddau yn ddisgyblion i'r diweddar Carwyn James – un â'r gallu i baratoi'r blaenwyr (y *juggernauts*) yn gorfforol, yn dactegol ac yn feddyliol ar gyfer gornest, a'r llall yn meddu ar y doniau creadigol i wireddu potensial yr olwyr (y dawnswyr balé). Ac ar y Strade, am ryw naw mlynedd, roedd hon yn briodas lwyddiannus a ffrwythlon – cefnogwyr y gêm ledled Cymru ar ddiwedd yr wythdegau a dechrau'r nawdegau yn tystio i rygbi XV dyn, rygbi cyflawn, rygbi ffwrdd-â-hi, rygbi mentrus. Fe fyddai William Webb Ellis wedi gwirioni ar yr athroniaeth; blaenwyr ac olwyr yn asio'n naturiol ac yn creu theatr a drama.

A'r ddau a fu'n cyfarwyddo'r perfformiadau – Gareth Jenkins ac Allan Lewis. Do, fe fu'r ddau yn rhan o'r tîm hyfforddi cenedlaethol o dan gyfarwyddyd Alan Davies a Graham Henry, ond roedd eu rôl, i bob pwrpas, ar yr ymylon – cyfrannu ond heb yr awdurdod i roi stamp ar y datblygiadau. Yn ystod eu partneriaeth ar y Strade, Gareth oedd y ceffyl bla'n ond roedd yna barch ac ystyriaeth i farn y cyd-hyfforddwr. Roedd Allan yn mynnu fod yr haneri yn derbyn y bêl yn gyflym – mae eiliad yn y gêm fodern yn oes; meddyliwch am y pellter mae rhedwr mewn ras gan metr yn gallu ei redeg mewn *un eiliad* – bron i ddeg metr!

Roedd y ddau, yn eu dydd, yn chwaraewyr dawnus ac oni bai am anafiadau difrifol byddent wedi cynrychioli Cymru a'r Llewod. Roedd Gareth yn aelod o garfan Cymru mas yn Siapan ym 1975, dwy gêm ryngwladol 'answyddogol',

Gareth Jenkins.

Allan Lewis.

ond o ganlyniad i ddamwain erchyll ar ei ben-glin ychydig ar ôl dychwelyd, bu'n rhaid iddo ymddeol yn greulon o gynnar. Roedd y gwybodusion yn darogan dyfodol disglair i Allan, hefyd. Roedd yn ganolwr i Lanelli yn erbyn Abertawe ar y Strade pan ddaeth ei yrfa i ben – torri'i goes, y driniaeth yn aflwyddiannus a'r freuddwyd bersonol yn dod i ben ac yntau ond yn un ar hugain oed.

Rai blynyddoedd yn ôl pan o'dd pawb yng Nghymru yn ysu am newidiadau chwyldroadol er mwyn codi safonau, roedd nifer yn argymell hyfforddwyr tramor i gynnig gwelliant. Roedd Clive Rowlands (cyn-hyfforddwr carismataidd o'r saithdegau) yn styfnig ei wrthwynebiad. Doedd e ddim yn 'ffan' o Graham Henry a'r enwau eraill o Hemisffer y De a grybwyllwyd; roedd e'n mynnu bod y deunydd crai ar gael o fewn ein gwlad ein hunain. O edrych 'nôl, dw i'n siŵr mai Clive oedd yn iawn.

Beth fyddai'r rhagolygon petai Jenkins a Lewis wedi cael eu cyfle? Roedd y bartneriaeth yn un wych; y ddau yn deall ei gilydd i'r dim ac yn parchu'i gilydd. Ers iddynt wahanu mae Gareth wedi cipio'r Cynghrair Celtaidd, ac wedi dod yn agos at gyrraedd Rownd Derfynol Cwpan Heineken – ond heb lwyddo, eto, i gyrraedd y nod. Mae Allan wedi teithio'n helaeth oddi ar yr ysgariad ac wedi llwyddo i godi safonau ym Moseley, Casnewydd, Pen-y-bont, a thîm rhanbarthol y Rhyfelwyr Celtaidd, am gyfnod, tan i'r perchennog a'r Undeb gau'r clwydi'n hynod o annisgwyl ddiwedd tymor 2003/04.

Tybed oedd y ddau'n ymwybodol o gryfder y bartneriaeth? Dagrau'r sefyllfa yw fod neb yng nghoridorau rygbi yng Nghymru â'r weledigaeth i sylweddoli potensial y ddeuawd.

Eu hawr fawr oedd y 14eg o Dachwedd 1992 ar y Strade. Pencampwyr y Byd, Awstralia, oedd y gwrthwynebwyr a hyd yn oed cefnogwyr selocaf Llanelli yn sylweddoli maint y dasg. Roedd cewri'r cyfnod yn nhîm Phil

Kearns – Roebuck, Little, Horan, McKenzie, McCall, Eales, Wilson, Gavin, Ofahengaue. Nid tîm canol wythnos oedd hwn – roedd Awstralia am dalu gwrogaeth a pharch i'r Sgarlets, ond am eu chwalu, hefyd!

LLANELLI AUSTRALIA

v

Llanelli		Australia
Huw Williams	15	Marty C. Roebuck
Ieuan Evans	14	Paul V. Carozza
Nigel Davies	13	Tim P. Kelaher
Simon Davies	12	Jason S. Little
Wayne Proctor	11	Damian Smith
Colin Stephens	10	Tim G. Horan
Rupert Moon (Captain)	9	Peter J. Slattery
Ricky Evans	1	Dan J. Crowley
Andrew Lamerton	2	Phil N. Kearns (Captain)
Laurance Delaney	3	Ewan J. A. McKenzie
Phil Davies	4	Rod J. McCall
Anthony Copsey	5	John A. Eales
Mark Perego	6	David Wilson
Emyr Lewis	8	B. Tim Gavin
Lyn Jones	7	Willie Ofahengaue

Replacements

Gary Jones	Anthony Ekert
Paul Jones	Paul Kahl
David Joseph	Darren Junee
Barry Williams	David V. Nucifora
Steve Wake	Andrew Blades
Neil Boobyer	Troy Coker

Yr arwyr i gyd.
Yr unig eilydd i ymddangos oedd Dai Joseph yn lle Laurance Delaney.
Hyfforddwyr: Gareth Jenkins ac Allan Lewis.

Roedd bwriad y Sgarlets, o'r gic gyntaf, yn eglur; y taclo'n gwbl ddigyfaddawd, y brwdfrydedd yn heintus ac Awstralia, er eu bod yn hawlio meddiant cyson, yn cael eu taflu oddi ar eu hechel gan ysbryd a phenderfyniad y Cymry. Chwalwyd Roebuck ag un dacl anhygoel gan y canolwr cydnerth, Simon Davies, a munudau'n ddiweddarach lloriwyd Horan ar ôl i bawb gredu ei fod e'n glir. Bylchodd Horan yn gelfydd, anwybyddodd y cymorth a phenderfynu crymanu o gwmpas y cefnwr. Ond disgynnodd rhif 15 Llanelli, Huw Williams o Dreforus, fel barcud am ei ysglyfaeth a'i godi'n gorfforol a'i daflu i ganol y baw a'r llacs. Roedd Huw yn y tîm o ganlyniad i anaf i Ian Jones; cafodd gêm arbennig.

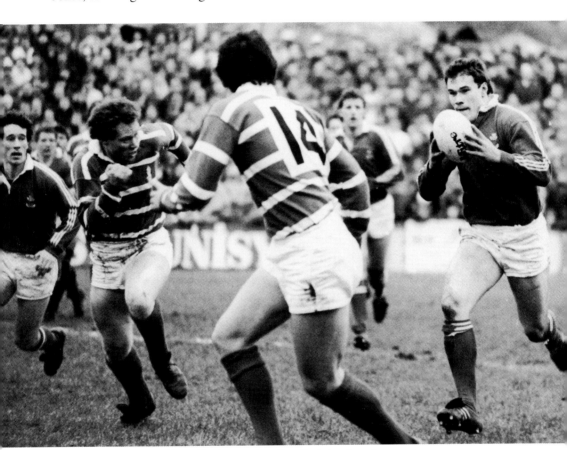

Simon Davies, canolwr â'r gallu i chwalu a chreu.

Roedd y blaenwyr yn wir arwyr, hefyd, a Phil Davies, Emyr Lewis a Mark Perego wedi'u tanio ar gyfer yr achlysur. Llanelli groesodd am unig gais y gêm, cais fydd yn aros yn hir yng nghof pob un o'r un fil ar bymtheg a lwyddodd i gael tocynnau. Roedd y symudiad yn un a berffeithiwyd ar y cae ymarfer – Colin Stephens oedd y catalydd. Os bu hud a lledrith ar gae rygbi erioed, yna roedd y symudiad hwn yn enghraifft ohono! Stephens yn Fyrddin yn dal y bêl yn fygythiol, yn cyflawni un os nad dwy ffug bàs cyn rhyddhau Ieuan. Crëwyd bwlch enfawr, ac i ffwrdd â'r asgellwr am y llinell gais. Roedd y gri i'w chlywed mor bell â Chydweli a Chynheidre!

A munud yn weddill, Awstralia oedd ar y blaen o 9 i 7 – Marty Roebuck yn llwyddo â thair cic gosb. Ac yna'r diweddglo a allai fod wedi ei gynllunio gan Tarantino neu Spielberg – dramatig a dweud y lleiaf! Colin Stephens yn derbyn y meddiant ar ochr yr hen eisteddle ac yn mynd am y gôl adlam. Roedd e'n faswr pert, yn gyflym ac yn greadigol, ond anwybyddodd ei gyd-chwaraewyr y tro hwn a mynd am gic adlam. Nid cic a ddringodd i'r entrychion oedd hon. A bod yn onest, daeth ochenaid o anobaith o gyfeiriad y teras pan welwyd fod yr ymdrech yn un isel ac yn sicr o fod yn aflwyddiannus. Na, nid y gic berta ond aeth ymlaen ac ymlaen ac, yn raddol, yn y distawrwydd, sylweddolwyd ei bod yn closio at y bar ym mhen y Pwll, a phan welwyd y dyfarnwr yn araf godi'i fraich yn uchel i'r awyr sylweddolwyd fod y bêl wedi cripad drosodd. Ffrwydrodd y Strade; roedd y tîm ar y bla'n o 10 i 9 ac ond eiliadau'n weddill. Llifai'r hyder drwy wythiennau'r maswr ac ychwanegodd gic adlam arall cyn y chwib olaf – Llanelli 13, Awstralia 9.

Ac os nad o'n nhw yno ym 1972, ro'n nhw'n gallu dweud '*I was there!*' ag argyhoeddiad ugain mlynedd yn ddiweddarach.

Roedd un arwr ar bymtheg ar y cae y prynhawn bythgofiadwy hwnnw. Cofier, hefyd, am ran y ddau hyfforddwr.

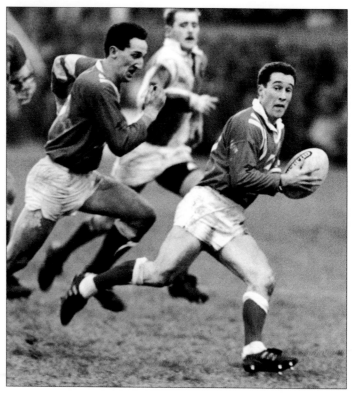

Colin Stephens:
arian byw o faswr.

126

39

Seiri Rhyddion y rheng flaen

i. Y props

Ma' ca'l person normal i drafod dirgelwch y rheng fla'n yn gwbwl amhosib. Fe allech dreulio blwyddyn gyfan yn wilmentan ymhlith silffoedd y Llyfrgell Genedlaethol yn Aberystwyth yn chwilio'n daer am ffeithiau yn ymwneud â chyfrinachau'r rheng flaen ond ymddangos funudau cyn cau'r drysau yn gymysglyd, yn anwybodus a gwaglaw.

Yn syml, ysgol brofiad yw hi. Rhaid ymuno â nhw, chwarae yno am gyfnod hir o amser, cyn ceisio dadansoddi a datgan barn. Dim ond ychydig all siarad ag elfen o awdurdod am y pwnc. A gair o gyngor! Os nad 'ych chi'n dwmpyn cadarn, cyhyrog, peidiwch â mentro yno. I ymuno â *freemasonry* y rheng flaen rhaid bwyta cig eidon, dim *blancmange*! Mae rhai yn cymharu'r profiad ag unigedd carcharor mewn cell ganoloesol neu fywyd glöwr mewn ffas tair troedfedd o uchder, o dan ddaear.

Yn ddiweddar, yn dilyn perfformiad aflwyddiannus Llanelli yn erbyn Biarritz ar y Strade, gwnaethpwyd sylw bachog gan un o gefnogwyr y Sgarlets, 'Duw! Roedd props Biarritz yn dishgwl fel props. Ro'dd Iestyn a John yn debycach i athletwyr Olympaidd!' A ma' 'na wirionedd yn y sylw. O ganlyniad i'r pwyslais ar ffitrwydd, a'r holl ymarfer dyddiol, mae chwaraewyr yn y rheng flaen yn rhedeg fel milgwn, yn taclo'n ddi-baid ac i'w gweld yn gyson yn cefnogi'r olwyr mas ar yr asgell. Ond, o ganlyniad i'r holl chwysu yn y gampfa, ydy'r dechneg a'r cryfder corfforol a meddyliol gyda nhw bellach i ddal eu tir yn y sgrym? Yn sicr, yn y gêm yn erbyn y Ffrancod, prif gyfraniad y ddau brop, Denis Avril a Petru Balan, oedd sicrhau fod y sgrym yn solet. Anaml y'u gwelwyd yn cario'r bêl yn fygythiol ac yn tasgu fel *exocets* o gwmpas y cae.

Mae Llanelli, ar hyd y blynyddoedd, wedi cynhyrchu props cadarn. Cynrychiolodd nifer fawr eu gwlad ar y llwyfan rhyngwladol, gan gynnwys Tom Evans, y Parchedig Alban Davies, Gethin Thomas, Edgar Jones, Harry Truman, Griff Bevan, Henry Morgan, John Warlow, Barry Llewelyn, Anthony Buchanan, Laurance Delaney, Ricky Evans, Huw Williams-Jones, Spencer John, Iestyn Thomas a Martyn Madden.

Chwaraeodd John Davies i Gymru dri deg a phedair o weithiau ond derbyniodd ei anrhydeddau ryngwladol tra oedd yn cynrychioli Castell-nedd a Richmond. Mae'n rhyfedd meddwl nad yw'r prop pen tyn wedi cynrychioli'i wlad oddi ar 1998. Yn amlwg, Llanelli sy wedi elwa o benderfyniadau *bizarre* y dewiswyr ond, cystal dweud, mae e wedi cael cam.

Oddi ar iddo ddychwelyd i Gymru ym mis Chwefror 1999, mae'r blaenwr pwerus o bentre Boncath wedi rhoi cant y cant i'r Sgarlets. Er ei fod yn hanu o'r gorllewin, Crysau Duon Castell-nedd a'i datblygodd, o dan eu hyfforddwr

John Davies ar un o'i rediadau nodweddiadol.

Ron Waldron. Roedd y rheng flaen rhyngwladol honno, Brian Williams, Kevin Phillips a John Davies, yn uned nerthol ac yn peri gofid i dimau ledled Prydain. Treuliwyd amser yn y sesiynau hyfforddi yn canolbwyntio ar *mechanics* y sgrym ond *forte*'r tîm, heb unrhyw amheuaeth, oedd mabwysiadu cynllun chwyldroadol o ymosod, a hynny o unrhyw le ar y cae. Roedd Brian, rhan amla, yn torri'n glir ac yn ynysu'r bêl yn y dacl. Yna, cyrhaeddai naill ai Kevin neu John a pharhau â'r symudiad yn hytrach na chreu ryc neu sgarmes. Roedd yna gyflymdra yn eu hymosodiadau a phawb yn cydnabod fod y fath dechneg yn un anodd i'w ffrwyno.

Mae'r math o chwarae a ddysgodd John ar y Gnoll bellach yn rhan o'i gyfansoddiad a rhaid cyfaddef ei fod e, yn anad neb arall yn y rheng flaen yng Nghymru, wedi meistroli'r sgìl. Gwelir y prop mewn crys sgarlad yn gyson yn ymddangos o ddryswch sgarmes neu o grombil ryc a tharanu i gyfeiriad y llinell gais. Ac mae e mor gyffforddus â'r bêl yn ei ddwylo. Nid yn aml y'i gwelir yn loetran ar yr asgell; mae e'n ymwybodol o ofynion y prop.

Manteisiodd ar yrfa broffesiynol – a *phroffesiynol* yw'r gair i ddisgrifio'i ymroddiad a'i ymddygiad. Gwyddai wir ystyr tyrn o waith; roedd codi'n gynnar a chwblhau ei ddyletswyddau ar y fferm yn dod yn naturiol iddo, a throsglwyddodd yr ynni a'r egni hwnnw o fuarth y fferm i'r caeau rygbi. Cofiaf ei weld yn aml ddechrau'r nawdegau yn ceisio creu cydbwysedd rhwng y naill a'r llall. Ar ôl godro, âi yn ei Escort Turbo i Gaerdydd ar gyfer sesiwn ymarfer carfan Cymru. Dychwelai i'r Gnoll gan barcio'i gar y tu fas i'r cae ddiwedd prynhawn a hawlio siesta cyn brasgamu ar y cae yn brydlon am saith ar gyfer yr ymarfer. Yna 'nôl i Grymych. Anghredadwy!

Sgrymiwr oedd Laurance Delaney, yn brop pen tyn o'i gorun i'w sawdl.

Roedd mor gryf â cheffyl. Nid barn bersonol ond barn rhai o'i wrthwynebwyr. Roedd 'da nhw barch iddo. Edrychai 'mla'n o wythnos i wythnos at y brwydrau corfforol a seicolegol yn erbyn props pen rhydd gorau Prydain. Canolbwyntiai'n llwyr ar ei gyfrifoldebau yn y sgrym a'u diffinio fel hyn:

(i) gofynion pan fyddai 'i fewnwr e 'i hunan yn bwydo'r sgrym;
(ii) gofynion pan fyddai mewnwr y tîm arall yn bwydo'r sgrym.

Pan fyddai Jonathan Griffiths neu Mark Douglas yn ymbaratoi i ryddhau'r bêl i'r sgrym, roedd Laurance am gadw'i fachwr yn hapus. Gweithiai i gadw'r sgrym lan a sicrhau fod ei draed wedi'u lleoli'n ddaearyddol gywir er mwyn gwrthsefyll unrhyw wthiad o gyfeiriad y gwrthwynebwyr. Roedd ganddo *repertoire* o symudiadau; rhai'n gyfreithlon ac eraill, yn ôl deddfau'r llyfr bach coch, yn gwbl anghyfreithlon! Byddai angen iddo achub y blaen ar ei wrthwynebydd a pharatoi ystod eang o ymosodiadau.

Awr fawr prop pen tyn fel Laurance oedd gwneud ei orau glas i greu anhrefn pan fyddai'r gwrthwynebwyr â'r fantais yn y sgrym. Am sgrym neu ddwy byddai'n pacio'n llonydd ac yn sgwâr â chefn unionsyth; byddai'n creu elfen o ansicrwydd, gan aros ei gyfle. Y nod yn naturiol oedd tynnu'r prop pen rhydd i lawr, ac o'r herwydd byddai'r bachwr yn ei chael hi'n anodd gweld y bêl yn cael ei thaflu i'r sgrym.

Chwaraeodd Laurance Delaney dros bum cant o gêmau i Lanelli, enillodd un cap ar ddeg i'w wlad mewn cyfnod anodd o ran cyfeiriad ac arweiniad ar y llwyfan rhyngwladol.

Efallai fod yr hen fyd yma'n newid yn gyflym ond hyd yn oed y dyddiau hyn mae angen seiri coed crefftus, gofaint, barilwyr, towyr gwellt – a phrops pen tyn!

Laurance ar wib yn erbyn Aberafan, a Kerry Townley yn ei gefnogi.

ii. Y bachwyr

'I can accept failure;
Everyone fails at something.
But I can't accept not trying.'

Michael Jordan.

Ni ellir cyhuddo bachwyr Llanelli o ddiffyg ymdrech. Maen nhw'n frîd gwahanol. A bod yn onest maen nhw'n edrych yn wahanol, a mae rhestru'r rheiny sy wedi cynrychioli Clwb Rygbi Llanelli drwy'r blynyddoedd yn cadarnhau'r datganiad. Nid yn aml y gwelir torf ar ei thraed yn curo dwylo yn ddi-lywodraeth ar ôl gweld bachwr yn rhedeg hanner can metr ar hyd yr ystlys. Beth, felly, yw rôl y bachwyr? Pam mae eu hangen ar y tîm?

Mae dyletswyddau'r bachwyr wedi newid yn aruthrol yn ystod y degawdau diwethaf. Mae'r hyn sy'n ofynnol i Robin McBryde ei gyflawni yn wahanol iawn i'r sgiliau a berffeithiwyd gan Norman Gale. Roedd bachwyr y gorffennol yn gweithio'n ddi-baid i ennill y bêl yn erbyn y pen yn y sgrym, gan geisio creu anhrefn llwyr yn rheng flaen y gwrthwynebwyr – drwy ddulliau cyfreithiol ac, efallai, anghyfreithiol. Roedd goruchafiaeth yn y sgrym yn hollbwysig (mae hynny hefyd yn wir yn y gêm fodern) ac yn arwain at fuddugoliaeth seicolegol. Roedd disgwyl i ddyfarnwr sicrhau chwarae teg mewn sgrym a ymdebygai yn aml i ffwrnais danllyd, yn gofyn gormod! 'Ych chi erioed wedi edrych mewn i ogof?

Tan y saithdegau cynnar, yr asgellwyr, rhan amla, oedd â'r dasg o daflu'r bêl i'r lein. Doedd dim angen i Bryn Evans, Mel Rees a Norman Gale dreulio amser yn perffeithio'r sgìl. Blaenoriaethau'r bachwr hen ffasiwn oedd techneg yn y sgrym, cryfder a phresenoldeb yn y sgarmesi, a'r gallu i ddinistrio yn y dacl. Roedd y bachwr 'slawer dydd yn gyfuniad o *Terminator* a *Genghis Khan*!

Ac mae'n wir dweud fod y bachwyr presennol yn dilyn ôl traed hen *hookers* y gorffennol – ymroi yn llwyr i'r ornest, ymladd i'r carn am gêm gyfan a chwrso rownd y cae fel *moths*! Ers dechrau'r saithdegau, prin y gwelir tîm yn ennill y bêl yn erbyn y pen; mae'r bachwr yn clymu'n dynn o gwmpas y ddau brop ac yn hwpo'n egnïol i geisio creu ansefydlogrwydd. Ond mae un sgìl newydd i'w meistroli! Yn y sesiynau ymarfer fe welir y bachwyr yn ymarfer am oriau yn perffeithio'r dechneg o dowlu'r bêl i'r lein a chanfod y chwaraewyr allweddol. Mae Robin yn treulio fwy o amser gyda'r chwaraewyr yn yr ail reng a'r rheng ôl na'r teulu!

Mae rhestr o fachwyr Llanelli yn ystod y deng mlynedd ar hugain diwethaf yn un anrhydeddus – fe allai Robin McBryde, Andrew Lamerton, Kerry Townley, Howard Thomas, Arwyn Reynolds, David Fox a Norman Gale fod wedi hawlio'u lle yng ngharfanau clybiau amlycaf Prydain. Gwisgodd tri ohonynt grys Cymru â graen a balchder.

Ond rhaid datgan yn blwmp ac yn blaen fod y dewiswyr cenedlaethol wedi dangos amharch a sarhad at Roy Thomas drwy gydol y saithdegau drwy ei anwybyddu'n llwyr. Fe allai fod wedi eistedd ar y fainc yn ei siwt orau, oherwydd roedd e'n gwybod, yn y bôn, na fyddai cyfle i eilyddio. Petai tîm yn cael ei ddewis i gynrychioli'r rheiny na ddewiswyd i Gymru oddi ar 1881, byddai Roy yn fachwr. Mae hynny'n ffaith; does yna ddim dadl. R'yn ni'n cydnabod fod ei wrthwynebydd ar y pryd, Bobby Windsor, yn chwaraewr da a dibynadwy, ond barn gwybodusion y rheng flaen oedd fod Roy Thomas 'run mor alluog, ac yn haeddu cap. Ac mae byd y campau'n fyd creulon! Ar ôl ennill 28 cap yn olynol, treuliodd Windsor ddiwrnodau yn yr ysbyty ym 1979, yn dioddef o losgiadau i'w gefn ar ôl syrthio ar y calch ar Barc Pont-y-pŵl. Bu'n rhaid chwilio am eilydd i'r gêm yn erbyn Lloegr, a gan fod Roy

Derek Quinnell, Charles Thomas a Roy Thomas yn ei chanol hi yn erbyn Pen-y-bont.

wedi ymddeol dymor ynghynt, dewiswyd Alan Phillips o Gaerdydd i lenwi'r bwlch. *C'est la vie!* Chwaraeodd ei unig gêm i Gymru yn erbyn Tonga ar y Maes Cenedlaethol ym 1975 – yr ornest yn un answyddogol a'r unig grys yn ei feddiant yn un gwyrdd, gan fod Tonga'n gwisgo coch! Y dyddiau 'ma, wrth gwrs, mae 'na gap llawn am chwarae yn erbyn Tonga!

Yn ystod y blynyddoedd diwethaf mae'r Gogleddwr Robin McBryde yn fawr ei barch ar lefel rhanbarthol a rhyngwladol. Treuliodd sawl tymor ar Sain Helen cyn croesi Pont Llwchwr i ymuno â'r Sgarlets. Ei rinweddau pennaf yw ei ymroddiad, ei wydnwch a'i frwdfrydedd; mae e'n ysbrydoliaeth i'r tîm ac yn fwrlwm o weithgarwch drwy gydol y gêm. Gwelir Robin gan amlaf yng ngwres y frwydr, yn ymladdwr yng ngwir ystyr y gair, ac yng nghyfnod Glyndŵr fe fyddai wedi'i ddewis i arwain catrawd i wynebu'r gelyn; yno yn eu canol, cofiwch, nid yn cyfarwyddo o'r pellter. Mae e mor gryf â cheffyl, yn ymdebygu i dalcen tŷ o ran cyfansoddiad ac, yn wahanol i rai, yn rhuo ar ddechrau ac ar ddiwedd gêm. Fe'i gwelir yn aml yn taranu i gyfeiriad y gwrthwynebwyr ond yn amlach fyth fe welir y bachwr o bentre Porthaethwy yn ymddangos o ganol sgarmes â'r bêl yn ei ddwylo ar ôl llwyddo i'w rhwygo o afael un o'i wrthwynebwyr. Ar y cae, rhyfelwr ffyrnig; yng nghlydwch yr ystafell newid ar derfyn y chwarae, unigolyn dymunol, doeth a diymhongar.

131

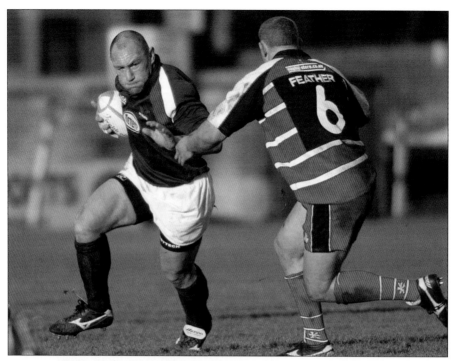

Robin McBryde yn gwisgo lliwiau gwreiddiol y Sgarlets (1875-1879).

Mae un hen fachwr yn dal yn ffigwr chwedlonol ar y Strade. Bu'n gapten ar ei wlad ar ddau achlysur ym 1967; enillodd bump ar hugain o gapiau a thrysori pob un ohonynt. Roedd chwarae, boed i Lanelli neu i Gymru, yn anrhydedd o'r mwyaf a mynnodd, hyd yn oed 'nôl yn y chwedegau, fabwysiadu agwedd gwbl broffesiynol tuag at y gamp. Petai Barry John neu Gareth Edwards neu Denzil Williams wedi dewis tîm Cymru yn hytrach na'r dewiswyr arferol, fe fyddai'r tri wedi rhoi enw Norman Gale i lawr cyn unrhyw un arall. Bydden nhw am i'r bachwr o bentre Gorseinon fod ar eu hochor nhw!

Bachwr o'dd Norman o'r funud cas e 'i eni. Do'dd e ddim yn mynd i fod yn *pin-up* rhwng cloriau'r cylchgronau merched! Nid ei fod e'n dishgwl yn ffyrnig ac yn rhyfelgar; ro'dd e *yn* ffyrnig a rhyfelgar. Petaech chi'n gorfod cerdded ar hyd strydoedd y *South Side* yn Chicago neu o gwmpas y dociau ym Marseilles fin nos, byddai presenoldeb Norman yn eich ymyl yn gysur ac yn gymorth. Roedd ei weld, heb shafo, yn barod i blygu i'r sgrym gyntaf yn olygfa frawychus. Roedd Norman, hyd yn oed yn y chwedegau, yn ymdebygu i un o gewri'r cynfyd. Byddai Al Capone wedi'i dderbyn fel gwarchodwr heb ei wahodd am gyfweliad.

Ro'dd e bob amser am i'r gwrthwynebwyr wybod ei fod e ar y cae. Nid ei fod e'n chwaraewr brwnt ond ro'dd yr ochr gorfforol yn elfen annatod o'i chwarae. Yn ystod y cyfnod pan nad oedd ond un dyfarnwr ar y cae, roedd yna ddirgelwch, cyfrinachau hyd yn oed, o fewn y crochan berwedig a ddisgrifid yn sgrym. Nid fod pawb yn cicio ac yn clatsho ac yn creu anhrefn, ond mae'n wir dweud fod sawl cystadleuaeth yn mynd ymlaen, a'r rheiny fawr ddim i wneud â'r gêm! Os oedd y gwrthwynebwyr am ymddwyn yn anifeilaidd roedd Norman yn fodlon sefyll yn gadarn, eu gwrthwynebu ac, yn amlach na pheidio, eu chwalu.

Dw i'n cofio darllen dau adroddiad 'nôl yn y chwedegau sy'n datgan cyfrolau am y dyn. Mas yn ninas Durban yn Ne Affrica ym 1964, ar brynhawn crasboeth o haf, collodd Cymru o 24 i 3; y grasfa waethaf ers deugain mlynedd. Roedd y sgôr yn gwbl gyfartal ar ôl deugain munud (3-3) ond roedd yr holl amddiffyn a'r holl redeg di-baid wedi effeithio'n andwyol ar y Cymry. Yn ôl y gohebydd, dim ond dau Gymro oedd ar eu traed ar yr egwyl yn yfed dŵr ac yn sugno'r Fitamin C o'r *Outspans* – yr wythwr, John Mantle, a'r bachwr, Norman Gale. Roedd y gweddill wedi llwyr ymlâdd ac yn gorwedd o gwmpas yn llipa.

Roedd yr ail adroddiad yn ymwneud â'r gêm rhwng y Crysau Duon a Chymru ar Eden Park, Auckland, ym 1969. Eto'r tîm cartref oedd yn fuddugol o 33 i 12 (Fergie McCormick yn creu record byd mewn gêm ryngwladol â 24 pwynt). Bu'n rhaid i flaenwyr Cymru wrthsefyll grym Seland Newydd droeon yn ystod y prynhawn. Ar adegau aeth pethau dros ben llestri; rhai yn wynebu'r bygythiad ac eraill yn ddigon bodlon camu 'nôl. Yno, yn barod i ruthro mewn a herio Meads, Gray, McLeod, Smith a Hopkinson, oedd Norman Reginald Gale.

Cyfrannodd yn helaeth i lwyddiant Clwb Rygbi Llanelli fel chwaraewr, capten, hyfforddwr a Chadeirydd. Ar ôl ymuno o glwb Abertawe yn nhymor 1961/62 (enillodd ei gap cyntaf mas yn Nulyn ym 1960 pan fu'n rhaid i Bryn Meredith ildio i anaf), fe dreuliodd gyfnod hynod lwyddiannus ar y Strade. Dw i'n cofio ymweld â'r Strade'n gyson yng nghanol y saithdegau pan oedd Norman yn hyfforddi a'i gael yn ddyn o ychydig eiriau. A bod yn onest, ro'dd dyfarnwyr yn cadw mas o'i ffordd e. Petai penderfyniad dadleuol yn effeithio ar lif y chwarae byddai'r feirniadaeth yn hallt, ond roedd rhaid cydnabod ei fod yn deall y gêm.

Bu'n gofalu am dafarn The White Horse, o fewn cic gosb i'r Strade, am bymtheg mlynedd a mwy. Yn ystod y cyfnod, treuliais amser yn ei gwmni a sylweddoli fod yna ochr gynnes i'w gymeriad. Wrth ymlacio yng nghlydwch ei dafarn roedd dyn yn sylweddoli pa mor ddeallus yr oedd e am y gêm. Mae Norman Gale yn un o hoelion wyth y Strade!

Y capten yn arwain Cymru i'r gad, 1967.

133

40

Scavengers a *tinkers*

Hynny yw, aelodau'r rheng ôl

Roedd yna gyfnod pan oedd ffasiwn a steil yn golygu dim i'r Gwyddelod; gwisgo dillad i gadw'n gynnes, bwyta bwyd i ad-ennill calorïau, ac yfed alcohol i gymdeithasu a hybu trafodaeth. Yn ôl Ulrick O'Connor, roedd y tincers 'yn ddigon haerllug i godi'r ffroth o dop glased o Guinness o dan eich trwyn'. A dyna'n syml yw dyletswyddau'r rheng ôl ar gae rygbi; chwilio am y bêl mor drachwantus a rheibus â *scavenger*, a'i dwyn, yn aml iawn, gyda chwimder a slicrwydd haerllug y tincer, o dan drwyn y gwrthwynebwyr a'r dyfarnwr.

Mae 'da ni ffefrynnau. Mae hyd yn oed cefnogwyr selog Llanelli wedi gwerthfawrogi sgiliau Arthur Lemon, Haydn Morgan, Alun Pask, Clem Thomas, Dai Morris, Omri Jones, Chris Huish, Martyn Williams ac eraill. Ond rhaid dweud fod y Sgarlets eu hunain wedi meithrin a datblygu a chynhyrchu nythaid o chwaraewyr rheng ôl o wir safon. Dyna i chi Archie Skym o bentre Drefach ger y Tymbl. Chwaraeodd yn y rheng flaen, yr ail reng a'r rheng ôl i Gymru yn y dauddegau a'r tridegau. Roedd ei gryfder a'i gyflymdra yn chwedlonol a'i egni dihysbydd yn torri calon ei wrthwynebwyr.

Roedd Watcyn Thomas yn cael ei gydnabod yn un o sêr y cyfnod – yn gwlffyn corfforol, yn meistroli'r leiniau (gyda'r gorau erioed yn ôl Crysau Duon 1935) ac yn arweinydd ysbrydoledig. Thomas oedd y capten pan enillodd Cymru yn Twickenham am y tro cyntaf ym 1933. Er iddo dorri pont ei ysgwydd yn erbyn yr Alban ym 1931, arhosodd ar y cae am dros awr a hawlio cais. A rhaid cynnwys Jim Lang oedd yn aelod gwerthfawr o dîm Cymru a faeddodd y Crysau Duon ym 1935 ac Ossie Williams, blaenasgellwr tanllyd nad oedd byth ymhell o'r bledren.

Ces i 'ngwefreiddio ddiwedd y chwedegau gan Gymro Cymraeg o Gefneithin, Clive John. Yn ôl ei frawd, Barry, Clive oedd y ffwtbolyr mwya naturiol o'r teulu, a mae hynny'n ddweud mawr. Ond i'r rheiny a dyrrodd i'r Strade yn ystod y cyfnod roedd sgiliau'r blaenasgellwr yn fesmerig. Roedd maeddu dyn yn weithred mor naturiol; roedd gwrthwynebwyr yn barod i'w lorio ond yn cael ei hypnoteiddio. *'They seek him here, they seek him there . . .'* Roedd e'n ymddangos o flaen taclwyr ond erbyn iddyn nhw fynd drwy'r broses o gyflawni'r dacl roedd e wedi hen ddiflannu. Roedd e yno, ond rywsut doedd e ddim!

Ymunodd â'r clwb fel mewnwr ar ôl hawlio hanner cant o geisiau i dîm yr ieuenctid a chwarae'i gêm gyntaf yn bartner i'w frawd, Barry, yn erbyn Rosslyn Park ym 1966. Serch hynny, daeth i'r brig fel blaenasgellwr ochr

Clive John yn ymosod yn erbyn Casnewydd.

dywyll a chynhyrfu torfeydd ledled Prydain. Beth oedd y gyfrinach? Teimlaf mai dawn gynhenid, yn anad dim arall, a'i gwnaeth yn wahanol i'r cyffredin. Roedd y gallu ganddo i wyro'n hudol megis ysbryd, gallai ddatgysylltu'n wyrthiol o grafangau gwrthwynebwr, medrai ddod o hyd i le yng nghanol berw'r blaenwyr, llwyddai i gyflymu ac arafu a chanfod onglau cyn i'r un hyfforddwr feddwl am botensial y fath symudiadau. Fe alle Clive fod wedi cael rhan yn y ffilm *Ghost!*

Roedd tîm rheoli'r Llewod ym 1971 wedi'i bensilio fe ar gyfer y daith gan ei fod shwd chwaraewr amryddawn yn medru llenwi cymaint o safleoedd. Ond, yn drychinebus i'r Cymro, torrodd ei fraich wrth chwarae i Gymru 'B' ar y Strade ddiwrnod cyn i'r garfan gael ei chyhoeddi yn yr East India Club yn Llundain. Bu'n gaeth i anafiadau am dymhorau ar ôl hynny, a daeth gyrfa un o chwaraewyr mwyaf creadigol y clwb i ben. Serch hynny, profodd ei hun yn hyfforddwr craff a deallus i sawl clwb yn y Gorllewin.

Un arall a fu'n was ffyddlon yn ystod y saithdegau oedd yr wythwr Hefin Jenkins. Yn ôl ei gyd-chwaraewyr a'i wrthwynebwyr roedd Hefin nid yn unig yn chwaraewr talentog ond yn llysgennad ardderchog i'r gamp. Gŵr bonheddig yng ngwir ystyr y gair ond eto'n chwaraewr caled, corfforol a gyfrannai'n gyson o fôn y sgrym. Gweithredai'n awdurdodol yng nghefn y lein ac roedd ei ddoniau trafod yn y chwarae rhydd yn golygu ei fod yn ddolen gyswllt effeithiol rhwng y blaenwyr a'r olwyr. Gan gymryd pob dim i ystyriaeth, byddai'r darllenwr anwybodus am holi un cwestiwn. Pam na lwyddodd i chwarae dros ei wlad? Yn syml, fel nifer yn y saithdegau, bu'n rhaid cystadlu yn erbyn rhai o hoelion wyth y cyfnod. Mervyn Davies oedd wythwr y tîm cenedlaethol a'r Llewod ac roedd Hefin yn cydnabod fod y gŵr

135

Hefin Jenkins yn herio mewnwr Pont-y-pŵl.

tawedog o Abertawe yn un o gewri'r cyfnod. Petai Hefin wedi ei eni'n Sais neu'n Wyddel byddai wedi chwarae'n gyson ar lefel ryngwladol. A phan anafwyd Mervyn roedd Hefin, hefyd, yn dioddef o anaf i'w sawdl. Bu'n eilydd ar sawl achlysur; roedd ar bigau'r drain adeg taith y Llewod i Dde Affrica ym 1974, yn lled-obeithio y byddai galw am ei wasanaeth. Ers iddo ymddeol profodd ei hun yn weinyddwr effeithiol ac, erbyn hyn, mae'n aelod o Fwrdd Rheoli Sgarlets Llanelli. Chwaraewr dawnus ac unigolyn dymunol a diymhongar sy wedi bod yn driw i'w glwb.

Bu'r blynyddoedd diwethaf yn frith o chwaraewyr ardderchog yn rheng ôl Llanelli – Mark Perego, David Pickering, Lyn Jones, David Hodges yn bedwar dylanwadol, ac mae'r dyfodol yn nwylo diogel chwaraewyr megis Dafydd Jones a Gavin Thomas.

Rhaid ychwanegu un enw arall at y rhestr, sef y tarw o gyffiniau Caerfyrddin, Emyr Lewis. Dechreuodd ei yrfa ar y Strade, treuliodd sawl tymor llwyddiannus ar Barc yr Arfau cyn dychwelyd ar gyfer tymor 2003/04 i faes ei freuddwydion. Ar y lefel uchaf gofynnir am ystod eang o sgiliau er mwyn aros ar y brig am gyfnod hir o amser, a llwyddodd Emyr drwy nerth bôn braich a dyfalbarhad i bontio'n effeithiol rhwng dau gyfnod.

Mewn chwaraewr rheng ôl mae'r hyfforddwyr yn dishgwl am gryfder, dawn, egni a deallusrwydd. Mae angen amynedd Job, doethusrwydd Solomon a phenderfyniad Dafydd. Rhaid dweud fod Emyr Lewis yn meddu ar y rhinweddau uchod i gyd ac, yn bwysicach fyth efallai, yn unigolyn oedd yn casáu colli. Doedd dim angen tanio Emyr ar gyfer yr wyth deg munud; roedd ei agwedd yn golygu ei fod yn fwy na pharod ar gyfer y frwydr. Fe'i gwelid yn gyson yn ystod gornest yn hyrddio i gyfeiriad y gelyn gan sicrhau ei fod yn creu llwyfan effeithiol ar gyfer ei gyd-chwaraewyr. Yn sicr, roedd creu ryc gyflym yn uchel ar restr ei flaenoriaethau ond yn aml fe'i gwelid yn ceisio rhyddhau cyn i'r dacl gael ei chwblhau.

Profodd lwyddiant ar lefel clwb ac ar lefel rhyngwladol ac un o'r eiliadau a fydd yn cael eu trysori yng nghartre'r Lewisiaid, ac yng nghartrefi Cymry ledled y byd, yw'r gic gywrain honno yn y gêm rhwng Cymru a Lloegr yng Nghaerdydd ym mis Chwefror 1993. Roedd Lloegr yn cwrso trydydd Camp Lawn o'r bron a nhw oedd y ffefrynnau clir. Chwalwyd eu gobeithion gan daclo arwrol y Cymry – a chic ymosodol gelfydd gan Emyr a fyddai wedi plesio Maradona a Cruyff. Holltwyd yr amddiffyn, hwyliodd Ieuan Evans heibio i Rory Underwood, gan ddefnyddio'i droed dde i hyrddio'r bêl i gyfeiriad y llinell gais. Roedd hyd yn oed y Dywysoges Diana, a eisteddai yn rhes flaen yr eisteddle, yn llawn edmygedd. Bu Emyr yn ddigon haerllug i godi'r ffroth o dop y Guinness, a hynny o dan drwynau'r Saeson!

Emyr Lewis: y 'Tarw'.

41

Y Phil arall

Y blaenwr bodlon

Yn aml ym myd y bêl hirgron yr olwyr sy'n cael y sylw. Y cefnogwyr yn anwybyddu'r gwaith caled a gyflawnir yn y lein, y ryc, y sgrym a'r sgarmes, ac yn mynd dros ben llestri am allu canolwr neu asgellwr neu faswr i ddiddanu. Mae Llanelli yn glwb sy wedi ymfalchïo yn y gallu i daflu'r bêl o un pen o'r cae i'r llall; mae geiriau fel *flair, finesse* a *panache* yn cael eu defnyddio'n aml.

Ond ystyriwch hyn. Er mwyn creu cyffro, rhaid cael y bêl! Yn y gyfrol hon, fel pob cyfrol arall am y campau, mae 'na duedd i ganolbwyntio ar y rheiny sy'n glou ac yn glyfar ac yn gyffrous. Chwaraewyr fel Pele, Hoad, Tendulkar, Jordan ac Ella sy'n cael y sylw; mae colofnau'r papurau dyddiol yn canolbwyntio'n llwyr ar eu campau nhw.

Edgar Morgan, Iorwerth Jones, Jim Lang, Albert Kelly, Hagan Evans, Ossie Williams, Bryan Thomas, Stuart Gallacher, Alan James, Lyn Jones, David Pickering, Alun Davies, Julian Williams, Phil Davies a dyma flaenwyr eraill o'r gorffennol a gyfrannodd yn helaeth at lwyddiant y clwb. Byddai angen cyfrol arall i wneud cyfiawnder â'r cannoedd a fu wrthi'n lledu enw da Clwb Rygbi Llanelli ar hyd a lled y byd.

Does dim sôn am Elvet Jones, Ken Jones, Peter Rees, Handel Greville, Albert Kelly, Bill Clement, Geoff Howells, Roy Mathias, Gwyn Ashby (y ffug bàs orau yn Hemisffer y Gogledd) a'r Llew, Peter Morgan. Meddyliwch fod Bryn Howells a dystiodd, pan oedd yn fachgen ifanc, i allu George Nepia ar y Strade ym 1924, wedi chwarae yn ei erbyn gyda chlwb Belle Vue pan gynrychiolodd Nepia Streatham and Mitcham ddiwedd y tridegau (y ddau erbyn hynny'n chwaraewyr proffesiynol). Roedd Howells yn gricedwr dawnus. Chwaraeodd yn y *Lancashire League* yn erbyn Syr Leary Constantine, Frank Worrell a Dusty Rhodes.

Un a dreuliodd oes ar y Strade ac a brofodd ei hun yn chwaraewr dibynadwy ac yn gapten poblogaidd oedd Phil May, yr ail reng. Dw i'n ei weld e nawr yn ffrynt y lein, naill ai'n amseru'i naid yn berffaith ac yn gyrru 'mlaen yn nerthol, neu'n codi a throsglwyddo i'w fewnwr mewn un symudiad. Meistrolodd y grefft a chynnig cyfleoedd i eraill ddisgleirio. A gan ei fod yn gwlffyn cryf, roedd ei gyfraniad ym mhob un sgrym a sgarmes yn amhrisiadwy.

Derbyniodd ei haeddiant ym 1988. Gwireddwyd breuddwyd pan gamodd ar y cae yn Twickenham, yn 31 mlwydd oed, i ennill ei gap cyntaf dros ei wlad. Profodd y tymor yn un bythgofiadwy iddo fe'n bersonol ac i'r tîm

cenedlaethol. Bu bron iddyn nhw gipio'r Gamp Lawn – dau gais Adrian
Hadley yn selio buddugoliaeth yn Twickenham; ceisiau Jonathan a Ieuan yn
allweddol yn erbyn yr Alban yng Nghaerdydd; Paul Moriarty yn tirio wrth
drechu'r Gwyddelod o 12 i 9 yn Nulyn – a'r gêm yng Nghaerdydd yn erbyn y
Ffrancod yn un gwbl dyngedfennol.

Fe ddaeth y Cymry'n agos. Ffrainc oedd yn fuddugol o 10 i 9 diolch i ddwy
gic gosb Jean-Baptiste Lafond a chais Jean-Patrick Lescarboura. Bu'r profiad
yn un chwithig; tanberfformio mewn gêm mor bwysig a boddi yn ymyl y lan.
Ond, roedd hawlio'r Goron Driphlyg a chynrychioli'i wlad ar ddiwedd ei yrfa
yn dipyn o gamp i Phil.

Phil May, ar y dde, yn dwyn y
bêl yn y lein mewn gêm glwb
yn erbyn Caerdydd yn ei
ddyddiau ifanc.

42

Ian Jones

Symud fel TGV

Trains à Grande Vitesse – y trenau hirfain, cyflym sy'n sgrialu ar y cledrau ar gyflymdra o 185 milltir yr awr o orsafoedd *Montparnasse*, y *Gare du Nord* a'r *Gare de Lyon* i bob cwr o Ffrainc. Dw i'n cofio teithio ar y *TGV* o stesion Poitiers i'r brifddinas yng nghwmni plant ysgolion cynradd Pontardawe a Thouars, a rhyfeddu at effeithiolrwydd y gwasanaeth. Roedd y trên yn gadael i'r eiliad ac yn cyrraedd Paris yn brydlon prin ddwy awr yn ddiweddarach. Ar drên mor gyfforddus roedd modd ymlacio'n llwyr; y wlad yn cyflym ddiflannu o'm cwmpas, y siwrnai'n esmwyth ac yn bleserus, a phob un sedd wedi'i llenwi gan fod y gwasanaeth yn plesio.

Ychydig wythnosau ar ôl dychwelyd o Ffrainc ym 1992, daeth delweddau o'r trên yn eu hôl ar y Maes Cenedlaethol yn Rownd Derfynol Cwpan SWALEC. Gohebydd chwaraeon o'r Unol Daleithiau ddatgelodd unwaith, *'I'd love to borrow Mohammad Ali's body for 48 hours as there are three guys I'd like to beat up and four women I'd like to make love to.'*

Wel, y prynhawn hwnnw, llwyddodd Ian Jones, cefnwr Llanelli, i fenthyca cyflymdra Martin Offiah, cyfrwystra Mark Ella a dawn amseru dyfeisiwr y *Rolex* a saernïo'r cais unigol gorau erioed gan Sgarlet. Y fi sy'n dweud hynny; fe allwch anghytuno. Mae mantais 'da fi oherwydd mae'r cais ar dâp yn y parlwr a dw i'n dal i syllu'n gegagored ar rediad mesmerig y cefnwr o Landeilo.

Cerddor, cymeriad ac *enigma* – dyna'r geiriau i ddisgrifio Ian Jones. Chwaraeodd i Lanelli am nifer o dymhorau; dangosodd addewid aruthrol ac, ar adegau, credai rhai y byddai'n cynrychioli Cymru ar y llwyfan rhyngwladol. Daeth o fewn trwch fest i wneud hynny! Disgleiriodd yn ystod y nawdegau cynnar, a'i awr fawr oedd yng Nghaerdydd yn erbyn Pont-y-pŵl. Daeth y bêl i'w feddiant megis hap a damwain yn agos iawn i'w ddwy ar hugain, rhyw 75 metr o linell gais y *Viet Gwent*.

Jyglodd (mae'r gair yng ngeiriadur Bruce!) â'r bêl am eiliad neu ddwy cyn cyflawni pirwét a newid gêr. Roedd dau neu dri o chwaraewyr y Pooler wedi'u hypnoteiddio, a Jones yn rhydd ar y llinell ddeg, ryw ddeg metr mewn o'r ystlys. Ro'n i'n ishte yn Eisteddle'r De (yr eisteddle agosaf i'r stesion) ac o fewn dim i'r hyn oedd ar fin digwydd. Rhedodd y chwaraewyr ar draws y cae i geisio'i rwystro ond, a bod yn onest, doedd dim gobaith caneri 'da nhw. Camodd tu fewn, ac yna 'nôl ar y tu fas, mewn un symudiad gosgeiddig. Ro'dd e o fewn metr neu ddwy i linell yr ystlys a bron â chyrraedd llinell yr hanner.

A'r pryd hwnnw meddyliais am y *TGV* – roedd angen iddo gadw'i gydbwysedd, angen parhau â'r momentwm, yn ofynnol iddo wyro, i'r eiliad, heibio i'r amddiffynydd olaf a chyflymu dros y deugain metr oedd yn weddill. Tybed a fyddai ei ysgyfaint yn caniatáu iddo orffen y symudiad? Ro'dd e ishws wedi llwyddo i fynd heibio i bymtheg amddiffynnwr; oedd yna unrhyw un o'r gwrthwynebwyr yn ddigon clou i'w ddal? A fyddai'r ymosodwr yn debygol o gwmpo yn yr unfan a chael ei gario ar stretsiar i Ysbyty'r Waun? *Never in Europe!* Croesodd yn agos i'r pyst. Doedd neb wedi cyffwrdd ag e. Amseriad, cyflymdra, cydbwysedd – y *TGV* ac Ian Jones!

Y cefnwr chwimwth, Ian Jones.

43

Ieuan

Milgi Llanelli

Byddai'r cefnogwyr yn aml yn gadael y Strade ar noson ddiflas, wlyb yn cwyno am safon cyffredinol y chwarae ac eto mewn hwyliau da ac yn cyfaddef fod y profiad wedi bod yn un gwerthchweil, diolch i gyfraniadau arallfydol yr asgellwr, Ieuan Evans. Munud neu ddwy i fynd cyn yr egwyl, safon y chwarae'n peri gofid, y trafod yng nghanol cae yn ansicr, a rhyw hen wag yn yr eisteddle'n bloeddio, 'Diawl, ma' gwell centres 'da Cadbury's!' Byddai hyd yn oed y ffyddloniaid yn anobeithio – tan i'r bêl gyrraedd Ieuan, a byddai un symudiad, un digwyddiad yn ddigon i danio'r dychymyg

Byddai holl siarad yr egwyl ar y teras, yn yr eisteddle, ar y ffordd i'r tai bach neu i'r *queue* byrgars yn troi o gwmpas dewiniaeth yr asgellwr, a'r holl chwarae di-glem a diantur a gafwyd wedi mynd yn angof!

Yn ystod ei yrfa llwyddodd cyn-gapten y Sgarlets a Chymru i fesmereiddio'r cwsmeriaid ar y Strade, ar y Maes Cenedlaethol a ledled byd. Gwelwyd cefnogwyr yn syllu'n gegagored, wedi eu swyno a'u cyfareddu gan allu'r asgellwr i wyro a gwibio, arafu a chyflymu a hynny mor ddiymdrech. Heb or-ddweud, roedd yna elfen o brydferthwch a cheinder yn ei osgo. I'r cefnogwyr ymddangosai pob dim yn gymhleth ac astrus, ond i Ieuan roedd pob dim yn reddfol a naturiol.

Yr asgellwr chwimwth, Ieuan Evans, oedd arwr Myrddin ap Dafydd, a ysgrifennodd gywydd mawl iddo ar ôl iddo sgorio'i 'genedlaethol gais', chwedl Gwenallt, yn erbyn y Saeson yng Nghaerdydd ym 1993:

> Un am un yw'r ras
> a ddihuna'r holl ddinas,
> ysgwydd wrth ysgwydd wasgant,
> garddwrn wrth arddwrn yr ânt.
> Daw milgi Llanelli'n nes,
> mae'i wyneb lawn stêm mynwes,
> mae'i holl einioes am groesi
> a myn diawl i, mae'n mynd â hi!
> Mae'n creu lle, mae'n curo'r llall,
> yn seren ar gais arall.

Llwyddodd gohebydd chwaraeon y *Times*, Simon Barnes, i daro'r hoelen ar ei phen yn ddiweddar pan 'sgrifennodd erthygl hynod ddiddorol am y *maestros* – unigolion fel Roger Federer, George Best, a Muhammad Ali. Mae

Galwedigaeth: sgorwr ceisiau!

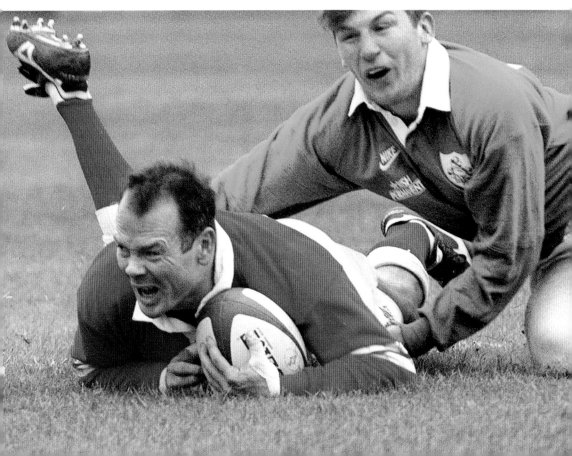

Barnes yn ein hatgoffa am brentis o beilot hynod alluog, yn freintiedig o ran y dechneg a'r grefft o hedfan. Ar ôl cyfnod byr o hyfforddiant roedd y peilotiaid profiadol yn sefyll ar gyrion y rynwe yn ei wylio'n glanio ac yn llawn edmygedd.

Cyfeiriodd Barnes at yr athro cerdd a gollodd ei dymer yn llwyr un prynhawn a chyfaddef yn gwbl agored, *'Go avay! I can you teach you nuzzink! From you I only learn.'* Roedd rhyw dwtsh o'r *maestro* yng nghyfansoddiad Ieuan.

Wrth deithio i wlad bell mae'n ofynnol i ymwelwyr lenwi ffurflen sy'n cadarnhau'r holl wybodaeth amdanynt – enw, cyfeiriad, dyddiad geni, y rheswm am yr ymweliad, rhif yr awyren a disgrifiad byr o'u galwedigaeth. Mae canfod y geiriau iawn i ddisgrifio swydd heb godi chwilfrydedd y swyddog tollau yn gallu bod yn ben tost. Fyddai llenwi'r bwlch yn fawr o broblem i Ieuan Evans. Yn syml gallai ysgrifennu: sgoriwr ceisiau! Roedd e'n giamstar ar y grefft ac mae gan bob un ohonom gof am restr hir o geisiau a grëwyd ac a orffennwyd mewn steil ganddo. Asgellwr de *par excellence.*

Ian Smith, Peter Jackson, John Kirwan, Tony O'Reilly, Ken Jones, David Campese, Jan Engelbrecht, Joe Rokocoko, Gerald Davies, Jonah Lomu, JJ Williams, Patrice Lagisquet, David Duckham, Rupeni Thauthau – rhai o asgellwyr gorau'r byd rygbi – ac yn eu plith, Ieuan Evans.

Chwaraeodd dros ei wlad 72 o weithiau, bu'n gapten 28 o weithiau, hawliodd 33 o geisiau, a hynny mewn cyfnod siomedig o ran perfformiad y tîm cenedlaethol.

Ond er mai *annus horriblis* oedd hi droeon a thro o ran canlyniadau ar y llwyfan rhyngwladol, mae angen cydnabod cyfraniad Ieuan fel capten y tîm. Roedd e'n gyson yn canmol a chlodfori, a'i eiriau'n hwb aruthrol i hyder ei dîm. Brwydrodd a mynnodd fod ei gyd-chwaraewyr yn cerdded yn benuchel. Roedd y balchder hwnnw'n amlwg yng Nghaerdydd ar y 6ed o Chwefror 1993.

Roedd y *bookies* yn ffafrio Lloegr. A bod yn onest, roedd bron pob un Cymro yn ffafrio Lloegr! 'Lloegr i ennill o ryw bum pwynt ar hugain,' oedd barn y bois yng Nghlwb Rygbi Brynaman ar y nos Wener. Efallai fod tîm Wil Carling yn rhannu'r farn honno pan o'n nhw 9-3 ar y bla'n. Ond yna, tarfwyd ar holl gynlluniau'r Saeson gan gic obeithiol y blaenasgellwr o Lanelli, Emyr Lewis. Am eiliad neu ddwy ymddangosai'r ymdrech yn un ddigyfeiriad. Roedd Rory Underwood, peilot o'r Llu Awyr, yn debygol o gyrraedd a chlirio. Ond, heb yn wybod iddo, hedfanai ei wrthwynebydd ar hyd yr ystlys a chyrraedd y bêl rydd o'i flaen a'i chicio *à la* Gary Speed i gyfeiriad y llinell gais. O stad o drwmgwsg dihunwyd y dorf. Ro'dd pawb ar eu traed yn sylweddoli fod yna wir bosibilrwydd y byddai Ieuan Evans yn cyrraedd o flaen Jonathan Webb. Dyna'n union a ddigwyddodd; cyflymdra Ieuan yn dyngedfennol a'r cais a droswyd gan Neil Jenkins yn selio buddugoliaeth annisgwyl.

Rai misoedd ynghynt croesodd Ieuan am gais pert i Lanelli yn erbyn Awstralia ar y Strade. Pan ystyrir holl fuddugoliaethau a holl berfformiadau'r

Sgarlets yn ystod ei hanes, roedd hon ymhlith y mwya cofiadwy. Roedd yna enwau cyfarwydd yng ngharfan y Wallabies – Roebuck, Campese, Little, Horan, Lynagh, Kearns, Morgan, Eales, Gavin, Ofahengaue a Coker, yn hoelion wyth i gyd. Ond, diolch i ddwy gic adlam Colin Stephens a chais Ieuan, fe'u trechwyd 13-9. Roedd y garfan wedi bod wrthi'n perffeithio un symudiad am flynyddoedd. A bod yn onest roedd yna elfen o eironi yn gysylltiedig â'r sgôr!

Yn ystod taith Awstralia i Brydain ym 1984 gwelwyd tîm Andrew Slack yn defnyddio un symudiad drosodd a thro yn nwy ar hugain y gwrthwynebwyr. Y maswr dylanwadol, Mark Ella, yn derbyn y meddiant ac yn perfformio ffug siswrn â'r canolwr allanol cyn rhyddhau'r bêl i'r cefnwr, Roger Gould, oedd yn aml yn manteisio ar yr anhrefn yn yr amddiffyn ac yn carlamu am y cais gan fod neb o'i flaen. Roedd Allan Lewis, hyfforddwr yr olwyr, wedi cael chwaraewyr Llanelli i ymarfer ac ymarfer y *routine* droeon (Phil Lewis yn elwa mewn gêm gwpan yn nhymor 1985/86) a phenderfynwyd defnyddio'r patrwm yn erbyn Awstralia (o bawb!) ym 1984.

Twyllwyd y *Wallabies* yn llwyr! Llwyddodd Colin Stephens a Simon Davies i berffeithio'r ffug siswrn gan alluogi Ieuan Evans i ymddangos ar yr eiliad dyngedfennol. Croesodd yn fuddugoliaethus yn agos i'r pyst.

Ffarweliodd â'r Strade a threulio dau dymor olaf ei yrfa ar y *Rec* yng Nghaerfaddon, a bu'n ddigon ffodus i chwarae un o'i gêmau olaf mas ar y Stade Lescure yn ninas Bordeaux yn Rownd Derfynol Cwpan Heineken – Caerfaddon yn drech na Brive o bwynt. Ieuan, hyd yn hyn, yw'r unig chwaraewr o Lanelli i flasu llwyddiant yn yr Heineken. Mae yna chwe Chymro arall yn rhannu'r profiad ag ef – Richard Webster, Nathan Thomas, Tony Rees, Alan Bateman, Andy Newman a Robert Howley.

Tybed a fydd yna garfan o Orllewin Gymru yn ychwanegu eu henwau at y rhestr yn y dyfodol agos?

44

Crys rhif 9 Llanelli

Crefft a gweledigaeth

Evan James, Dickie Owen, Haydn Tanner, Rex Willis, Terry Holmes, Gareth Edwards, Robert Jones, Robert Howley . . . mae Cymru ar hyd y blynyddoedd wedi cynhyrchu mewnwyr eithriadol.

Cwestiwn:
Sawl mewnwr o Lanelli sy wedi ennill mwy na phedwar cap i Gymru, a sawl un sy wedi ennill mwy na phump cap ar hugain? Ces i'n syfrdanu wrth chwilio am yr ateb i'r pos. Dau sy wedi ennill mwy na phedwar cap, sef Rupert Moon a Dwayne Peel, a Dwayne yw'r unig un i gynrychioli'i wlad dros bump ar hugain o weithiau. Mae'r ffaith yn un anhygoel! Fe chwaraeodd Onllwyn Brace naw o weithiau i Gymru ond dim ond bedair gwaith tra oedd yn chwarae i Lanelli.

Mi fentra i ddweud y byddai dau arall wedi hawlio llond côl o gapiau petaen nhw'n Wyddelod, yn Saeson neu'n Ffrancod. Dw i'n cyfeirio'n benodol at Dennis Thomas a Selwyn Williams, dau o fewnwyr amlycaf y Sgarlets. Oddi ar y rhyfel mae yna bedwar arall wedi gwisgo'r crys coch – Handel Greville ym 1947, Wynne Evans ym 1958, Mark Douglas ym 1984 a Jonathan Griffiths yn nhymor 1988/89. I'r gorllewin o Bont Llwchwr mae mewnwyr rhyngwladol mor brin â gwiwerod cochion!

Does dim amheuaeth fod Onllwyn Brace ugain mlynedd o flaen ei amser – Martin Peters y byd rygbi. Dw i'n dyfynnu Carwyn James o'r llyfr *Crysau Cochion* a olygwyd gan Howard Lloyd ac a gyhoeddwyd ym 1958:

'Cyfraniad arbennig Onllwyn ei hun, ar wahân i rym ei bersonoliaeth, oedd cyflwyno ysbryd anturus, mentrus i'r chware, gan ganolbwyntio'n benodol ar y 'siswrn' a newid cyfeiriad yr ymosod. Pan fethai'r dulliau anorthodocs gallent ddibynnu fel tîm ar ddisgyblaeth eu techneg a llwyddo gyda'r rhai traddodiadol orthodocs. Ymfalchïwn yn y ffaith mai cefndir y ffwtbolyr yma o Gymru yn bennaf a fu'n gyfrifol am y cyffro a grëwyd yng nghylchoedd rygbi yn y pum degau.'

Onllwyn Brace.

Ymddangosodd mewnwr arall ar y Strade ddechrau'r chwedegau ac, yn ôl rhai o'r hen *stalwarts,* hwn oedd y gorau erioed i gynrychioli Llanelli. Dennis Thomas oedd Terry Holmes ei gyfnod; yn gryf fel ceffyl, yn basiwr da ac yn rhedwr bygythiol. Roedd mewnwyr yn casáu 'ware yn ei erbyn a phob rheng ôl yn gorfod ei warchod am gêm gyfan. Yn

Dennis Thomas.

anffodus, ag yntau'n dechre magu hyder ac yn denu sylw'r hyfforddwyr cenedlaethol, dioddefodd gyfres o anafiadau ac anhwylder. O ganlyniad, byr fu ei deyrnasiad ac ni flodeuodd yr addewid.

Selwyn Williams.

Cymar Phil Bennett (oni bai am gyfnod byr pan ymunodd Ray Hopkins â'r clwb) oedd y dibynadwy Selwyn Williams. Gwasan-aethodd y clwb yn ffyddlon am ddegawd a mwy. Roedd e'n dâr ac yn awyddus, yn basiwr heb ei ail ac yn fygythiad i'r goreuon. Roedd ei ddawn gymnastaidd yn gymorth iddo ac fe'i gwelwyd yn llorio gwrthwynebwyr ddwywaith ei faint ag ambell dacl oedd yn brawf y gallai fod wedi ennill medalau Olympaidd yn y Neuadd Jiwdo.

Fe berthyn yr wythdegau a'r nawdegau i dri oedd yn debyg iawn i'w gilydd – Mark Douglas, Jonathan Griffiths a Rupert Moon. Ymunodd Rupert o glwb Castell-nedd ar ôl i'r hyfforddwr, Ron Waldron, ddewis Chris Bridges ar gyfer Rownd Derfynol y Cwpan. Roedd y penderfyniad yn un annheg ar y mewnwr o Ganolbarth Lloegr gan ei fod wedi disgleirio i'r tîm yn ystod y tymor. Bu'r cyfnod yng nghrys Llanelli yn un llwyddiannus, yr hyfforddwr Gareth Jenkins yn hynod gefnogol i ddull y mewnwr o chwarae ac yn teimlo fod y tîm yn elwa o'i arweiniad a'i awdurdod.

Fe fyddai'r *purists* yn dadlau fod yna wendidau amlwg yn ei gêm; y bàs yn araf ac yn golygu fod eiliadau'n cael eu colli cyn i'r asgellwr dderbyn meddiant. Roedd sylw un arbenigwr braidd yn gellweirus: '*Rupert's pass is deceptive. It's slower than you think it is!*' Ond byddai Rupert wedi mwynhau'r hiwmor. Roedd yna gryfderau i'w chwarae; fe'i disgrifiwyd gan rai fel pedwerydd aelod o'r rheng ôl ac roedd ei gydchwarae â'i flaenwyr yn

Rupert Moon.

aml yn dwyn ffrwyth. Roedd e'n dwyllodrus o gyflym, yn peri gofid parhaol i reng ôl y gwrthwynebwyr ac yn amlach na pheidio yn rheoli'n effeithiol yn null Jacques Fouroux, gynt. Fe fyddai *le petit général* yn ddisgrifiad addas o Rupert, er 'i fod e dipyn mwy *grand* na Jacques!

Yn sicr, roedd ganddo bresenoldeb. Byddai gwrthwynebwyr yn ei dargedu ac, yn aml, gwelid y mewnwr yn cael ei warchod a'i gysgodi gan ddau, a byddai hynny'n fêl ar fysedd y mewnwr achos golygai hynny fod mwy o le o lawer gan ei faswr i reoli'r chwarae. Roedd y cyfnod yn un llwyddiannus a'r mewnwr yn gwneud yn fawr o'i gyfle. Enillodd bedwar cap ar hugain i Gymru ac er iddo gael ei godi a'i fagu yng Nghanolbarth Lloegr fe'i derbyniwyd gan gefnogwyr Llanelli yn un ohonyn nhw. Cymeriad bywiog, carismataidd a lwyddodd i swyno clwb a chenedl.

Rhaid canu clodydd Jonathan Griffiths, a brofodd ei hun yn fewnwr campus ar y Strade ac i dîm St Helens yng Ngogledd Lloegr. Chwaraeodd mewn tîm llwyddiannus yn Rownd Derfynol y Cwpan Her yn Wembley. Ei gyflymdra a'i gryfder a'i gwnaeth yn ddraenen yn ystlys cynifer o amddiffynwyr; roedd timau yn ei dargedu ac yn aml byddai rheng ôl gyfan yn ceisio'i gadw'n dawel.

Erys un a allai ddatblygu i fod yn un o'r mewnwyr gorau i gynrychioli Llanelli, ac rwy'n hyderus y gwnaiff. Un o'r Tymbl yw Dwayne Peel, yn gynddisgybl yn Ysgol Maes-yr-yrfa lle derbyniodd gyngor doeth a hyfforddiant craff gan yr athro Addysg Gorfforol, y diweddar John Beynon. Roedd ei dadcu, Bert Peel, yn gyfrifol am Gymorth Cyntaf ar y Strade am flynyddoedd

Jonathan Griffiths.

lawer, yn fawr ei barch gan y chwaraewyr ac yn un o gymeriadau Cwm Gwendraeth. Buasai Bert wedi rhoi ffortiwn am gael gwylio Dwayne yn gwau hud a lledrith ar gaeau'r byd.

> *Try for a goal that's reasonable and then gradually raise it. That's the only way to get to the top.*

Y rhedwr Emil Zátopek yw awdur y geiriau, y gŵr a gipiodd dair medal aur ym Mabolgampau Olympaidd Helsinki ym 1952 yn y 5,000m, y 10,000m metr a'r Marathon. Dyna, yn syml, yw athroniaeth Dwayne Peel. Mas yn Ariannin a De Affrica yn ystod haf 2004 profodd ei fod yn fewnwr cyflawn. *'Trwy ymarfer y perffeithir pob crefft'* yw'r frawddeg sy'n ei ysbrydoli'n ddyddiol.

'Nôl yn y pumdegau darlledwyd eitem ar y rhaglen *Panorama* o Eglwys Gadeiriol Coventry. Roedd yr adeiladwyr wrthi'n ailadeiladu ar ôl dinistr y rhyfel a holwyd nifer o'r crefftwyr.

'Beth 'ych chi'n ei wneud?' oedd cwestiwn y cyflwynydd. 'Torri a gosod y meini yma yn eu lle,' oedd ateb un saer maen. 'Sicrhau fy mod yn dilyn cyfarwyddiadau'r pensaer,' oedd sylw un arall, ond roedd datganiad y trydydd yn dipyn o ryfeddod. 'Dw i'n treulio'r blynyddoedd nesaf yn adeiladu Eglwys Gadeiriol,' meddai. Roedd gan hwn weledigaeth; roedd ganddo fe ran mewn rhywbeth amgenach na thrin cerrig.

Dyna yw cryfder Dwayne. Mae e am gyrraedd y brig. Mae e am lwyddo yn ei faes ac am ddangos i'r byd ei fod yn gartrefol â'r holl sgiliau sy'n ofynnol i'r mewnwr cyfoes eu meistroli. Mae e'n fodlon gwrando ac mae'n gwerthfawrogi cyngor a chymorth mewnwyr dawnus eraill, yn enwedig yr amryddawn Robert Jones. Pasio'n gelfydd i'r ddwy ochr; cicio'n gyfforddus â'r ddwy droed; darllen y gêm; cynorthwyo'i faswr; ceisio creu gofod a lle iddo'i hun; cwrso'n egnïol o gwmpas y maes; bylchu a dosbarthu'n gelfydd.

Mae cymaint i'w wneud, cymaint i'w ddysgu ac mae'r mewnwr ifanc yn cydnabod hyn. Nid ar y cae i basio a chicio pêl y mae Dwayne; mae e 'na er mwyn creu rhywbeth mwy cyffrous; fel y saer maen, mae e am fod yn rhan o rywbeth amgenach. Yn ddiweddar mae mewnwr y Sgarlets a Chymru yn dechrau rheoli gêmau, gan wybod sut mae llywio ac amrywio symudiadau ac o bryd i'w gilydd mae'n amhosib rhag-weld beth mae e'n debygol o'i wneud nesaf. Mae safon chwarae'r mewnwr o'r Mynydd Mawr fel potelaid o win coch Bordeaux, yn gwella gydag amser. Tybiaf y bydd ar daith i Seland Newydd yr haf nesaf.

Dewiniaeth Dwayne.

45

Pum gwas da a ffyddlon

Canolwyr o fri

Class! Mae e'n air sy'n dod i'r amlwg mewn sawl maes. Defnyddiwyd *class* i ddisgrifio nifer o sêr y sgrîn fawr yn Hollywood. Dyna i chi Audrey Hepburn, Grace Kelly a Sophia Loren – nid yn unig o'n nhw'n bert ac yn siapus ac yn osgeiddig ond ro'dd yna rywbeth bach *extra* yn perthyn iddyn nhw. Ie, dyna chi – *a touch of class*! Ac mae'r gair yn addas ar gyfer ambell chwaraewr rygbi. Nid fod Nigel Davies, un o hyfforddwyr presennol y Sgarlets, am gael ei gymharu â'r tair uchod ond roedd y canolwr a hanai o Drimsaran yn . . . *classy*!

Nigel Davies.

Fe welais i fe ddwywaith cyn iddo gynrychioli Llanelli. Fe'i dewiswyd yn faswr yn ystod ei ddyddiau ysgol, ac ar Gae'r Bragdy, wrth ddyfarnu, y tystiais i'w allu pan oedd yn gwisgo crys coch tîm dan bymtheg Cymru yn erbyn De'r Alban. Rhyw ddau dymor yn ddiweddarach, chwaraeodd i'r Ieuenctid yn erbyn yr Ysgolion ar y Gnoll ac roedd hi'n gwbl amlwg ei fod yn chwaraewr o safon.

Ro'dd doniau trafod Nigel yn rhyfeddol. Yn aml, fe'i gwelid yn derbyn y bêl yr un pryd, bron, â rhyw gwlffyn o ganolwr ond, yn wyrthiol, llwyddai i drosglwyddo'r bêl i'w gyd-ganolwr a sicrhau parhad i'r chwarae. Ac roedd e'n gwybod pryd i ddosbarthu; y bàs yn amlach na pheidio yn drech na'r gwrthwynebwr. Slic! Ie, dyna air arall i ddisgrifio Nigel Davies.

Un arall o chwaraewyr celfydd y cyfnod oedd David Nicholas, neu Dai Nic i bawb oedd yn 'i nabod. Roedd hwn eto'n ffwtbolyr naturiol, yn meddu ar

David Nicholas.

droed chwith ddewinol ac yn un oedd bob amser yn barod i wrthymosod. Mae'r mwyafrif ohonom yn cofio'i rediad yn erbyn y Maoris ar y Strade ym mis Tachwedd 1982 – gêm a enillwyd gan y Sgarlets 16-9, a phedwar o dîm buddugol 1926 yn y dorf, sef Ivor Jones, Ernie Finch, Rees Thomas ac Emrys Griffiths. A deg munud yn weddill roedd yr ymwelwyr ar y bla'n o 9 i 6. Roedd angen un ymdrech i gipio buddugoliaeth ac fe grëwyd cyfle trwy rediad herciwleaidd Ray Gravell. Pan dderbyniodd Dai y bêl ar yr asgell chwith roedd y gwrthwynebwyr yn eitha trefnus, ond yna fe benderfynodd fynd ar lwybr hollol wahanol. Newidiodd ongl yr ymosodiad a rhedeg ar draws yr amddiffyn. Edrychai am gyfle i sythu a bylchu neu ryddhau un o'r olwyr oedd yn hofran yn nhir neb! Roedd y Maoris, yn amlwg, mewn tipyn o benbleth. Aeth yr holl ffordd ar draws y cae – rhediad haerllug o fentrus – a'r Maoris yn heidio ar ei ôl, ond yna, mewn amrantiad, dyma fe'n rhyddhau'r bêl i'r asgellwr de, Peter Hopkins. Dros y llinell gais ag e, a'r dorf yn codi i gymeradwyo. Asgellwr yn rhyddhau asgellwr!

Rhaid cynnwys un arall yn yr adran hon a lwyddodd i ddiddanu ar y Strade. Roedd Martin Gravelle yn gefnwr cyffrous; roedd gwrthymosod yn dod yn naturiol iddo a doedd neb gwell ar gyfer amseru rhediad i'r lein. Gwyddai ble a phryd i ymddangos – roedd ei gyflymdra yn dwyllodrus ac ar ôl torri'n glir llwyddai bron bob tro i drosglwyddo'n grefftus i gyfeiriad yr asgellwyr. Ac am droed chwith! O ystyried cicwyr naturiol troed dde yng Nghymru byddai rhaid rhestru Barry John, Phil Bennett a Gareth Davies ond rhaid dweud y

Martin Gravelle.

152

byddai Martin Gravelle ar frig rhestr cicwyr troed chwith. Petai angen ffilmio chwaraewr ar gyfer DVD hyfforddi yna'r cefnwr o Denham Avenue amdani.

Roedd gwaed y Bedouin yng ngwythiennau Dafydd James, canolwr cydnerth sy erbyn hyn yn chwarae i glwb yr Harlequins yn Llundain. Chwaraeodd i nifer o glybiau yng Nghanol Morgannwg ond rhaid canmol ei gyfraniad ar y Strade. Profodd ei hun yn ganolwr disglair ac fe elwodd Llanelli ar ei gryfder, ei gyflymdra a'i allu i fod yn y man iawn i fanteisio ar gyfleoedd. Cofiwn am ei geisiau mas yn Bourgoin, ei rediad a'i gais yn y Rownd Gynderfynol yn erbyn Northampton a'i fylchiadau yn erbyn Caerloyw yn y Cwpan Heineken pan greodd gyfleoedd i Mark Jones. Derbyniodd yr asgellwr chwith yr her ddwy waith yn olynnol a rhedeg fel ewig am y llinell gais. Roedd yna rai yn teimlo y dylai Llanelli fod wedi defnyddio mwy o ddawn y canolwr yn hytrach na dibynnu'n ormodol ar y pac a gallu'r mewnwr i gyfuno â'r rhengôl, ond dadl arall yw honno.

Dafydd James.

Yn ystod y ddau dymor diwetha mae selogion y Strade wedi tystio i ddawn canolwr arall sy'n haeddu sylw. Bob tro mae'r bêl yn mynd i gyfeiriad Matthew J Watkins mae 'na ddistawrwydd; mae 'na ddisgwyl. Beth sy'n mynd i ddigwydd nesa? Beth, tybed, sy'n rhedeg trwy ei feddwl? Ar y cae ac oddi ar y cae mae e'n chwareus; hyd yn oed yng ngwres yr ornest, dyw e ddim yn cymryd unrhyw beth ormod o ddifri. Gêm yw hi iddo fe; gêm i'w mwynhau. Mewn camp lle mae bron pob dim yn robotaidd, lle mae bron pob symudiad wedi cael ei baratoi ymlaen llaw, mae'n braf gweld ambell *maverick* yn 'i mentro hi.

Mae angen y rhyddid i berfformio ar Matthew J. Mae rhai'n dweud ei fod yn *enigma,* gan ei fod yn penderfynu ar ei dactegau ar ôl cael y bêl yn ei ddwylo. Yn aml iawn, mae pawb ar y cae'n sefyll yn stond pan fydd MJ â'r bêl, ac yna, mewn amrantiad, fel llwynog R Williams Parry gynt, bydd wedi diflannu megis seren wib! Mae gwallt Gareth Jenkins a Nigel Davies yn gwynnu yn y fan a'r lle wrth ei wylio – ond maen nhw a'r cefnogwyr yn ymwybodol o'i botensial a'i allu. *Maverick*, ie, ond dyna'r rheswm am y gyfrol hon. Mae Clwb Rygbi Llanelli ar hyd y ganrif a chwarter diwethaf wedi cynhyrchu *mavericks*. Dyna gyfrinach y clwb!

Matthew J Watkins.

154

46

Jonathan

Aelod o ddosbarth y ffenomena

Cyd-ddigwyddiad – o bosib! Ymlacio o flaen y teledu o'n i ar ddiwrnod ola Gorffennaf yn lled-ddarllen erthygl am Sylvie Guillem, ffenomen y byd bale, yng nghylchgrawn Sadyrnol yr *Independent*. Rhaid cyfadde 'mod i bron ar yr un pryd yn lled-edrych ar ffenomen arall o fyd criced, Brian Lara, yn ergydio'n osgeiddig i bob cwr o'r maes ac yn lled-feddwl am ddisgrifiadau ar gyfer y gyfrol hon – disgrifiadau a fyddai'n gwneud cyfiawnder â ffenomen arall o'r byd rygbi, y disglair Jonathan Davies.

Yn ôl yr arbenigwyr dyw balerinas o galibr Guillem ond yn ymddangos bob canrif. Ymunodd ag Ysgol Fale Opera Paris yn ddeuddeg mlwydd oed ac o fewn diwrnodau bu'n rhaid i'w hathrawon gydnabod fod natur ei symudiadau yn eithriadol, y cydbwysedd yn gwbl reddfol a'r gallu corfforol yn rhywbeth i'w ryfeddu. Flynyddoedd yn ddiweddarach rhaid i'r *aficionados* gydnabod fod gallu corfforol a meddyliol prif falerina'r holl fyd yn arallfydol; gellir dweud ag elfen o sicrwydd fod ceinder a meistrolaeth rhyfeddol y ddawnswraig wedi ymestyn ffiniau'r gelfyddyd.

Bu'r cyfnod o wylio, darllen a meddylu yn broffidiol. Wrth sipian y *latte* ganol bore deuthum i'r casgliad fod Guillem, Lara a Davies yn perthyn i gategori o bobol reit freintiedig. Yn sicr, dyw'r bobol yma ddim yn cael eu geni'n ddyddiol! Mae 'na rywbeth yn eu genynnau, rhywbeth annisgrifiadwy yn eu hosgo a'u hymennydd sy'n eu galluogi i gyflawni symudiadau sy y tu hwnt i gyrraedd y mwyafrif ohonom.

Brynhawn Gwener o'dd hi, 'nôl yn y saithdegau cynnar, a thîm Ysgol Gynradd Llandybïe ar ei ffordd i bentre Trimsaran. Ro'dd bws Rees and Williams yn llawn bechgyn ifanc hyderus – y tîm heb golli gêm a phawb, gan gynnwys yr hyfforddwr, yn weddol sicr o fuddugoliaeth arall. Er i ni sgorio pedwar cais a chyfrannu i'r cyffro, chwalwyd ein gobeithion gan grwt deg oed â rhif 10 ar ei gefn. Ers blynyddoedd, mae gwybodusion y byd rygbi â thuedd i ddosbarthu'r maswyr i un o ddau gategori: teip y Sais, sef hir o goes a bras ei gamau (er fod Jonny wedi newid ychydig ar y ddelwedd honno), neu'r dewin o Gymro a all wibio i'r naill gyfeiriad a'r llall a chreu anhrefn llwyr. Roedd perfformiad Jonathan y prynhawn hwnnw yn wefreiddiol – y llygaid glas llawn disgwyliad, y dwylo esmwyth yn trafod y bêl yn grefftus ac, wrth gwrs, y ddawn gwbl naturiol i ochrgamu'n wyrthiol.

Roedd e'n ymwelydd cyson â'r Strade. Byddai'r Morris Minor yn tychan a phesychu lan y rhiw o Drimsaran i gyfeiriad Penmynydd ar y ffordd i Lanelli yn rheolaidd, a'i dad, y diweddar Len Davies, a fu'n ganolwr i'r Sgarlets ar un

Jonathan – y maestro.

adeg, 'run mor awyddus a chyffrous â'i fab. Gwefreiddiwyd y crwt ifanc gan gampau Phil Bennett, JJ Williams ac eraill. Ac roedd cyfnod y Nadolig yn dod ag anhreg arbennig iddo bob blwyddyn – ymweliad Cymry Llundain â'r Strade a chyfle iddo weld Gerald Davies, un o'i arwyr, yn gwyro, gwibio ac ochrgamu.

Ymddangosodd Jonathan ar y Strade ym 1981 ar gyfer prawf dechrau tymor gan obeithio gwireddu breuddwyd a dilyn ôl traed ei dad. Bu'r profiad yn un chwithig – ei anwybyddu wnaeth yr hyfforddwr. Teimlai y dylai rhywun fod wedi siarad ag e a dangos rhywfaint o ddiddordeb. Dychwelodd i Drimsaran yn benisel.

Treuliodd y pum tymor nesaf ar y Gnoll yng Nghastell-nedd yn llywio'n effeithiol o safle'r maswr. Mae'r cefnogwyr, a fu'n hynod o deyrngar iddo, yn dal i sôn am un cais yn erbyn Caerfaddon. Roedd y tîm o Loegr yn cael ei gydnabod yn un o dimau gorau Lloegr, a'r ornest ar y Gnoll yn un glòs a chystadleuol. Seliwyd y fuddugoliaeth gan gais unigol cwbl wefreiddiol – Jonathan yn derbyn y bêl o sgrym, yn ffugio gôl adlam cyn gwibio fel mellten heibio i bump neu chwech o amddiffynwyr oedd yn ymdebygu i gwningod wedi'u parlysu gan oleuadau car. *'Genius, destroyer, showman'* oedd y penawdau yn y papurau drannoeth y gêm.

Suro wnaeth y berthynas â Chastell-nedd ddiwedd tymor 1986/87. Roedd y *guru*, Brian Thomas, am gael addewid gan Jonathan ynglŷn â'r dyfodol, a Jonathan yn anfodlon ymrwymo am gyfnod hir. Yn sgil yr anghytuno, ymunodd â Llanelli, y clwb a gefnogodd ers yn blentyn, ac arhosodd yno am dymor a hanner cyn troi'n broffesiynol yn mis Ionawr 1989. Dioddefodd anafiadau yn ystod y chwe mis cyntaf ond yn ara deg daeth yr awdurdod a'r gallu i'r amlwg.

Mae'r mwyafrif o gefnogwyr selog Llanelli yn ei gofio am un perfformiad cofiadwy yn Rownd Derfynol y Cwpan ym 1988 (yn erbyn Castell-nedd o bawb) pan brofodd Jiffy fod yna ddimensiwn arall i'w chwarae.

Fore'r ornest, derbyniodd garden â marc post Castell-nedd ar y stamp. Meddyliodd fod rhywun o'r dref am ddymuno'n dda iddo, ond o fewn eiliadau trodd yr hapusrwydd yn ddicter. Ro'dd ei lun ar y garden wedi'i amgylchynu â rhaff crogwr a'r llythrennau *RIP* oddi tano. Llofnodwyd y garden gan chwaraewyr carfan y Crysau Duon. Does dim dwywaith bod hynny wedi cyflyru ei feddwl ar gyfer y gêm!

Castell-nedd oedd y ffefrynnau. Roedd eu pac yn un nerthol; wedi sgubo gwrthwynebwyr naill ochr drwy gydol y tymor. Gobaith pennaf Llanelli, yn ôl y gwybodusion, oedd rhyddhau'r olwyr talentog. Ond i wneud hynny roedd angen siâr o'r meddiant ac yn ôl rhai, roedd hynny'n annhebygol o ddigwydd. Beth bynnag, cafwyd ymdrech arwrol gan y blaenwyr a phawb yn cydnabod cyfraniad gwych Phil Davies a Phil May. Jonathan Davies oedd chwaraewr y gêm – ei gicio, nid ei redeg y tro hwn, yn feistrolgar. Doedd hi ddim yn glasur i 57,000 o gefnogwyr ond, am unwaith, roedd angen cefnu ar yr athroniaeth arferol os am hawlio'r ysbail.

Maradonas y byd rygbi!
Phil, Barry a Jonathan yn chwarae gyda'i gilydd mewn gêm bêl-droed
– er gwaetha'r crysau duon – dros achos da.

Ffarweliodd â'i filltir sgwâr ym mis Ionawr 1989 pan ymunodd â Chlwb Widnes a dechrau ar gyfnod llwyddiannus yn y byd proffesiynol. Athroniaeth tîm Widnes oedd rhedeg â'r bêl ac roedd hynny'n siwtio Jonathan i'r dim! Uchafbwynt ei yrfa, heb unrhyw amheuaeth, oedd y cais i Lewod Prydain yn erbyn Pencampwyr y Byd, Awstralia, yn Wembley. Pan fydd yr haneswyr yn cyhoeddi cyfrol am yr hen gae fe fydd yna sôn am fedalau Fanny Blankers-Koen yn y Gêmau Olympaidd ym 1948, athrylith Stanley Matthews a goliau Mortensen i Blackpool yn erbyn Bolton ym 1953, *hat-trick* Geoff Hurst i Loegr ym 1966, gôl unigol anhygoel Ricky Villa i Spurs ym 1981 – a chais anghredadwy Jonathan Davies ym mis Hydref 1994.

Ces i'r fraint o sylwebu ar y gêm i S4C a bu bron i mi golli pob hunan-reolaeth, gymaint oedd y wefr. Ro'dd y pwynt sylwebu yn uchel uwchben y maes ac roedd modd gweld y symudiad yn datblygu. Pa well ffordd o ddisgrifio'r cais nag ailchwarae'r cyfweliad â Jonathan. Y Gymraeg yn fyw ac yn iach yn y twnnel yn Wembley ryw chwarter awr ar ôl y chwib olaf. Rhaid cofio am yr amgylchiadau – anfonwyd Sean Edwards bant ar ôl hanner awr. Ychydig funudau oedd yn weddill, y sgôr yn gyfartal 4-4 a'r bêl yn cyrraedd y cefnwr Jonathan Davies a thîm Awstralia o'i flaen, tri ar ddeg ohonynt yn barod amdano.

'A bod yn onest, do'dd dim byd 'mla'n – y sefyllfa ar un olwg yn anobeithiol. 'Nes i dderbyn y bàs oddi wrth Dennis Betts a synhwyro'r bwlch lleiaf. Maeddes i'r dyn cynta a phenderfynu gwyro ar y tu fas ond ro'dd Brett Mullins, un o chwaraewyr cyflyma'r byd rygbi ar y pryd, yn barod am y dacl. Arafais i am ryw hanner eiliad, os hynny, cyn rhedeg fel bollt o din gŵydd am y llinell gais. Sylweddolais i fod yr arafu ac yna'r cyflymu wedi'i dwyllo fe'n llwyr. Cais i ennill gêm yn Wembley. Dw i wedi bod yn lwcus i fod yn rhan o symudiadau ffantastig yn ystod fy ngyrfa ond ro'dd heddi'n rhywbeth sbeshal.'

Ffenomen – heb unrhyw amheuaeth. Ydy, mae e'n haeddu cael ei gyfrif yn yr un categori â Sylvie Guillem a Brian Lara!

47

SQ

Mae'r *Q factor* yn gryf yn y Strade

Yn rhes gefn sinema'r Carlton o'n ni y noson cyn i Lowri ga'l ei geni ym 1974 a hynny am reswm ymarferol. Y rhes honno o'dd y rhes agosa i'r allanfa, jyst rhag ofn y bydde'n rhaid i ni ddianc ar garlam i'r *maternity ward* yn Ysbyty Treforys. Robert Redford oedd y rheswm ein bod ni yno. Mae Jill, y wraig, yn dwlu arno! Pan glywodd hi mai fe oedd yn chwarae'r prif ran yn y ffilm *The Great Gatsby* bu'n rhaid archebu tocynnau ymlaen llaw. I Jill, ac i'r rheiny sy'n dotio ar lenyddiaeth Americanaidd, dim ond un Scott sydd, sef yr awdur toreithiog, J Scott Fitzgerald.

Mae 'na sawl Scott enwog, wrth gwrs, ond i bobol Llanelli a Sir Gâr, mae Scott yn gyfystyr â Scott Quinnell, un o wythwyr mwyaf dinistriol y byd rygbi. Beth sy mor arbennig amdano? Yn syml mae wythwr y Sgarlets yn dipyn o ryfeddod. Mae'n wir dweud y byddai unrhyw dîm yn y byd rygbi am gael ei wasanaeth – 'arwr glew ar erwau glas'.

Gweld digon o rygbi yw'r cam cyntaf yn natblygiad yr unigolyn, a cheisio efelychu'r meistri. Roedd hynny'n elfen naturiol ym mywyd Scott gan fod y teulu wedi disgleirio ar y lefel uchaf – ei dad, Derek, yn flaenwr o fri a brodyr Madora, ei fam, yn arwyr ar lefel leol a chenedlaethol. Meddyliwch am y peth: ei dad wedi cynrychioli Llanelli, Cymru, y Llewod a'r Barbariaid a'i bedwar wncwl – Del, Barry, Alan a Clive – i gyd yn chwaraewyr adnabyddus! Fe allech chi ddweud fod yna bedigri reit unigryw!

Mae e'n gawr o ddyn! Cwlffyn cadarn a chyhyrog sy'n llwyddo i dorri drwy'r dacl yn gyson a sefydlu llwyfan ar gyfer rhyddhau'r bêl yn gyflym i'r olwyr. Yn aml mae angen dau neu dri i'w rwystro ac mae hynny'n creu bylchau mas ar yr asgell. Ar un adeg cwestiynid ei allu a'i ymroddiad ond tawelwyd y beirniaid-cadair-esmwyth yn dilyn taith y Llewod i Awstralia yn 2001. Yn ogystal â'i ddawn i gario'r bêl yn effeithiol, roedd y fframyn corfforol nerthol a'r cydbwysedd naturiol yn golygu ei fod yn peri gofid yn gyson i'r gwrthwynebwyr. A rhaid cyfeirio at ei ddoniau artistig wrth drafod y bêl – mae'n bleser ei weld yn ei chario.

Yn un ar hugain oed sgoriodd gais bythgofiadwy yn erbyn Ffrainc ar y Maes Cenedlaethol ym mis Chwefror 1994. Rywsut, llwyddodd i ddal ei afael ar bêl oedd wedi disgyn wrth ei draed; carlamodd o'r lein gan adael tri Ffrancwr yn gorwedd ar lawr. Diolch i gyfuniad o gyflymdra a phŵer, brasgamodd yn osgeiddig yng nghysgod yr ystlys a chroesi am gais a arweiniodd at fuddugoliaeth annisgwyl (24-15) yn erbyn y *Tricolor*, y fuddugoliaeth gyntaf i Gymru yn erbyn Ffrainc ers deuddeg mlynedd.

160

Treuliodd gyfnod yn dilyn ôl traed Ted Ward a Billy Boston yn Wigan, ac er i'r blynyddoedd cyntaf ar *Central Park* brofi'n her i'r wythwr ifanc, profodd ei hun yn chwaraewr effeithiol yn y gêm dri ar ddeg. Dychwelodd i fro ei febyd pan aeth y gêm yn broffesiynol ac ers hynny mae presenoldeb Scott yn rheng ôl Llanelli wedi creu cynnwrf ar y teras a llwyddiant ysgubol ar y cae. Mae Scott, yn syml, yn chwarae pob gêm yn hollol ddigyfaddawd.

Great Scott! . . . mae'r geiriau Saesneg yn ddisgrifiad addas pan welir SQ yn torri o sgrym ac yn chwalu llinell amddiffynnol y gelyn. Heb unrhyw amheuaeth mae Scott Quinnell yn ysbrydoliaeth i'r tîm, yn esiampl i chwaraewyr y dyfodol ac yn un o feibion disgleiriaf Clwb Rygbi Llanelli. Mae e'n haeddu'i le yn oriel yr anfarwolion.

Yr wythwr dinistriol – a chreadigol!

48
Simon Easterby

Teyrnged i ddyn dŵad

Y Sgarlad yng nghrys Iwerddon.

Sawl un o gefnogwyr y Sgarlets sy'n ymwybodol fod Simon Easterby, blaenasgellwr talentog Llanelli ac Iwerddon, yn wyneb cyfarwydd yng Nghastell-nedd? Nawr, 'sdim ishe i chi fecso'n ormodol – dyw e ddim yno i ddatgelu cyfrinachau am gynlluniau hyfforddi Gareth Jenkins a Nigel Davies, a dyw e ddim yn bwriadu llofnodi cytundeb hirdymor gyda'r Gweilch!

Rhamant sy wedi ei ddenu i'r dre Rufeinig ar lan afon Nedd gan fod cartre'i gariad, Sarra Elgan (sy'n gyflwynwraig fywiog, fedrus ar deledu yng

Nghymru a Lloegr), o fewn ergyd carreg i'r Gnoll. Yn y gorffennol mae'r mwyafrif o chwaraewyr Llanelli wedi'u geni a'u magu yn yr ardal. Cnewyllyn bychan o ddynion dŵad sy wedi gwisgo'r crys sgarlad ond mae'n wir dweud fod y rheiny a fentrodd i'r gorllewin o afon Llwchwr wedi ymgartrefu yn y dre, wedi gwisgo'r crys â balchder, ac wedi cael eu mabwysiadu gan y ffyddloniaid. Mae Simon yn perthyn i'r criw dethol hwn ac mae'n bwysig tanlinellu'r ffaith ei fod yn berson hynod ddymunol, yn gymeriad siriol a llawen sy'n boblogaidd iawn gan ei gyd-chwaraewyr (a'i wrthwynebwyr), ac mae hynny'n dweud y cwbwl. Mae pawb â gair da amdano, a dyna pam y penodwyd e'n gapten y clwb ym 2004/05. Penderfyniad doeth iawn.

Mae cyfathrebu â nifer o sêr byd y campau yn gallu bod yn dalcen caled. I'r mwyafrif ohonynt, eu camp yw eu diddordeb a rhaid dewis geiriau'n ofalus rhag ofn brifo teimladau. Nid felly lle mae Simon yn y cwestiwn. Mae ganddo ddiddordebau eraill ac mae e'n un sydd â barn bendant am bynciau llosg. Ychydig ar ôl iddo ddychwelyd o Gwpan Rygbi'r Byd yn Awstralia yn 2003 ces i gyfle i sgwrsio ag ef am ryw hanner awr adeg dathliad cymdeithasol yn Abertawe. Roedd ei ddarpar dad-yng-nghyfraith, y chwimwth Elgan Rees (Castell-nedd, Cymru a'r Llewod), yn dathlu pen-blwydd arbennig.

Na, nid rygbi oedd testun y sgwrs! Bu'r ddau ohonom yn parablu am griced gan ei fod wedi gwirioni ar y gêm. Y cwestiwn gwreiddiol oedd, 'Beth oedd yr uchafbwynt mas yn Awstralia?' gan feddwl y byddai'n rhamantu am nifer o berfformiadau cofiadwy a chanmol ymdrechion Brian O'Driscoll, Jonny Wilkinson, Shane Williams a'r gweddill. Dim o'r fath beth! A bod yn onest, ces i'n synnu rywfaint pan gyfeiriodd at brofiad reit unigryw a ddaeth i'w ran yn ninas Adelaide yn nhalaith De Awstralia.

Chwaraewyd yr ornest rhwng y Gwyddelod a'r Archentwyr ar yr Adelaide Oval – un o gaeau criced hyfryta'r holl fyd. Mae'r campws yn un sylweddol o ran maint a phan gyrhaeddodd tîm Brian O'Driscoll y prynhawn cyn yr ornest i brofi'r awyrgylch, aeth y chwaraewyr a'r tîm hyfforddi i gyfeiriad y darn tir a glustnodwyd ar gyfer y frwydr. Roedd y tîm yn ymwybodol o'r feirniadaeth yn dilyn y golled yn erbyn Ariannin yn Lille adeg Cwpan Rygbi'r Byd ym 1999, pan groesodd Diego Albanese yn yr eiliadau olaf i selio buddugoliaeth. Dial ar dîm Agustin Pichot oedd y nod, ac wrth gerdded ar draws y cae, roedd pob un o'r chwaraewyr yn cael ei atgoffa o hynny.

Pawb, hynny yw, ond Simon a'i frawd, Guy. Ro'n nhw, fel dau blentyn wyth mlwydd oed, wedi'u gwahanu oddi wrth y gweddill ac yn crwydro i ben arall y cae. Syllodd y ddau gyda rhywfaint o anghrediniaeth ar y sgwâr criced. Bu'r brodyr yn ail-fyw'r gorffennol – cofio am fatiad Don Bradman (299 heb fod allan yn erbyn De Affrica ddechrau'r tridegau) a Rohan Kanhai o Guiana Brydeinig (cant yn y ddau fatiad yn erbyn carfan Richie Benaud ym 1961). Cerddodd Simon yn araf i un pen o'r llain a bowlio pelen ddychmygol tuag at ei frawd, a hwnnw i'w ganmol am ddefnyddio'i draed yn grefftus a thynnu'r bêl yn ffyrnig i'r ffin. Meddyliwch, dau chwaraewr rhyngwladol adnabyddus yn atgoffa'i gilydd o ddyddiau plentyndod ac yn esgus dynwared eu harwyr!

Yn ôl Simon roedd rhedeg ar yr Adelaide Oval ddiwrnod y gêm yn eiliad i'w thrysori.

Addysgwyd y ddau frawd, sy wedi bod yn wir gaffaeliad i Lanelli, yng Ngholeg Ampleforth, *alma mater* Lawrence Dallaglio, John Bentley a Bob Wilkinson. Yno roedd yna bwyslais aruthrol ar y campau. I Simon, dau dymor oedd mewn blwyddyn – y tymor criced a'r tymor rygbi! Dylanwadwyd ar genedlaethau gan ymdrechion dau hyfforddwr oedd yn fawr eu parch. Cyn-gefnwr yr Harlequins, Lloegr a'r Llewod, John Wilcox, oedd mentor yr Easterbys ifanc ar y cae rygbi, a throellwr llaw chwith Swydd Efrog a Lloegr, Don Wilson, yn frwdfrydig ac yn garismataidd ar y llain griced. Yn y fath awyrgylch, naturiol oedd bod y dychymyg wedi ei danio.

Dilema Simon oedd penderfynu ynglŷn â'i wreiddiau. Treuliodd ei blentyndod yn ardal Harrogate; daeth o fewn trwch blewyn i gynrychioli Ysgolion Uwchradd Lloegr ond teimlai ym mêr ei esgyrn ryw dynfa anesboniadwy tuag at wlad enedigol ei fam, Iwerddon. Cysylltodd Clive Woodward ag ef er mwyn ceisio'i berswadio i wisgo crys â rhosyn coch, ond erbyn hynny roedd y penderfyniad wedi'i wneud. Roedd perfformiadau disglair Llanelli yn Ewrop yn gymorth mawr i'w obeithion ar y llwyfan rhyngwladol ac enillodd ei gap cyntaf mas yn Nulyn ddechrau'r mileniwm.

Beth yw ei gryfder fel chwaraewr? Pam fod cymaint o ganmol arno? Egni dihysbydd, y gallu i lanw unrhyw safle yn y rheng ôl, ymladdwr i'r carn, dawn gynhenid â'r bel yn ei ddwylo a'r brwdfrydedd sy'n gwbl angenrheidiol i chwaraewr ar y lefel ucha. Mae agwedd di-droi-'nôl Steve Redgrave a Lance Armstrong wedi'i ysbrydoli, ac mae ei weld yn amddiffyn ei dir ar ochr sgrym a sgarmes yn esiampl i chwaraewyr ifanc y dyfodol. 'Mae e fel weiren bigog. Does neb yn mynd heibio.' Dyna oedd barn un gohebydd amdano yn ddiweddar. Mae yna waed y *Scarlet Pimpernel* ynddo – does neb yn siŵr ble yn hollol mae e'n debygol o ymddangos nesaf. Mae'r breichiau pwerus, cydnerth yn rhwygo'r bêl mas o'r sgarmes a does dim amheuaeth ei fod ar ei orau yn canfod bylchau yn yr amddiffyn, denu'r taclwyr ac yna rhyddhau'r bêl yn reddfol i gyd-chwaraewr cyn i'r dacl gael ei chwblhau.

Treuliodd gyfnod yn y diffeithwch ar y lefel ryngwladol, fel y gwnaeth David Humphreys ac eraill, gan fod tuedd gan yr hyfforddwr, Eddie O'Sullivan, i ymddiried mewn un criw o chwaraewyr. Profodd Simon ei gymeriad a'i ddycnwch; arhosodd yn amyneddgar ac yn ddi-gŵyn am ei gyfle, ac oddi ar Cwpan Rygbi'r Byd mae ei gyfraniad yn y rheng ôl wedi derbyn y sylw dylcdus.

Ef yw'r enw cyntaf ar wefusau'r dewiswyr mas yn Nulyn ac yn Llanelli. Byddai cynrychioli'r Llewod mas yn Seland Newydd yn 2005 yn goron ar ei yrfa, ond ei ffocws drwy gydol yr amser yw rhoi'i orau i Lanelli. Mae e'n driw i'r Sgarlets ac yn awyddus i gadw cysylltiad clòs â'r clwb ar ôl ymddeol. Mae camu ar y Strade o flaen deuddeg mil yn brofiad y mae e'n ei drysori. Mae gwaed y Sais a'r Gwyddel yn ei wythiennau, ond mae 'na ryw deimlad gen i fod rhan o'i gyfansoddiad, bellach, yn eiddo i Gymru.

49

Garan a Goran

Dau debyg eu natur

'Scott Gibbs yn bygwth yn nwy ar hugain Llanelli; blaenwyr Abertawe yno'n cynorthwyo ond mae'r Sgarlets wedi dwyn y meddiant. Rupert Moon ar yr ochr dywyll i Botica, pàs wyrthiol gan y maswr oddi ar flaen ei fysedd i Garan Evans. Ychydig o le sy gan yr asgellwr, camu tu fewn yna tu fas i Mark Taylor . . . Evans yn dangos 'i ddawn ac yn 'ware 'da'i wrthwynebwyr. Mae e'n ymestyn ei gam fel gwibiwr Olympaidd ac yn hedfan ar hyd yr ystlys. Chwaraewyr Abertawe yn cyrraedd ac yn ceisio'u gorau glas i'w ddal, ond yn rhy hwyr. Garan Evans yn cyrraedd y llinell gais ac yn anelu at y pyst. Mae maes Sain Helen wedi tystio i symudiadau gwefreiddiol yn ystod y ganrif; mae cais Garan Evans y prynhawn 'ma yn cymharu â'r goreuon. Cais unigol bythgofiadwy.'

Mae chwaraewyr yn symud o un clwb i'r llall yn beth digon cyffredin y dyddiau hyn, ond mae ambell un yn mynnu aros yn ei filltir sgwâr. Un o'r rheiny yw Garan Evans sy wedi cefnogi'r Sgarlets ers iddo gamu mas o'i gewin. Byddai croesi Pont Llwchwr a gwisgo crys dieithr wedi bod yn wrthun iddo. Hyd yn oed pan ddaeth cyfle, rai blynyddoedd yn ôl, i ymuno â chlwb arall ar ôl treulio misoedd ar y fainc, penderfynodd (heb fawr o bendroni) mai brwydro am ei le oedd ddoethaf. Mae'r clwb yn golygu rhywbeth i Garan; dyma'r tîm a gefnogodd pan oedd yn blentyn; gwisgo'r crys sgarlad oedd ei uchelgais ac ar yr asgell dde y bydd e tan iddo benderfynu rhoi'r ffidil yn y to.

Ym mis Mehefin 1998 dewiswyd yr asgellwr pengoch o bentre Penmynydd ger Trimsaran yng ngharfan Cymru ar gyfer taith i Dde'r Affrig. Roedd e ar ben ei ddigon pan gyhoeddwyd y tîm i herio De Affrica yn Pretoria ond trodd y llawenydd yn gywilydd pan drechwyd y crysau cochion o 96-13 mewn gêm unochrog. Daeth gyrfa nifer o'r chwaraewyr ar y llwyfan rhyngwladol i ben, ac am bedair blynedd cafodd Garan ei gynnwys yn y rhestr hir o *'one cap wonders'*. I'r garfan a wynebodd gorwynt ar y Loftus Versfeld roedd y profiad yn hunllef llwyr a'r mwyafrif yn anfodlon siarad am y profiad.

Garan Evans a Goran Ivanisevic; mae eu henwau bedydd yn debyg ac, i raddau, eu profiadau. Roedd *cronies* y byd tenis wedi llwyr anghofio am Goran. Brwydrodd yn ddewr gydol y nawdegau i geisio cipio'r prif dlysau, a rhaid cydnabod ei fod o fewn dim i ennill Senglau'r Dynion yn Wimbledon ar sawl achlysur. Roedd e'n dipyn o ffefryn gan ei fod yn gymeriad twymgalon, a rhai yn dweud mai ef oedd â'r serf cyflymaf yn y byd tenis. Y serf, ambell dantrum, penderfyniad, agwedd ddi-droi-'nôl, ergydion greddfol; yn y bôn dyna Goran. Siomwyd y gŵr o wlad Croatia pan sylweddolodd nad oedd lle iddo ym Mhencampwriaeth Wimbledon 2001. Roedd yna resymau pam fod yr awdurdodau wedi'i anwybyddu; anaf hir a phoenus yn golygu nad oedd e wedi chwarae'n gyson a chystadleuol yng nghystadlaethau'r flwyddyn.

Ac yna, ar yr unfed awr ar ddeg, clywodd fod angen un chwaraewr i gwblhau'r rhestr. Cytunodd i lenwi'r bwlch heb noddwr – a heb obaith yn ôl y gwybodusion. Ond penderfynodd brofi ei fod e'n ddigon da i guro rhai o'r enwau cyfarwydd. Yn y gorffennol roedd nifer yn ei ddisgrifio fel Mistar Bron â Bod.

'Yn anffodus ro'n i wastad yn ail. Ro'dd yna barch ac elfen o gydymdeimlad, ond o safbwynt personol doedd yr ail safle jyst ddim yn ddigon da!' dywedodd.

Profodd yn ystod y Bencampwriaeth ei fod yn wir bencampwr. Aeth yn ei flaen yn rhyfeddol i'r Rownd Derfynol a maeddu Pat Rafter o Awstralia mewn pum set. Pan oedd pawb, a dw i'n meddwl *pawb*, yn y byd tenis o'r farn fod gyrfa Goran ar ben fe brofodd ei fod yn ymladdwr i'r carn a bod safon ei chwarae, fel gwin da, yn gwella gydag amser. Doedd Boris Becker ddim yn ddetholyn pan gipiodd e'r tlws am y tro cyntaf yn ddwy ar bymtheg oed. Ond enillodd Goran ar ôl clywed yn wreiddiol nad oedd croeso iddo gystadlu! Beth oedd yn gyfrifol am ei lwyddiant? Yn syml, y ddawn a'r gallu, ond yn bwysicach na dim arall, penderfyniad, *guts,* a'r ffaith nad oedd e'n bwriadu 'towlu'r sbwnj mewn'! Ac mae hyn yn ein harwain yn ôl at Garan.

Bu'r tymhorau yn dilyn y grasfa yn Ne Affrica yn rhai anodd. Treuliwyd peth amser yn ceisio ymgodymu ag anafiadau. Ar ôl gwella, sylweddolodd fod yna chwaraewyr eraill yn y garfan yr un mor benderfynol o hawlio'u lle ar yr asgell. Byddai rhai wedi ffarwelio ond doedd cwyno, pwdu a derbyn y drefn ddim yn rhan o gyfansoddiad y Cymro diymhongar o Drimsaran. Penderfynodd adennill ei le yn nhîm Llanelli a phenderfynodd y byddai'n cynrychiol'i wlad eto er mwyn anghofio'n llwyr am gyflafan Pretoria.

Yn ystod y tymhorau diwethaf mae Garan Evans wedi disgleirio fel asgellwr a chefnwr i Lanelli. Mae e, erbyn hyn, yn un o'r enwau cyntaf sy'n cael eu cynnwys pan fydd yr hyfforddwyr yn dewis y tîm. Mae e'n ffwtbolyr naturiol, yn rhedwr peryglus, yn saff yn y dacl, yn giciwr cywrain ac yn meddu ar weledigaeth sy'n rhinwedd brin yn y gêm fodern.

Yn ystod tymor 2002/2003 gwobrwywyd Garan am ei berfformiadau graenus. Aeth ar daith gyda Chymru i Hemisffer y De ac yn ystod gêmau'r haf enillodd ei ail gap mas yn Nulyn a choroni perfformiad unigol cofiadwy â chais. Beth oedd yn gyfrifol am ei lwyddiant – yn syml (gan fenthyca'r frawddeg a ddefnyddiais i ddisgrifio Goran), y ddawn a'r gallu, ond yn bwysicach na dim arall, penderfyniad, *guts,* a'r ffaith nad oedd e'n bwriadu 'towlu'r sbwnj mewn'!

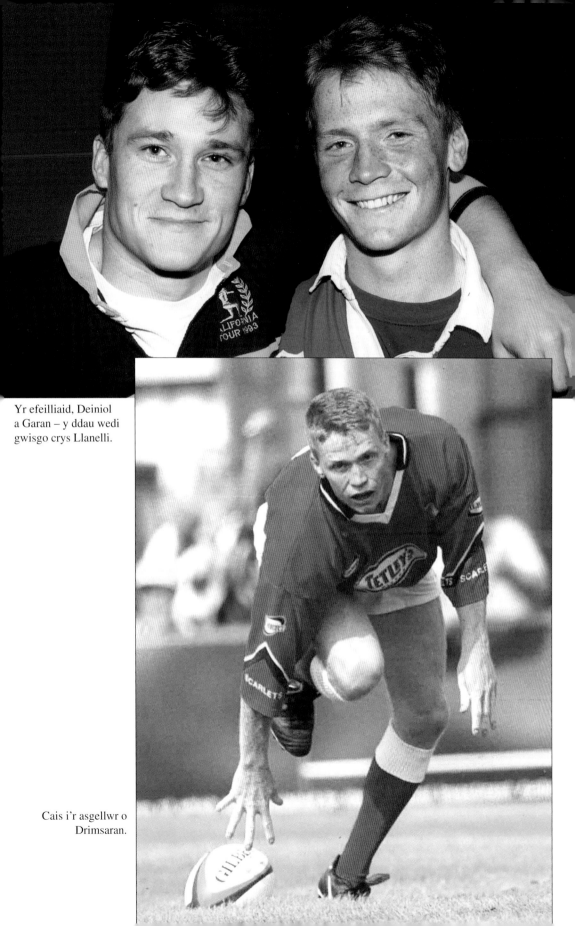

Yr efeilliaid, Deiniol
a Garan – y ddau wedi
gwisgo crys Llanelli.

Cais i'r asgellwr o
Drimsaran.

50

Northampton

Torri'r tabŵ

Am flwyddyn neu ddwy ar ddechrau'r mileniwm roedd un gair yn tabŵ yn Llanelli, a'r gair hwnnw – Northampton! Roedd Sgarlets Llanelli a Seintiau Northampton wedi cystadlu'n frwd am flynyddoedd lawer, a'r selogion ar y Strade a Franklins Gardens wedi dwyn i gof sawl brwydr bwysig ac wedi ail-redeg symudiadau cyffrous o'r gorffennol yn eu sgyrsiau yn nhafarndai a chlybiau'r trefi diwydiannol. Roedd rhai o sêr tîm Lloegr wedi gwisgo'r crys gwyrdd, du a melyn droeon ar ymweliad â Pharc y Strade: Jeff Butterfield yn y pumdegau yn ganolwr cryf, yn glou ac yn berchen ar y *side-step* perta a welwyd gan Sais. Ac o'r un cyfnod, y prop Ron Jacobs oedd fel talcen tŷ, a'r mewnwr, Dickie Jeeps, a aeth ar dair taith gyda'r Llewod. Yn ddiweddarach, daeth dau Lew o'r chwedegau i'r amlwg: Bob Taylor yn y rheng ôl a Keith Savage ar yr asgell. Heb unrhyw amheuaeth roedd yna bedigri i dîm Northampton a'r ddawn i feithrin a datblygu chwaraewyr.

Ond daeth y cyfeillgarwch a'r harmoni a'r cymdeithasu clòs i ben ddiwedd Ebrill 2000 yn rownd gyn-derfynol Cwpan Heineken yn Stadiwm Madejski yn Reading – rhai yn beio'r reffarî am benderfyniad annheg yn yr eiliade ola; eraill yn pwyntio bys at yr hyfforddwr am ei dactegau ar y diwrnod, ac ambell un yn dal i ddihuno ganol nos yn llawn chwys ac yn ail-fyw'r ddrama (neu o bosib, yr hunlle!) – y bêl yn saethu fel bwled o droed dde Paul Grayson ac yn esgyn yn nhawelwch y stadiwm i gyfeiriad y pyst. O bellter o ryw hanner can metr fe gliriodd y bêl y bar ac eiliade'n ddiweddarach roedd un criw o gefnogwyr yn dathlu a chriw arall yn gwbwl fud.

Crafu buddugoliaeth wnaeth y tîm o ganolbarth Lloegr o 31 i 28 ac fe aethon nhw yn ei bla'n i gipio'r Cwpan yn erbyn Munster yn Twickenham. Petai'r sgôr wedi diweddu'n gyfartal (28-28) fe fyddai Llanelli wedi ennill o ganlyniad i gyfanswm ceisiau. Roedd 'na gonfoi o gerbydau araf a digalon yn anelu at bontydd Hafren a Llwchwr ar hyd yr M4 y noson honno gan fod y tîm wedi dod mor agos at gael buddugoliaeth haeddiannol, ac wedi boddi yn ymyl y lan.

Bedwar tymor yn ddiweddarach daeth cyfle i dalu'r pwyth yn ôl gan fod y ddau dîm wedi dod mas o'r het yng Ngrŵp 5 Cwpan Heineken 2003/2004. Y Sgarlets a'th â hi ar y Strade ond o ganlyniad i berfformiad gwych y Seintiau mas yn Agen mewn gêm a chwaraewyd mewn chwe modfedd o driog ar gae oedd yr un mor *sticky* pan chwaraeodd tîm Vernon Cooper yno wythnos yn gynharach – fe ddatblygodd sefyllfa ddiddorol. Disgrifiwyd yr ornest yn y wasg fel *Gun Fight at the OK Corral,* a roedd hynny, i radde, yn berffeth gywir oherwydd y tîm a gipiai fuddugoliaeth ar Franklins Gardens ar ddiwrnod cyntaf mis Chwefror 2004 fyddai'n camu 'mlaen i Rownd yr Wyth Olaf.

Gwerthwyd pob tocyn o fewn diwrnodau a siom fawr i gefnogwyr y Sgarlets oedd deall mai ond rhyw saith cant fydde ar gael i'r cefnogwyr o Gymru. Roedd y gêm wedi denu sylw'r wasg a'r cyfrynge – pob hewl yn arwain i gyffordd 45 ar yr M1 a bwrw draw i dre a gysylltid am flynyddoedd â busnesau a gweithdai lle'r enillai pobl eu bywoliaeth yn cynhyrchu sgidie. Doedd dim rhyfedd fod Grayson wedi llwyddo â'r gic ryfeddol yna! Fel arfer y dyddiau yma, mae papure torfol Llundain yn anwybyddu digwyddiade yng Nghymru; d'yn ni ddim yn bodoli, ond y tro hwn roedd yna wir apêl. Roedd hi'n ornest ryngwladol, i bob pwrpas, a'r gohebwyr amlyca'n ffafrio Northampton gan eu bod wedi ennill y gystadleuaeth yn y gorffennol ac yn barnu eu bod nhw'n well tîm. Hefyd, gan fod Lloegr yn Bencampwyr Byd, roedd yna hyder aruthrol yn y genedl, gyda'r cefnogwyr a'r wasg Seisnig yn gwbl ffyddiog mai tîm John Leslie fyddai'n mynd â hi. Wedi'r cwbwl, roedd Northampton yn 'whare gartre'! Yn ôl un gohebydd a ddylai wybod yn well, roedd y Seintiau'n cystadlu'n wythnosol mewn *Rolls Royce* o gynghrair tra fod Llanelli yn rhan o gystadleuaeth *Robin Reliant*! *'No contest',* i ddyfynnu gohebydd y *Sunday Telegraph.*

Rhaid atgoffa'r darllenydd fod yna un erthygl gan Stuart Barnes, yn ei golofn wythnosol yn y *Daily Telegraph,* wedi cythruddo hyfforddwr Llanelli, Gareth Jenkins. Mae Stuart yn ohebydd ac yn ddarlledydd craff a doeth sy'n dadansoddi'n fanwl ac yn dweud ei farn yn ddi-duedd ac o'r galon. Wrth edrych ymlaen at y frwydr, cyfeiriodd y cyn-faswr – a chwaraeodd dros Gymru (dan 18) cyn chwarae yng nghrys Lloegr – fod Llanelli wedi colli cyfle ddwywaith mewn gêmau cyn-derfynol yng Nghwpan Heineken. A fyddai tactegau'r hyfforddwr yn annigonol unwaith eto yn *Franklins Gardens,* neu oedd yna allu yng nghyfansoddiad Mr Llanelli i dawelu deuddeg mil a mwy o gefnogwyr swnllyd ac unochrog?

Ro'n i yno ar ran BBC Radio Cymru i sylwebu ar y chwarae ac yn dyst i'r holl ddigwyddiadau cyn, yn ystod, ac wedi'r chwib ola. Mae'r cae yn Northampton, heb unrhyw amheuaeth, yn un o gaeau clwb gorau Prydain. Mae llwyddiannau'r tymhorau diwethaf wedi esgor ar ailadeiladu ac ailwampio a rhaid cyfaddef bod y stadiwm newydd yn un y gall y tîm ymfalchïo ynddi – y cyfleusterau'n foethus a'r marchnata'n slic. Roedd pob dim o'n cwmpas yn broffesiynol; nod y clwb oedd creu tîm llwyddiannus ar y cae ac oddi ar y cae er mwyn plesio'r cefnogwyr.

Wrth gerdded i gasglu'n tocynnau roedd ffans Northampton yr un mor fywiog a swnllyd a hyderus a chefnogol â ffans y Sgarlets ar y Strade – cerddoriaeth yn blerian yn y cefndir, crysau a chapiau a sgarffiau yn cael eu prynu yn y siop, *queues* yn ffurfio y tu fas i'r stondinau *burgers*. Ac yn uchel uwchben un eisteddle roedd y cwmnïau pwysig wrthi'n darparu ar gyfer eu cwsmeriaid – pryd o fwyd blasus, a rhyw hen chwaraewr rhyngwladol yn siarad am chwarter awr cyn pocedu siec o fil o bunnoedd. Roedd selogion

Northampton yr un mor sicr o'u pethe â gohebyddion y papurau – Northampton i ennill, a hynny o hewl.

Ac yna fe ddigwyddodd rhywbeth rhyfedd – dw i erioed wedi profi'r fath beth o'r blaen. Tra o'n i'n gosod yr offer radio at ei gilydd, ryw awr a chwarter cyn y gic gynta, fe gyrhaeddodd tîm Llanelli. Ychydig o bobol oedd mewn yn y cae. Roedd y mwyafrif ar y *concourse* y tu fas yn bwyta, yn clebran ac yn cymryd mantais o'r holl gyfleusterau a gweithgareddau. Cerddodd y garfan a'r tîm rheoli ar hyd y tarmac ar ochor y cae am ryw ganllath i gyfeiriad yr ystafelloedd newid. Doedd neb yn siarad, pob un yn edrych i'r un cyfeiriad ac yn gwbwl *focused.* Edrychodd neb o gwmpas, ro'n nhw fel byddin ar eu ffordd i ymladd brwydr. Pan weles i nhw, fe sylweddoles i ar unwaith eu bod nhw'n mynd i ennill. Roedd Northampton wedi colli'r gêm cyn i'r timau ddod mas i'r cae.

Ac roedd yn brynhawn bythgofiadwy i'r Sgarlets – buddugoliaeth yn erbyn un o dimau gorau Lloegr, a hynny'n gwbl haeddiannol. Roedd hi'n ornest gyffrous a chystadleuol a heblaw am gyfnod o ddeg muned ar ddiwedd yr hanner cynta, rheolwyd y chwarae gan y gwŷr o'r gorllewin (a'r canolbarth a'r gogledd – ac, a bod yn onest, gweddill Cymru).

Cais y tymor? Cais y degawd?
Camp fythgofiadwy Barry Davies yn erbyn Northapton.

170

Roedd yna bymtheg arwr ar y cae wedi'u paratoi'n dda ar gyfer gêm bwysica'r tymor. Roedd y cais cynta'n un pert; pawb yn cyfrannu, y bêl yn cael ei lledu'n grefftus gan Quinnell a McBryde, a Dafydd Jones yn y man iawn i fanteisio.

Ac yna'r ail gais – cais fydd yn destun sgwrs yn y Railway a'r Ceffyl Gwyn a'r Farriers a channoedd o dafarndai eraill am ddegawdau. Cic Paul Grayson yn un fach glyfar; cic dros yr amddiffyn, a naw gwaith allan o ddeg byddai wedi creu cais i Northampton. Ond cefnwr Llanelli, Barry Davies, yn deifio'n ddewr fel rhyw Greg Louganis ar y bêl rydd, yn codi'n athletaidd mewn un symudiad tra bo pawb arall yng nghanol y llacs, a gwibio fel llycheden am y pyst! Anghredadwy! Anhygoel! Ffantastig!

O ran pwyntiau, doedd yna ddim llawer i wahanu'r ddau dîm pan chwythodd Donal Courtney y chwib ola, ond roedd pawb oedd yno'n gwbod pa dîm oedd yn haeddu'r fuddugoliaeth. A ro'n i, a charfan Llanelli i gyd, yn gwbod hynny 'mhell, bell cyn y diwedd!

Ond, a bod yn deg â chefnogwyr a chwaraewyr Northampton, fe arhoson nhw tan y diwedd a chydnabod camp y bois o'r Strade. A'r noson honno fe brofon ni gymeriad Ben Cohen wrth i asgellwr Seintiau Northampton gerdded draw i gymeradwyo'r saith cant o gefnogwyr y Sgarlets a dweud, 'Roeddech chi'n drech na ni ar y diwrnod'.

51

Perpignan

Roedd Lisa'n gwenu

Dychmygwch yr olygfa. Cwpan Heineken Ewrop 2001/02. Tŷ bwyta Casa Sansa yng nghanol tref Perpignan. *Soupe à l'oignon, Coquilles St Jacques, Tarte aux myrtilles* a photelaid o win gwyn *Chateau Margaux* i'w golchi lawr – pryd bwyd chwaethus i wyth o ohebwyr newynog oedd newydd gyrraedd ar ôl taith flinedig o faes awyr Stansted. Ac yna, drwy gil y llygad, fe welais ŵr oedd yn lled-gyfarwydd, cwlffyn cyhyrog yn mwynhau'i fwyd ac yn amlwg yn dishgwl fel un o'r criw oedd yn ennill ei fara menyn fel aelod o dîm rygbi'r dref. Wrth fynd drwy restr blaenwyr Perpignan fesul un fe ddes i'r casgliad mai Rimas Alvarez Kairelis o ddinas Buenos Aires oedd hwn – ar noswyl yr ornest fawr, yn ymlacio yng nghwmni merch ifanc sionc a phrydferth.

Anghofiais am y peth, wedyn, cyn i hen ffrind ymddangos. Roedd y dyfarnwr John Thomas o Bont-iets ('John y Spy' i'r mwyafrif o'i gyfeillion oherwydd ei gysylltiad clòs â gwledydd y tu ôl i'r Llen Haearn), a'i ffrindiau wedi teithio i Gatalonia i gefnogi Llanelli. Ar ôl iddo setlo yn y cornel gyferbyn, es i draw i'w gyfarch a dyma beth oedd dechrau'r sgwrs:

'Ti'n gwbod pwy sy draw fynna?'

'Ydw,' atebais. 'Wythwr Perpignan ac Ariannin, Rimas Alvarez Kairelis.'

'Ie, ie,' medde John, 'ond ti'n gwbod pwy sy 'da fe?'

'Na, dim syniad,' oedd y sylw gonest. Roedd yr holl beth yn datblygu'n bennod o'r rhaglen *Question of Sport*.

'Lisa, 'achan! Lisa o Felinfoel; Cymraes o'i chorun i'w sawdl. Mae'r ddau'n caru.'

D'yn ni, bobol Brynaman, ddim yn swil. Os oes 'na rywbeth i'w ddweud, r'yn ni'n 'i ddweud e; d'yn ni ddim yn pilo wye, ys dywed y Sais. A dyna'r rheswm yr es i at fwrdd Rimas a Lisa a chyflwyno fy hun; gair bach croesawgar yn Sbaeneg yn gyntaf, *Buenas noches* (ro'dd hi ar ôl naw o'r gloch!) ac yna holi Lisa er mwyn cael gwybod rhyw ychydig o hanes y teulu, ei chefndir a shwd y datblygodd y berthynas. Mae'n debyg iddynt gyfarfod yng Nghaerdydd adeg un o ymweliadau Ariannin â Chymru, a'r ddau wedi cwympo mewn cariad. Dywedodd Lisa y byddai 'na deimladau go ryfedd ar y chwib olaf – cefnogwraig yn gwisgo crys Sgarlad, yn chwifio baner Gatalanaidd – ac yn gwenu beth bynnag fo'r canlyniad!

Aflwyddiannus fu ymdrechion Llanelli mas ar y Stade Aimé Giral ar ddau achlysur yn y gorffennol, ond mae'r awyrgylch yr un peth bob tro. Mae'r croeso yn y dref yn gynnes a thwymgalon ond rhaid pwysleisio fod y cyfnewid baneri, yr ysgwyd llaw a'r geiriau o gyfarch, yn mynd yn angof llwyr pan fydd y ddau dîm yn ymddangos ar y maes. O'r gic gyntaf tan y chwib olaf prin yw'r cymdeithasu ac, a bod yn onest, mae'r sefyllfa yn yr eisteddleoedd crand yn gallu bod yn fygythiol ac mor afreolus a therfysglyd â'r *Khyber Pass* rhwng India a Phakistan. Ryw awr cyn dechrau'r gêm mae *Band Catalan* yn taro nodyn amhersain, ac mae'n parhau felly yn ddi-baid am bron i ddwy awr. Mae'r stadiwm *state-of-the-art* yn llawn dop (lle i tua 20,000) a'r dorf mor gefnogol, ac mor unllygeidiog, â'r Tanner Bank ar y Strade.

Rimas yng nghrys Perpignan yn erbyn Toulouse.

Mae 'na un peth sy'n gyffredin i'r caeau canlynol: Stade Aimé Giral, Donnybrook, Welford Road, Parc y Strade, Thomond Park a Stade Ernest Wallon. Mae cipio buddugoliaethau yno yn anodd dros ben, os nad yn amhosib. Felly, flwyddyn yn ddiweddarach, yn Rownd Wyth Olaf Cwpan Heineken Ewrop 2002/03, yn erbyn Perpignan ar Barc y Strade, roedd yn rhesymol i gredu mai'r Sgarlets oedd y ffefrynnau. Y noson honno ar y Strade, diolch i ymroddiad llwyr y gwŷr o Gatalan, daeth gobeithion y Sgarlets i ben – er rhaid cofio fod chwarae â dim ond pedwar dyn ar ddeg ar ôl rhyw ugain munud, o ganlyniad i gosb am ddiffyg disgyblaeth, ddim wedi helpu'r achos.

Bu'n rhaid i chwaraewyr, hyfforddwyr a chefnogwyr Llanelli adael y *champagne* yn y rhewgell y noson honno a dibynnu'n llwyr ar y Felinfoel am rywfaint o gysur. Ond roedd un ferch o Felinfoel yn dathlu, a phwy allai ei beio? Lisa, a fu'n driw i'r Sosban ar hyd ei hoes, yn ddigon bodlon ei byd gan fod ei gŵr, erbyn hyn, Rimas Alvarez Kairelis, yn aelod o'r tîm buddugol. Fe fyddai'n grêt ei weld e mewn crys sgarlad!

52

Biarritz

Y glitz yn llorio'r Sosban

Biarritz aeth â hi . . . ie, 'o hewl', fel ma' nhw'n dweud yn Llanelli. Mae'r Basgiaid yn enwog am eu gallu i synnu; y coginio *cordon bleu* – ma' 'da nhw'r cyfansoddiad i ddiodde *peppers* tanllyd yn eu cegau; y gallu i chwarae *pelota* (gêm gyflyma'r holl fyd); y dewrder i redeg yn gwbl eofn o flaen teirw, a'r doniau cynhenid sy'n eu galluogi i ddawnsio'n gyfforddus ac yn greadigol ar wydrau. Ond doedd neb i'r gorllewin o Glawdd Offa yn dychmygu y byddai Biarritz Olympique yn synnu'r byd rygbi drwy gipio buddugoliaeth yn Rownd Wyth Olaf Cwpan Heineken 2003/04 (ac ar Barc y Strade o bobman) a hynny heb dorri rhyw lawer o chwys!

Roedd campws y Strade dan ei sang, môr o goch ym mhobman gan mai coch a gwyn yw lliwiau Biarritz Olympique, hefyd, ac roedd rhyw gyffro arbennig yn yr awyr. Roedd eu band pres anffurfiol yn cynnal cyngerdd ffwrdd-â-hi *al fresco* tra bo'r grŵp gwerin *Jac y Do* yn creu adloniant cyn-gêm yn y babell fawr. Braf oedd gweld y tynnu coes a'r cymdeithasu, rhywbeth sy'n gwbl unigryw i'r bêl hirgron. Ro'n i'n cael yr argraff fod cefnogwyr y Sgarlets yn eitha hyderus ac yn teimlo, efallai, bod y profiad o golli yn yr union gymal flwyddyn gwmws yn gynt yn debygol o'u gwneud yn fwy penderfynol.

Penderfynodd yr ymwelwyr chwarae yn eu crysau Basgaidd (coch, gwyrdd a gwyn) a gadael i'r Sgarlets wisgo'u sgarlad arferol. Roedd y penderfyniad, mae'n amlwg, yn un gwleidyddol; y noson hon roedd y tîm yn cynrychioli Gwlad y Basg ac yn ymfalchïo yn eu cefndir a'u treftadaeth. Yn ystod y munudau agoriadol roedd yn amlwg fod pwysigrwydd yr ornest yn gwasgu ar y ddau dîm, a'r naill mor nerfus â'r llall. Ond yn raddol dechreuodd Biarritz ennill y meddiant ac, yn rhyfeddol ar gaer y Strade, crëwyd ansicrwydd yn rhengoedd y criw cartref. Parhau wnaeth yr anhrefn yn chwarae'r Cymry; Biarritz yn gryfach, yn glyfrach ac yn gyflymach. Erbyn yr egwyl roedd y dorf o ddeuddeg mil yn dawedog, a rhai yn dechrau sylweddoli mai boddi yn ymyl y lan fyddai tynged y Sgarlets y tymor hwn eto.

Daeth cadarnhad i hynny'n fuan iawn. Bu cais Nicolas Brusque ar ddechrau'r hanner, pan oedd Serge Betsen yn y gell callio, yn glatsien galed, a'r tawelwch o gwmpas y maes yn profi fod y cefnogwyr cartref yn anfodlon â'r perfformiad ac yn teimlo'r peth i'r byw. Ysbrydolwyd Llanelli am gyfnod gan bresenoldeb yr eilydd, Leigh Davies, ond ymateb i'r bygythiad wnaeth tîm Thomas Lievremont drwy groesi am ddau gais yn y munudau olaf. Diflannodd y dorf dan gwmwl o anghrediniaeth, a doedd dim llawer o ddim yn 'berwi ar y tân' y noson honno.

Wedi'r stwffad (maddeuwch y term, ond dyna'r union air i ddisgrifio natur y grasfa) rhaid dadansoddi, dehongli a dyfalu. Mae'r campau yn greulon; mae tangyflawni mewn gêm gynghrair yn siom ond yn dderbyniol i'r mwyafrif o'r ffans selog. Mae cyfle y Sadwrn canlynol i adennill parch a phwyntiau. Ond mae tangyflawni mewn gêm gwpan gwbl allweddol yn arwain at bwyntio bys, datganiadau bygythiol a chyhuddiadau personol sy'n clwyfo i'r byw.

Bythefnos cyn yr ornest roedd cefnogwyr y Sgarlets a chefnogwyr y gêm yn Ewrop gyfan yn cydymdeimlo'n fawr â Gareth Jenkins yn sgil penderfyniad y *Famous Five* i wrthod ei gais am swydd hyfforddwr y tîm cenedlaethol. Yn dilyn y golled yn erbyn Biarritz, roedd rhai yn cwestiynu ei allu ar y lefel uchaf un – ai 'bron â bod' fyddai'r disgrifiad oesol ohono? Os ydy wythnos yn amser hir ym myd gwleidyddiaeth, yna mae awr ac ugain muned yn gyfnod tyngedfennol ym myd y campau!

Mae'n amlwg fod Llanelli a'r Sgarlets wedi cynrychioli Cymru ag anrhydedd yn ystod y tymhorau diwethaf ond d'yn nhw ddim wedi ennill dim! Ydi Tim Henman yn ymfalchïo yn y ffaith ei fod yn gyson yn cyrraedd Rownd yr Wyth Olaf ac ambell rownd gyn-derfynol yn Wimbledon? Nac ydi yw'r ateb; mae e'n benwan, yn winad, ac yn wallgo ei fod e'n cael ei labelu'n fethiant!

Rhaid i'r Bwrdd Rheoli ar y Strade geisio ateb un cwestiwn llosg. Yn y saithdegau roedd timau yng Nghymru yn mesur llwyddiant drwy gipio'r Cwpan Schweppes yng Nghaerdydd ddechrau Mai ac am gyfnod hir o flynyddoedd y Sgarlets oedd y meistri ac yn cael eu cydnabod fel y tîm gorau yng Nghymru. Ro'n nhw'n gyson drech na'u gwrthwynebwyr o Loegr. Bellach, y Cwpan Heineken yw'r ffon fesur ac os ydi Llanelli am goncro Ewrop rhaid cyflwyno a gweithredu penderfyniadau pellgyrhaeddol. Y Sgarlets oedd rhanbarth gorau Cymru a dyna, yn y bôn, yw tristwch y sefyllfa. Ydy'r tîm am fodloni â buddugoliaethau cyson yn erbyn y gwannaf? Neu ydy'r garfan am gystadlu a maeddu Biarritz Olympique, Stade Toulousain, Caerlŷr, Leinster a Munster? Cafwyd gwers gan XV Biarritz. All y clwb ddysgu o'r grasfa? Tybed.

Cefnwr dylanwadol Biarritz, Nicolas Brusque, a fu'n ddraenen yn ystlys y Sgarlets.

53
Ystadegau

Clwb Rygbi Llanelli

TYMOR 1875/76 – TYMOR 2002/03

PWYNTIAU MEWN TYMOR
Gary Pearce   420   1985/86

CEISIAU MEWN TYMOR
Carwyn Davies   45   1987/88

PWYNTIAU MEWN GYRFA
Andy Hill   2,577   1967–1979

CEISIAU MEWN GYRFA
Andy Hill   312   1967–1979

PWYNTIAU MEWN GÊM
Colin Stephens   39   v. Casnewydd 19/9/92

CEISIAU MEWN GÊM
6   Alby Davies   v. Penfro 1/3/1902
6   Ieuan Evans   v. Merthyr 15/11/86
6   Ieuan Evans   v. Maesteg 24/10/92

YMDDANGOSIADAU
Phil May   552
Ivor Jones   552
Laurance Delaney   501

MAE YNA 21 WEDI SGORIO DROS GANT O GEISIAU I LANELLI.
DYMA'R TRI SYDD AR FRIG Y RHESTR:
Andy Hill   312   Ray Williams   213
Ieuan Evans   193

Y FUDDUGOLIAETH FWYAF:
106-0 v. Heddlu De Cymru 12/3/1986
100-0 v. Ynys-y-bŵl 13/2/1999

Y GOLLED WAETHAF:
3-81 v. Seland Newydd 8/11/1997

YN YSTOD Y CYFNOD 1/1/1875 TAN DDIWEDD TYMOR 2002/03:
Chwaraewyd   4,727   Enillwyd   3,022
Collwyd   1,342   Gohiriwyd   5
Cyfartal   358
Cyfartaledd llwyddiant   63.93%

54
Do, fe chwaraeodd y rhain i Lanelli

AB (Arthur) Edwards (Cymry Llundain a Chymru). Dau gap i Gymru yn nhymor 1954/55. Chwaraeodd nifer o gêmau i Lanelli yn ystod tymor 1948/49 tra oedd yn fyfyriwr yng ngholeg Prifysgol Aberystwyth. Mae'n debyg fod ei dad-cu yn hanu o Lwynhendy ac yn awyddus iddo gynrychioli, yn ei dyb ef, 'clwb gorau Cymru'. Roedd ei gap cyntaf dros Gymru yng Nghaerdydd yn erbyn Lloegr ar yr 22ain o Ionawr, 1955. Bu'n rhaid gohirio'r ornest am wythnos o ganlyniad i eira trwm yn Ne Cymru. Yn ystod y sesiwn ymarfer ar gae y Crwydriaid yn Nhrelái ar y bore Gwener, anafwyd y cefnwr profiadol o Gasnewydd, Garfield Owen. Yn y cyfnod hwnnw doedd dim eilyddion wrth gefn, a bu'n rhaid cysylltu ag Arthur Edwards ar fyrder. Roedd cyflwr y cae yn ddifrifol wael ond, yn y llacs, llwyddodd AB Edwards â chic gosb gymharol syml ar ôl deng munud o chwarae – unig sgôr y gêm. Hon oedd gêm olaf Bleddyn Williams ar y llwyfan rhyngwladol.

Gerald Davies (Caerdydd, Cymry Llundain, Cymru a'r Llewod). Hanai o bentref Llansaint ger Cydweli. Chwaraeodd Gerald i Lanelli yn ystod ei flwyddyn olaf yn Ysgol Ramadeg y Frenhines Elisabeth, Caerfyrddin. Gofynnwyd iddo chwarae ar yr asgell i'r Sgarlets yn erbyn y Crysau Duon ym 1963. Gwrthododd y gwahoddiad am ddau reswm: yn gyntaf, yn y cyfnod hwnnw ystyriai Gerald ei hun yn ganolwr, ac yn ail, teimlai mai'r asgellwyr arferol ddylai gynrychioli'r clwb yn erbyn y tîm teithiol. Yn ystod y chwedegau cynnar, roedd y clwb yn weinyddol yn anhrefnus – roedd yna ansicrwydd ynglŷn â chyfansoddiad y tîm tan y funud olaf; wynebau anghyfarwydd yn cyfarfod am y tro cyntaf yn yr ystafell newid a'r canlyniadau a'r perfformiadau yn amrywio'n fawr. Pan gollon nhw'r ornest yn erbyn Harlequins yn Twickenham o hanner can pwynt, penderfynodd Gerald ymuno â Chaerdydd. Tristwch y sefyllfa uchod oedd fod un o chwaraewyr mwya dawnus y byd rygbi oedd wedi'i eni a'i fagu o fewn wyth milltir i Lanelli – ac wedi cefnogi'r clwb yn gyson ar y teras yn ystod ei blentyndod – wedi ffarwelio â'i filltir sgwâr.

Ian Hurst (Seland Newydd). Yn nhymor 1974/75 bu'n rhaid i'r Sgarlets chwarae dwy gêm ar yr un prynhawn! Gwrthododd Casnewydd ryddhau tîm Phil Bennett o'i hoblygiadau cytundebol, a'r un pryd, mynnodd Undeb Rygbi Cymru fod y clwb yn chwarae Gêm Gwpan yn erbyn yr Aman. Penderfynodd Carwyn ddewis ei dîm cryfa i 'ware yn y Garnant yn erbyn un o'i gyn-glybiau, ond trwy gymorth clybiau cyfagos ac unigolion, cafwyd carfan reit gref i deithio i Rodney Parade, hefyd, gan gynnwys canolwr dawnus Seland Newydd, Ian Hurst, a blaenasgellwr o Ganada, Gordon Fownes. Roedd Hurst wedi chwarae i'r Crysau Duon ar y Strade yng ngêm anfarwol 1972, a gan ei fod yn ffrind agos i Carwyn, cytunodd i gynorthwyo'r Sgarlets. Dw i'n siŵr fod y crys yn dal yn ei feddiant!

Gareth Griffiths (Caerdydd, Cymru a'r Llewod). Yn ei lyfr ardderchog *The Gwilliam Seasons* mae'r awdur, David Parry Jones, yn gosod Gareth Griffiths yn yr un categori â Lewis Jones, Bleddyn Williams, Cliff Morgan a Ken Jones – chwaraewyr oedd â'r gallu i newid cwrs a chyfeiriad gêm mewn amrantiad. Gareth a Bleddyn Williams oedd canolwyr Cymru yn y fuddugoliaeth hanesyddol yn erbyn y Crysau Duon ym 1953 (y tro diwethaf i Gymru ennill) – datgymalodd bont ei ysgwydd a hanner awr yn weddill ond ar ôl derbyn triniaeth hir a phoenus ar yr ystlys dychwelodd yn ddewr i loetran ar yr asgell am weddill y gêm. Hedfanodd mas i Dde Affria fel eilydd ym 1955 a chynrychioli'r Llewod mewn tair gêm brawf. Ac yn nhymor 1960/61 ymunodd â'r Sgarlets ar ôl gwisgo'r crys deirgwaith yn ystod y tymor blaenorol.

Cliff Morgan (Caerdydd, Bective Rangers, Cymru a'r Llewod) Do, fe chwaraeodd Cliff i Lanelli ar un achlysur, ac roedd y clwb yn hynod ddyledus iddo. Ffarweliodd yn swyddogol â'r gêm ar y llwyfan uchaf ar Ellis Park yn ninas Johannesburg ym mis Mai 1958 yng nghrys y Barbariaid. Tîm cymysg o dalaith y Transvaal oedd y gwrthwynebwyr a chyfrannodd Cliff â chic adlam. Yn ystod ei holl gyfnod fel maswr dros Gaerdydd a Chymru (ac mae hyn yn ffaith ryfeddol) ni lwyddodd â chic o'r fath! Ddeufis yn gynharach, roedd y maswr ar ei ffordd i Lundain i gyflwyno Cyngerdd Gŵyl Ddewi o lwyfan Neuadd Albert. Pan gamodd Cliff ar y trên yng Nghaerdydd derbyniodd groeso cynnes gan XV Llanelli, neu'n hytrach, XIV Llanelli! Ro'n nhw ar eu ffordd i wynebu'r Wasps yn Sudbury. Yn sgil ei ddyletswyddau dysgu fore Sadwrn yng Ngholeg Llanymddyfri roedd Carwyn James wedi colli'r trên. Gwahoddwyd Cliff i wisgo'r crys rhif 6 ac, er iddo boeni ychydig am ymateb trefnyddion yr Ŵyl cytunodd, a hynny cyn i'r cerbydau *Pullman* gyrraedd Casnewydd! Aeth y rihyrsal yn ei blaen yn absenoldeb yr arweinydd. Colli oedd yr hanes o 11 i 9, er i seren taith y Llewod i Dde Affrica ym 1955 gael gêm dda. Yn ôl Cliff, cyflwynwyd crys iddo yn yr ystafell newid a swm anrhydeddus o £2. Oedd derbyn yr arian wedi'i 'neud e'n chwaraewr proffesiynol? Nid yn ôl Cliff gan i'r bil tacsis 'nôl a 'mlan i Neuadd Albert gostio 'mhell dros £5!

Gareth Evans (Cross Keys, Casnewydd, Caerdydd, Cymru a'r Llewod). Cytunodd Cross Keys i ryddhau Gareth ar gyfer yr ail ornest honno ar yr un diwrnod yn erbyn Casnewydd. Chwaraeodd yn y canol yn gymar i Ian Hurst ac er i'r Sgarlets golli o 23 i 4 roedd hi'n dipyn o gamp i'r clwb gyflawni dwy gêm ar yr un prynhawn. Yn y gêm arall ar Barc yr Aman chwalwyd y tîm lleol 51-0. Datblygodd Gareth yn ganolwr dibynadwy yng ngharfan Casnewydd, enillodd dri chap i Gymru a chynrychioli'r Llewod mewn tair gêm brawf yn Seland Newydd ym 1977.

Brian Price (Casnewydd, Cymru a'r Llewod). Mae'n wir dweud fod Brian Price i Gasnewydd beth oedd Ray, Delme a Phil i Lanelli. Yn sicr gwaed *black and amber* oedd yn llifo drwy wythiennau un o'r chwaraewyr ail reng gorau i chwarae i Gymru. Os oedd e mor gefnogol i Gasnewydd, yna shwd ar y ddaear y daeth e i wisgo crys sgarlad Llanelli? Y dewiswyr cenedlaethol oedd yn gyfrifol – roedd hi'n ofynnol i Brian brofi'i ffitrwydd cyn gêm ryngwladol, ac fe gytunodd Llanelli i'w gynnwys yn y tîm yn erbyn Pen-y-bont ar Gae'r Bragdy. Y peth *bizarre* ynglŷn â'r holl beth oedd penderfyniad Llanelli i adael Delme mas o'r tîm – y cawr o Fancyfelin fyddai'r dewis i *Gymru* petai Brian wedi methu â chwblhau'r gêm! A gyda llaw, mae Brian yn dal i siarad am y profiad â balchder gan ei fod yn llawn edmygedd o'r hyn mae'r Sgarlets wedi'i gyflawni yn ystod eu hanes.

John Gwilliam (Prifysgol Caergrawnt, Edinburgh Wanderers, Caerloyw a Chymru). Tri ar hugain o gapiau rhyngwladol, a chapten Cymru yn ystod tymor y Gamp Lawn 1949/50. Yn rhyfedd, doedd yna ddim un o Lanelli yn y tîm hwnnw – gan fod Lewis Jones ar y pryd yn y Lluoedd Arfog. Roedd Gwilliam yn arweinydd ysbrydoledig, a roedd y Sgarlets yn gallu tystio i hynny ar ôl iddo chwarae ar y Strade yn erbyn Bryste ym mis Ionawr 1952. Sgoriodd gais i'r clwb yn ei unig ymddangosiad, a phlesio pawb â'i ddoniau fel arweinydd. Cysylltiad arall rhwng Gwilliam a Llanelli yw bod ei wraig wedi'i geni a'i magu yn y dref.

Ian Allan Alexander MacGregor (Yr Alban). Treuliodd y blaenasgellwr, a anwyd yn ninas Glasgow, gyfnod hapus ar y Strade ar ôl derbyn comisiwn blwyddyn yn y Llu Awyr ym Mhenbre. Roedd e eisoes yn chwaraewr rhyngwladol pan ymunodd e â'r clwb ond enillodd e bump o'i naw cap tra oedd yn chwarae ar y Strade. Yn ystod tymor 1955/56 dim ond dau o Lanelli chwaraeodd rygbi rhyngwladol – Ian, ac RH Williams. Roedd e'n uchel ei barch fel blaenasgellwr, a diddorol oedd darllen mewn un rhaglen ar Gae Murray, *'His form in recent trials suggested he has not been wasting his time at notorious Stradey Park!'*

Clive Rowlands (Pont-y-pŵl, Abertawe a Chymru). Mae'r mwyafrif ohonom yn cysylltu Clive Rowlands â chlybiau Pont-y-pŵl ac Abertawe. Ond ar y Strade y dechreuodd ei yrfa, lle chwaraeodd yn bennaf fel mewnwr ond, yn ôl Clive, ro'dd yna ambell *gameo* o berfformiad fel canolwr. Roedd y daith o Gwmtwrch i Lanelli ar gyfer y sesiynau ymarfer bron mor drafferthus â'r siwrnai ar y trên o Foscow i Vladivostok – bws James i Rydaman (John Elgar yn ymuno ag e ar bwys y sinema ym Mrynaman), bws Rees and Williams i ganol Llanelli a wâc ar draws y parc i'r Strade. 'Ar ôl i ni gyrradd, newid a rwbo'r *wintergreen* ar y coese, ro'dd hi'n bryd i ni ddala'r bws d'wetha 'nôl.' Roedd y cyfnod yn un cyffrous; chwaraewyr ifanc, dawnus ar fin gwneud marc, a'r bwriad o dan gapteniaeth Onllwyn Brace o'dd rhedeg â'r bêl. Dyna pam yr ymunodd Clive â'r clwb, a hynny am ryw dri thymor, sef dysgu ambell wers gan Onllwyn. Dewiswyd Clive yn gapten ar gyfer ei gêm gyntaf i Gymru yn erbyn Lloegr yng Nghaerdydd ym 1963 – anrhydedd o'r mwyaf. Ei awr fawr fel capten oedd cipio'r Goron Driphlyg yn nhymor 1964/65. Rhannodd dau o Lanelli'r llwyddiant – y cefnwr Terry Price a'r bachwr Norman Gale. Gêm arall rwy'n ei chofio'n dda yw honno ar Sain Helen pan ddaeth Clive â thîm y Gorllewin o fewn dim i drechu un o'r timau gorau i ymweld â Phrydain, sef Crysau Duon Ian Kirkpatrick ym 1967. Yn ystod y chwarae, ar brynhawn heulog braf, llwyddodd Clive i greu dau gais drwy weithio'r ochr dywyll. Croesodd Hywel Williams, asgellwr Castell-nedd, ddwywaith ond ro'dd y dyfarnwr, Mike Titcomb, o'r farn ei fod e'n camsefyll y tro cyntaf a bod pàs Clive mla'n yr eildro. Mae Mistar Rowlands yn dal i ddihuno ganol nos yn ailchwarae'r digwyddiadau. Roedd dau o Lanelli yn y tîm y prynhawn hwnnw – Byron Gale a Delme Thomas.

Alan Rees (Maesteg, Leeds a Chymru). Bwrw'i brentisiaeth ar y Strade wnaeth y maswr cyn ymuno â Maesteg. Roedd e'n faswr clasurol, yn gyflym ar ei draed ac yn giciwr penigamp. Treuliodd amser yn chwarae i glwb XIII Leeds yng Ngogledd Lloegr cyn dychwelyd i Gymru a chanolbwyntio'n llwyr ar griced. Roedd e'n fatiwr o safon ond yn wir arbenigwr yn maesu yn y 'cyfyr'. Roedd e gyda'r gorau yn y Bencampwriaeth ac, ym marn nifer, yn cymharu â'r goreuon yn y byd.

Gellid enwi mwy – ond ble mae tynnu'r llinell? Dyma rai o'r lleill:
P. Benka-Coker (Rosslyn Park), **John Currie** (Harlequins a Lloegr), **Allan Martin** (Aberafan), **Stuart Evans** (Abertawe, Castell-nedd a Chymru), **Rowland Phillips** (Castell-nedd a Chymru), **Howell Davies** (Pen-y-bont a Chymru), **Arthur Emyr** (Abertawe, Caerdydd a Chymru), **Mark Bennett** (Caerdydd, Bryste a Chymru), **Steve Moore** (Abertawe, Narbonne a Chymru), **Roland de Mirigny** (Yr Eidal).

Mae rhai o'r farn fod **Gareth Edwards** wedi chwarae i Lanelli. Yn ystod tymor 1965/66, a'r mewnwr ar fin gadael ysgol Breswyl Millfield, ymddangosodd enw Gareth mewn dwy raglen swyddogol ar gyfer gêmau'r Pasg. Roedd ei enw mewn llythrennau bras ar gyfer y gornestau yn erbyn Northampton a Gwyddelod Llundain ond gwrthododd y gwahoddiadau.

Cysylltir y canolwr rhyngwladol **Cyril Davies** yn bennaf â chlwb rygbi Caerdydd. Ond rhaid cofio mai ar y Strade y dechreuodd ei yrfa, ym mis Hydref 1956. Petai rhywun yn rhestru'r deg canolwr gorau i gynrychioli Cymru ers y gêm ryngwladol gyntaf ym 1881, yna byddai Cyril, yn fy marn i, yn y pump uchaf. I'r rheiny a'i gwelodd yn chwarae, roedd y canolwr o Rydaman wedi meistroli holl elfennau'r safle. Yn gorfforol roedd e'n gawr, yn gyflym dros y llathenni cyntaf, ac yn yr un cae â Phillipe Sella a Hugo Porta fel pasiwr. Roedd e'n un o'r chwech o'r Strade a chwaraeodd yn erbyn Awstralia yng Nghaerdydd ym 1958 yng nghwmni Terry Davies, Ray Williams, Carwyn James, Wynne Evans ac RH Williams.

Mae 'na stori hyfryd amdano yn chwarae mewn gêm brawf derfynol yng Nghaerdydd a thra oedd yn chwarae yn nhîm y gwynion llwyddodd i fylchu'n ogoneddus. Yr unig un o'i flaen e oedd ei gyd-chwaraewr o Lanelli, y cefnwr Terry Davies.

Cyril Davies: ar y dde yn y rhes gefn.

Dim ond iddo amseru'r bàs i'w asgellwr, byddai cais yn anochel. Derbyniodd rywfaint o gymorth gan Terry oherwydd ar yr eiliad dyngedfennol clywyd y geiriau, 'Twl hi mas NAWR!'

Chwaraeodd ei gêm olaf i Gymru yn erbyn Lloegr ar Barc yr Arfau ym mis Ionawr 1961. Creodd ddau gais i Dewi Bebb drwy hanner bylchu a rhyddhau asgellwr Abertawe. Bu'n rhaid iddo adael y cae ar ddechrau'r ail hanner ag anaf reit ddifrifol i'w ben-glin. Daeth ei yrfa ar y lefel uchaf i ben ac yntau ond yn bedair ar hugain mlwydd oed.

Mae chwaraewyr eraill a ddisgleiriodd ar y Strade yn ystod eu gyrfaoedd wedi etifeddu swyddi pwysig ar lefel rhanbarthol a chenedlaethol. Mae dau

flaenasgellwr talentog, **Lyn Jones** a **David Pickering**, yn llywio'r dyfodol – Lyn fel hyfforddwr i dîm y Gweilch a David yn geffyl blaen yn swyddfeydd yr Undeb yng Nghaerdydd. Ac ym mis Medi 2004 penodwyd **Keith Rowlands** yn Llywydd Undeb Rygbi Cymru. Chwaraeodd e i Lanelli ar ddiwedd y pumdegau, yn gymar i RH Williams yn yr ail reng, cyn iddo ymuno â Chlwb Caerdydd. Chwaraeodd, yn ddiweddarach, i Gymru a'r Llewod.

Blaenasgellwr agored oedd **Gwyn Jones**, a dreuliodd gyfnod hapus ar y Strade cyn ymuno â Chaerdydd. Roedd gadael y Strade yn glatsien, ond yn anochel gan ei fod yn fyfyriwr yn y Coleg Meddygol yng Nghaerdydd ac yn methu ag ymgodymu â'r holl deithio. Bu'n gapten ar ei wlad. Roedd e'n datblygu'n chwaraewr o wir safon. Roedd Gwyn yn gyflym, yn greadigol, ac yn gwbl ddibynadwy yn amddiffynnol. Ar ôl gwella o'i anaf difrifol ar Barc yr Arfau, fe wnaeth ei farc fel sylwebydd ar y gêm yn y cyfryngau a'r wasg.

Mae ei fewnbwn wedi bod yn chwa o awyr iach. Mewn cyfnod lle mae cynifer o gyfranwyr yn meddwl am yr oblygiadau cyn datgan barn, mae Gwyn yn onest, yn ddi-flewyn-ar-dafod, yn graff ac yn feddylgar. Roedd ei erthyglau yng ngholofnau chwaraeon y *Western Mail* ar foreau Sadwrn yn ddarnau i'w trysori – doedd e ddim yn pilo wyau. Yn anffodus, does yna neb yng Nghymru sy'n sgrifennu'n wrthrychol ac yn ddeifiol, ac mae'n drueni bod pwysau gwaith fel meddyg yn golygu nad oes amser ganddo, bellach, i gyfrannu.

Dymuniad penna Gustave Flaubert, pan oedd e'n ddeuddeg oed, yn y bedwaredd ganrif ar bymtheg, oedd gadael ei filltir sgwâr yn Rouen yn Ffrainc, datblygu gyrfa fel gyrrwr camelod yn yr Aifft, a cholli'i wyryfdod mewn harem yn Alexandria i ferch osgeiddig â chroen lliw'r olewydd. Fy nymuniad personol i, yn ddeuddeg oed, yng nghyffro'r cyfnod ym Mrynaman, oedd cynrychioli Llanelli ar y Strade, sgorio cant i Forgannwg ar gae Sain Helen, a maeddu Lew Hoad yn y Rownd Derfynol yn Wimbledon. Rwy'n llawn edmygedd o griw y bennod hon, sy wedi cyflawni cymaint.

Keith Rowlands: y gŵr ar y brig – a'i wreiddiau yn y Strade.

55

Rhagor o sêr

Carwyn Davies: un o'r ychydig rai a
lwyddodd i hawlio dros 100 o geisiau i
Lanelli – cyflym, craff a chyfrwys,

Salesi Finau: cystadleuol a chorfforol ar y
cae, ac un o'r chwaraewyr mwya poblogaidd
i ymddangos ar y Strade.

Mark Jones: talent ddisglair.

Wayne Proctor:
dros gant o geisiau yng nghrys Llanelli –
asgellwr o fri.

Phil Davies: wythwr glew sy, erbyn hyn, yn datblygu'n hyfforddwr dawnus.

A'r tîm gorau erioed?

Methu cysgu o'n i un noson, felly dyma fwrw ati i ystyried pwy, o'r holl genedlaethau o Sgarlets, fyddai'r cyfuniad perffaith.

Barn bersonol yw hon, a dw i ddim yn disgwyl i chi gytuno â fi!

15 Terry DAVIES

14 Ieuan EVANS
13 Albert JENKINS
12 Ray GRAVELL
11 JJ WILLIAMS

10 Phil BENNETT
 9 Dwayne PEEL

 1 Barry LLEWELLYN
 2 Norman GALE
 3 Tom EVANS

 4 Delme THOMAS
 5 RH WILLIAMS

 6 Derek QUINNELL
 8 Scott QUINNELL
 7 Ivor JONES

Tystiolaeth o'r ysbryd bendigedig sy yn y clwb.

Ricky Evans: y prop pwerus.

Mark Perego: blaenasgellwr ac *action man*, os bu un erioed!

Garan, Mark a Salesi yn eu helfen ar ôl cipio'r cwpan, 2002/03.

56
Y Cynghrair Celtaidd

Mae'n haeddu mwy o barch

'Cynghrair potel bop', 'Cynghrair Mickey Mouse'. Dyna ddau ddisgrifiad sy'n crisialu sylwadau'r wasg Seisnig am ein cynghrair. Dyma'r bobol sy'n anwybyddu'r gystadleuaeth o ran sylw yn eu papurau trymion ar fore Llun. D'yn ni, o ran rygbi beth bynnag, ddim yn bodoli. Yn atodiad chwaraeon y *Western Mail* ar yr 28ain o Awst 2004 dyfynnwyd Cyfarwyddwr Rygbi NEC Harlequins, Mark Evans: 'Mae'n gystadleuaeth eilradd. Mae'n amhosib ei chymharu ag Uwch Adran Zurich yn Lloegr o ran cyllid, torfeydd a safonau.' Ac efallai dy fod ti'n iawn, Mr Evans, yn yr un modd ag y mae Uwch Adran Zurich yn eilradd o'i chymharu â'r *Championnat* yn Ffrainc o ran cyllid, torfeydd a safonau. Dw i'n rhyfeddu fod y *Western Mail* wedi cynnig llwyfan i Mark Evans ond . . . na, efallai nad ydw i ddim yn synnu!

OK . . . mae lle i wella. Mae safiad y clybiau rhanbarthol yng Nghymru ynglŷn â mynnu cynnwys chwaraewyr rhyngwladol ar gyfer gornestau'r cynghrair yn hollbwysig. Mae'n allweddol bwysig dylanwadu ar ranbarthau Iwerddon i ddilyn yr un trywydd a lled-obeithio fod timau'r Alban yn mynd i wella o ran safon chwarae. Dylai Mistar Rygbi'r Harlequins fod wedi astudio'r ystadegau cyn agor ei geg. Yn gyntaf, dyw ei dîm e ddim wedi bod mor effeithiol â hynny yn ystod y pum tymor diwethaf. Maen nhw'n cystadlu yng nghwpan Heineken yn ystod tymor 2004/05 o ganlyniad i haelioni dyfarnwr o Gymru. Caniatawyd cais hwyr i'r Quins pan o'dd hi'n gwbl amlwg i bawb yn Stadiwm Madejski yn Reading fod y bàs ola filltir ymlaen.

A pheth arall, Mark. Astudia'r canlyniadau yn ystod y tymhorau diwethaf rhwng clybiau Cymru a Lloegr. Efallai fod eich cynghrair ar hyn o bryd yn well o ran delwedd, cefnogaeth a hygrededd. Ond, dyw hynny ddim yn golygu fod eich timau chi'n well o ran safon. Llwyddodd Llanelli, Abertawe, Castell-nedd, Pen-y-bont, Pontypridd, Caerdydd a Chasnewydd i sicrhau buddugoliaethau ardderchog yn erbyn clybiau o'r ochor draw i Glawdd Offa a hynny ar sawl achlysur. Y tymor diwethaf, 2003/04, maeddodd y Rhyfelwyr Celtaidd enillwyr y gystadleuaeth Heineken, London Wasps, ar eu tomen eu hunain yn Wycombe; cipiodd y Sgarlets ddwy fuddugoliaeth yn erbyn Northampton; bu'r Gweilch yn fuddugol yn erbyn Leeds, a Gleision Caerdydd yn drech na Sale. 'Rhaid cropian cyn cerdded' ac mae'n angenrheidiol i ni fel Celtiaid gefnogi'r cynghrair a sicrhau ei bod hi'n datblygu'n flynyddol. 'Sgwn i beth fydd y sefyllfa ymhen degawd?

Yn nhymor 2003/04 roedd deuddeg o dimau o Gymru, Iwerddon a'r Alban am gael eu coroni'n bencampwyr. O ganlyniad i Gwpan Rygbi'r Byd yn

Awstralia, byddai'n rhaid i'r timau ddibynnu'n helaeth ar brofiad nifer o sêr y gorffennol ac addewid y chwaraewyr llai profiadol, gan obeithio y byddai'r fformiwla'n un llwyddiannus.

Ym myd y campau mae cyfleoedd yn dod bob hyn a hyn o ganlyniad i anaf neu salwch neu ddigwyddiad teuluol. Mae rhai yn barod i gamu i'r bwlch a dangos bod gyda nhw'r gallu i fanteisio ar y cyfle a phrofi bod yr agwedd a'r penderfyniad ganddynt i lwyddo. Mae wicedwr presennol Lloegr, y Cymro Geraint Jones, yn un ohonynt. Dywedwyd wrtho yn blwmp ac yn blaen fod yna gyfres o gêmau ganddo i brofi'i allu fel wicedwr a batiwr. Manteisiodd ar ei gyfle gan sgorio cant ardderchog mewn un prawf a rhannu partneriaethau sylweddol ag Andrew Flintoff mewn sawl prawf arall. Ym 1988 roedd Josiah Thugwane yn trin gardd yn Ne Affrica pan basiodd criw o redwyr a weithiai mewn gwaith aur cyfagos. Penderfynodd ymuno â nhw yn ei ddillad gwaith ac o fewn hanner awr sylweddolodd am y tro cyntaf yn ei fywyd ei fod â'r gallu i lwyddo mewn maes arbennig. Wyth mlynedd yn ddiweddarach, cyflwynwyd Medal Aur i Josiah ar ôl iddo ennill y Marathon ym Mabolgampau Olympaidd Atlanta. Fe lwyddodd nifer o chwaraewyr ifainc ar y Strade i blesio'u hyfforddwyr yn ystod y tymor a hawlio cytundeb ar lefel broffesiynol.

Ag un gêm yn weddill roedd gwir gyfle gan dri thîm i ennill y gystadleuaeth – talaith Ulster, Dreigiau Casnewydd Gwent a Sgarlets Llanelli. Ond roedd yna fantais gan y Sgarlets. Petaen nhw'n maeddu Ulster ar y Strade, yna nhw fyddai'r pencampwyr.

Ro'dd hi'n noson i'w chofio; fe ddaeth y cefnogwyr yn eu miloedd gan synhwyro buddugoliaeth wedi'r siom yn erbyn Biarritz. Ac fe gawson nhw'u plesio, bron deuddeg mil ohonyn nhw, ar noson emosiynol yn llawn tensiwn a drama. Roedd yna gyfnodau o ansicrwydd. Sylweddolai'r ddau dîm bwysigrwydd yr achlysur. Seren y gêm oedd Stephen Jones, ei gyfraniad personol yn rhannol gyfrifol am y fuddugoliaeth, a braf oedd gweld y dorf ar eu traed pan ffarweliodd â'r Strade am y tro diwethaf rhyw bum munud cyn y chwib olaf. Derbyniodd gymeradwyaeth dwymgalon a phawb yn dymuno'n dda iddo yn ei gartref newydd yn Clermont Ferrand. Y Sgarlets aeth â hi o 23 i 16; pum cic gosb a chic adlam o droed Stephen, a'r maswr yn creu unig gais y Sgarlets ar ôl i Scott Quinnell a Iestyn Thomas greu'r llwyfan. Manteisiwyd ar y meddiant, llwyddodd y maswr i fylchu cyn taflu pàs ardderchog i Matthew J Watkins a groesodd y llinell gais.

Roedd y golygfeydd ar derfyn y chwarae yn atgoffa dyn o ddathliadau'r mileniwm. Roedd y Strade'n fôr o goch a gwyn, y tân gwyllt yn goleuo'r ffurfafen a phawb mewn hwyliau da. Ymddangosodd 39 o chwaraewyr yn ystod y tymor a phob un ohonynt yn bresennol ar y cae yn gwerthfawrogi'r gymeradwyaeth. Roedd y fuddugoliaeth ar Thomond Park yn Limerick yn un hanesyddol – dyma'r tro cyntaf i Munster golli yma ers 1987.

Ond pwysleisio cyfraniad chwaraewyr yr Uwch Adran wnaeth Gareth Jenkins. O gofio fod cynifer o'r chwaraewyr mwyaf profiadol yn cynrychioli Cymru ac Iwerddon mas yn Awstralia, y criw wrth gefn wnaeth naddu

187

buddugoliaethau tyngedfennol a chadw'r Sgarlets ar frig y cynghrair – Ian Boobyer, Gareth Bowen, Dale Burn, Lee Byrne, Aled Gravelle, Bryn Griffiths, Phil John, Richard Johnston, Emyr Lewis, David Maddocks, Gavin Quinnell, Richard Rees, Jon Thiel, Ceiron Thomas, Gareth Williams, Nathan Williams, Rhys Williams ac Adam Yelland.

Cipio tlws y Cynghrair Celtaidd – cyfle i ddathlu ymdrech carfan gyfan.

57

Stephen Jones

Au revoir, a phob lwc

Gyrru o'n i ar yr M11 yng nghyffiniau maes awyr Stansted ac yn gwrando ar orsaf radio leol y BBC. Yn gymysg â'r holl recordiau a chwaraewyd, bob hyn a hyn byddai gwrandawyr yn cysylltu â'r cyflwynydd, honno'n holi ambell gwestiwn, a'r werin bobol yn ennill crysau-T a gwobrau tebyg am ateb yn gywir. Yna, a'r rhaglen yn dirwyn i ben, chwaraewyd 'What a Wonderful World', a gofynnwyd i'r cystadleuydd enwi'r canwr. Roedd e'n gwbl analluog i ateb y cwestiwn, a chyfaddefodd hynny, ond gan ei bod hi'n hwyr y prynhawn penderfynodd y cyflwynydd ei gynorthwyo.

'*Christian name. An American heavyweight boxer from the thirties; first name, Joe.*'

'*Yes,*' meddai'r cystadleuydd petrusgar, '*I think I've got that.*'

'*A surname of two syllables. First syllable, a part of the body between your elbow and hand.*'

'*Fine,*'

'*And finally. If you're not weak you're . . .*'

'*I've got that,*' meddai'n hyderus.

'*So who sang the song?*'

'*Frank Sinatra!*'

Bu bron i mi wyro o'r lôn mewn pwl o chwerthin. Ble yn y byd oedd ei synnwyr cyffredin!

Ond, yn y gêm broffesiynol yng Nghymru, a ledled y byd yn y mileniwm presennol, mae synnwyr cyffredin yn dweud y bydd chwaraewyr yn gofalu am eu buddiannau personol o hyn ymlaen, ac yn symud o glwb i glwb ac o wlad i wlad yn ôl maint cytundebau. Mae hynny'n ddealladwy. Os oes cyfreithiwr yn Llanelli yn ennill £x, a bod cwmni ym Mryste yn cynnig £5x, yna dyw e ddim yn mynd i aros yng ngorllewin Cymru oherwydd ei fod e'n hoffi pensaernïaeth y dref!

A dyna ddigwyddodd i Stephen Jones. Ystyriodd ei ddyfodol. Sylweddolodd fod cyfnod y chwaraewr proffesiynol presennol yn gyfnod o ryw ddeuddeg tymor, os hynny. Ar hyd y blynyddoedd mae chwaraewyr wedi bod yn driw i'w clybiau, yn enwedig yn Llanelli. Ond, petai Phil Bennett yn chwarae yn yr oes broffesiynol hon, yna crys Toulouse neu'r Saraseniaid fyddai ar ei gefn oherwydd byddai miliwnyddion y clybiau hynny wedi'i ddenu â chytundebau afreal. Does neb wedi bod yn fwy triw i'r Sgarlets na Stephen, ac mae pob un o'r cefnogwyr yn sylweddoli hynny ac yn dymuno'n dda iddo yn ei gartre newydd yn Clermont Ferrand. Roedd y gymeradwyaeth a dderbyniodd pan ffarweliodd â'r maes rai munudau cyn diwedd y gêm yn erbyn Ulster yn brawf pendant o hynny.

Annheg fyddai cymharu Stephen Jones â rhai o faswyr enwoca'r gorffennol. Yn ei benillion am y ffatri cynhyrchu maswyr yn y cymoedd, mae Max Boyce yn cyfeirio at Cliff a Barry a Phil a Jonathan – y chwaraewyr pert a lwyddodd i greu hud a lledrith ar gaeau o Gefneithin i Ganterbury, o Felinfoel i Fuenos Aires. Mae i Stephen rinweddau eraill; rhinweddau sy'n ei wneud yn *hot property* yn y gêm gyfoes. Ac, yn rhyfedd, d'yn ni'r Cymry ddim wedi llawn werthfawrogi'i grefft, maint ei gyfraniad na'i bwysigrwydd i'r genedl, tan ei fod e wedi mynd!

Stephen Jones yn dishgwl am fwlch yn erbyn Agen.

Fe welwyd hyn ar y daith mas i Dde Affrica ac Ariannin yn haf 2004. Roedd yna gyfle i weld Ceri Sweeney yn gwisgo mantell y maswr ond, ar ôl y gêm gyntaf yn Tucumàn, sylweddolwyd fod angen iddo wella'n sylweddol fel ciciwr cyn chwarae yno'n barhaol. Does dim amheuaeth fod rôl y maswr wedi newid yn aruthrol, a'r newid pennaf yn ymwneud ag amddiffyn.

Mae ymroddiad Stephen Jones yn llwyr. Mae ei frwdfrydedd yn heintus a throsodd a thro fe brofodd ei hun yng ngwres y frwydr. Cwestiynwyd ei allu yng ngêmau cyntaf Cwpan y Byd yn Awstralia ond pan oedd angen perfformiad o safon yn erbyn Seland Newydd a Lloegr, cafwyd hynny. Yn gyson mewn gêmau pan welir y tîm yn cloffi, fe fydd perfformiad y maswr, o'r gic gyntaf tan y chwib olaf, yn raenus.

Mae ei waith amddiffynnol yn arwrol; yn gyson gwelir y gŵr o Gaerfyrddin yn hyrddio i gyfeiriad y gelyn. Mae e'n giciwr cwbl ddibynadwy; y droed dde yn arf peryglus, ac yn wahanol i gynifer o faswyr eraill y presennol a'r gorffennol, mae e'n gyfforddus ar ei droed chwith. Yn naturiol, dyw e ddim mor gyflym dros y llathenni cyntaf â rhai o feistri'r gorffennol ond mae e''n gallu creu amser a lle i eraill; mae e'n dishgwl am yr hanner bwlch er mwyn rhyddhau ambell Ferrari y tu fas iddo. A thrwy ymarfer cyson mae e'n cael ei gydnabod fel un o'r peiriannau sgorio mwyaf cyson yn y gêm fodern.

Mae cyfnod newydd ar wawrio iddo o gwmpas y Massif Central yng nghanolbarth Ffrainc. Mae clwb Clermont yn sylweddoli'r potensial ac yn disgwyl iddo eu llywio i ddyfodol gwell. Yn sicr, fe fyddwn yn tystio i'w allu mewn crys coch am dymhorau lawer. *Au revoir*, a phob lwc!

Sgarlad go-iawn
yng nghrys glas
Clermont.

191

58

Penderfyniadau pwysig – ddoe a heddiw

i. Ddoe: dod i berchen y Strade – eto

Rhyw chwe blwydd oed o'n i ar y pryd; Everest wedi'i goncro, Caerdydd a Chymru wedi trechu'r Crysau Duon, Marilyn Monroe yn brif atyniad ar glawr y cylchgrawn *Playboy*, a Dylan Thomas yn gorwedd yn gelain yn Ysbyty Sant Vincent, Efrog Newydd. Dw i ddim yn cofio rhyw lawer am y digwyddiadau uchod, yn naturiol, ond mae un achlysur sy'n dal yn fyw yn llyfrgell y cof – y prynhawn hwnnw pan ddaeth syrcas Bertram Mills i Abertawe.

A ro'dd 'na gyffro; pob un sedd wedi'i gwerthu. Mawr oedd y disgwyl. Wedi'r cwbl, r'yn ni'n sôn am gyfnod cyn dyfodiad y teledu pan oedd pleser pob plentyn yn gwbl ddibynnol ar radio, ambell gomic, Meccano a phecyn o *Sherbet Lemons*. Uchafbwynt y Sioe oedd yr acrobatiaid; diddanu'r cannoedd â champau ar y trapîs. Y goleuadau'n diffodd, y gerddoriaeth yn pallu, lampau pwerus yn canfod dau neu dri yn hofran fry yn yr awyr. Yn ôl y rhaglen, y rhain oedd yr acrobatiaid mwyaf celfydd yn yr holl fyd, mor brofiadol fel nad oedd angen rhwyd ddiogelwch.

Ac yna'r annisgwyl. Un yn colli'i afael ac yn disgyn i'r llawr o'n blaenau'n farw. O fewn eiliadau, a ninnau'r gynulleidfa mewn stad o banic, a'r consýrn yn amlwg, fe ymddangosodd dwsin o geffylau gwynion, a'r rheiny'n carlamu o gwmpas y sgwâr. Mewn amrantiad fe gyfareddwyd y plant gan griw o glowns a bron yn ddiarwybod fe gludwyd y corff o'r babell fawr yn ddiseremoni ac yn ddiffwdan. Yn syml, *'The show must go on'*.

A dyna'n syml oedd athroniaeth Clwb Rygbi Llanelli 'nôl ym 1997 – ymlaen â'r sioe! A bod yn onest ro'dd pethe'n dishgwl yn dywyll ar y clwb 'nôl ym 1995 pan aeth y gêm yn broffesiynol. I rai timau yn Lloegr a Ffrainc gwawriodd cyfnod newydd, llewyrchus. Roedd yna unigolion ariannog a chwmnïau o bwys ar gael oedd yn fodlon buddsoddi miliynau yng nghoffrau'r clybiau. Bu'r cyfnod yn un helbulus i Lanelli. Cysylltodd nifer o wŷr busnes gan addo arian sylweddol yn y gred y byddai'r penderfyniad yn talu ar ei ganfed. Roedd yna addewid y byddai hoelion wyth y byd rygbi yn tyrru i'r Strade. Ar y pryd, fel ym mhob clwb arall, amaturiaid oedd yn gyfrifol am gyllid, strwythur, strategaeth a rheolaeth. Roedd chwaraewyr byd-enwog yn manteisio ar y sefyllfa, yn chwilio am gytundebau bras, ac roedd hynny'n ddigon dealladwy. Yn naturiol, gwnaethpwyd penderfyniadau annoeth gan bwyllgorau ledled Prydain (gan gynnwys Llanelli) oedd yn methu'n lân ag ymgodymu â byd busnes. O fewn dim o beth ro'n nhw dros eu pennau a'u clustiau mewn dyled. Yn dilyn addewidion, aethpwyd ati i gynnig cytundeb i Frano Botica, cyn-faswr y Crysau Duon a seren tîm Wigan yng Ngogledd Lloegr.

Ar y pryd roedd Botica yn chwarae i glwb Orrell ond fe'i denwyd i Orllewin Cymru gan gytundeb fyddai wedi plesio sawl chwaraewr pêl-droed proffesiynol. Bu'r penderfyniad yn un trychinebus o ran cynllun busnes y clwb. Serch hynny, rhaid cydnabod fod Frano wedi rhoi cant y cant ar y cae. Chwaraeodd ei gêm gyntaf ar y 1af o Hydref 1996 a bu'n ddylanwad positif ar Lanelli yn ystod y tymor o safbwynt personol (cyfrannodd 288 o bwyntiau) ac o safbwynt y tîm – treuliodd amser yn hyfforddi nifer fawr o chwaraewyr ifanc y clwb ac mae Stephen Jones, am un, yn ddyledus iawn iddo am ei gyngor, a hynny ar amser tyngedfennol yn natblygiad y maswr o Gaerfyrddin. Bu'n ffefryn ar y Strade am dymor a hanner; chwaraeodd 42 o gêmau a chyfrannu 447 o bwyntiau.

O ganlyniad i'r picil ariannol difrifol, a gan gofio fod y banc yn cnocio ar y drws am ad-daliadau, bu'n rhaid gwerthu'r Strade i Undeb Rygbi Cymru am £1.25miliwn. Lansiwyd cynllun i achub y Scarlets drwy gynnig gwerthu cyfranddaliadau ac aethpwyd ati i egluro difrifoldeb y sefyllfa i'r cefnogwyr oedd yn amlwg wedi'u brawychu gan y ffeithiau moel. Oni bai am ymdrech arwrol o ran y cefnogwyr a llafur cariad nifer fawr o unigolion dylanwadol, fe fyddai'r gatiau wedi cau ar y Strade.

Penodwyd criw bychan i wneud penderfyniadau, gan gynnwys cyn-chwaraewyr, gwŷr busnes a chyfreithwyr. Y nod oedd achub y clwb ac o dan gadeiryddiaeth Ron Jones llwyddwyd i osod seiliau cadarn ar gyfer gwell dyfodol. Apwyntiwyd Stuart Gallacher yn Brif Weithredwr, ac fe benderfynwyd datblygu a meithrin chwaraewyr lleol yn hytrach na buddsoddi arian ac ymdrech mewn chwaraewyr dieithr. Dychwelodd y dyddiau da; enillwyd cwpanau a chynghreiriau a bu'r perfformiadau yng Nghwpan Heineken yn donic i'r chwaraewyr a'r cefnogwyr.

Bellach mae'r cae 'nôl yn nwylo'r clwb, y sefyllfa ariannol yn iachach a'r Bwrdd, o dan gadeiryddiaeth Huw Evans, yn llywio'n effeithiol. Ond rhaid cofio mai cael a chael oedd hi ar un adeg – mae'r clwb wedi wynebu dyddiau duon yn y gorffennol ond roedd tymor 1996/97 yn un argyfyngus. Mae'r rheiny a ddaeth i'r adwy yn cydnabod mai brwdfrydedd y cefnogwyr oedd yn bennaf cyfrifol am achub Clwb Rygbi Llanelli. Oedd, roedd yna anfodlonrwydd ynglŷn â'r sefyllfa, ond yn hytrach na rhamantu am y gorffennol, penderfynwyd gweithredu. Bydded i'r sioe barhau!

ii. Heddiw: ffarwelio â'r Strade

Roedd pethau'n argoeli'n dda. Yr Aelod Seneddol ar bigau'r drain ynglŷn â'r ymweliad ac yn rhyw ddishgwl 'mlaen ag elfen o falchder. Ei dasg oedd tywys yr arweinydd carismataidd o'r India, Mahatma Gandhi, ar gyfres o ymweliadau er mwyn iddo flasu bywyd pob dydd Llundain a'r cyffiniau yn nhridegau'r ganrif ddiwethaf. Yn ystod y ddeuddydd cafwyd cyfle i gyfarfod â phobol, a deall mwy am wahanol gyfundrefnau. Ymfalchïai'r tywysydd, yn naturiol, yn natblygiadau diweddaraf Prydain – system drafnidiaeth ar ei newydd wedd, safonau byw cyffredinol dda, ac effeithiolrwydd gwleidyddol y genedl. Cyn iddyn nhw ffarwelio, gofynnwyd un cwestiwn i'r gŵr o India.

'As a result of your visit, what do you think of Western Civilization?'

Roedd ateb Gandhi yn frawychus o sydyn, yn annisgwyl, ac yn ysgytwad bersonol i'r Aelod Seneddol.

'I think it would be a very good idea.'

Daeth terfyn ar y sgwrs.

Beth yn y byd, rwy'n eich clywed yn gofyn, yw'r cysylltiad rhwng y stori yna a Pharc y Strade?

Yn syml, r'yn ni'n aml yn credu fod popeth yn *hunky-dory* heb sylweddoli fod angen edrych o safbwynt gwahanol, bob hyn a hyn, a chanfod gweledigaeth a strategaeth ar gyfer gwell dyfodol.

Mae safle'r Strade wedi gorwedd yn gysurus ar yr heol rhwng canol y dre a phentre Pwll am ganrif a mwy, ac mae'n rhan o hanes a threftadaeth Llanelli. Enillwyd brwydrau ar y tir 'sanctaidd' hwn, ac yma y gwelwyd y cewri'n perffeithio'u crefft. Dw i'n deall y rhesymeg, a dw i'n cydymdeimlo â'r datganiadau emosiynol gan rai o gyn-chwaraewyr y clwb. Dw i'n fodlon gwrando ar y cefnogwyr sy'n cysylltu'r tîm yn uniongyrchol â'r maes arbennig hwn, yn yr union safle hwn.

Serch hynny, rhaid gwthio'r sentiment a'r emosiwn i'r neilltu. Mae gwir angen stadiwm newydd sbon ar y Sgarlets – mae'r campws presennol yn ddi-liw, yn ddi-raen, ac yn hynafol. Dw i'n canmol gweledigaeth y Bwrdd Rheoli ac yn ymfalchïo ym mhenderfyniad Cyngor Sir Gâr i gefnogi cais fydd yn sicrhau dyfodol hir a llewyrchus i dîm yr ardal a thîm y rhanbarth – rhanbarth fydd yn cynrychioli Gorllewin, Canol a Gogledd Cymru am ddegawdau i ddod.

Mae'r cyfleusterau presennol yn gyntefig – does dim gair gwell i'w disgrifio! Mor wahanol yw hi gyda'r clybiau blaenllaw yn Ewrop, lle mae'r cyfleusterau campus yn denu mwy a mwy o gefnogwyr a'u gwneud i deimlo'n falch o fod yn rhan o'r clwb.

Yn nhre Brive, er enghraifft, mae'r cae rygbi ar gyfer y bêl hirgron yn unig ond mae'r campws cyfan yn un sy'n eang ei apêl. Ar y campws hwnnw ceir caeau ymarfer, trac athletau pwrpasol sy ar gyfer y garfan rygbi a thîm athletau'r ardal, cyrtiau tenis di-ri, cae pêl-droed – a meysydd parcio hwylus – a'r cwbl yng ngofal y Cyngor. Ffocws y stadiwm yw'r cae rygbi a'i eisteddleoedd crand, ond mae'r safle'n tywys y clwb i'r ganrif a'r mileniwm newydd.

Yn rhanbarth y Dordogne mae 'na Stadia Municipal yn Limoges, Perigueux, Aurillac, Montauban, Agen ac Angoulême – lle mae'r clybiau chwaraeon yn manteisio ar ewyllys da'r Cynghorau sy'n darparu stadia godidog ar gyfer y boblogaeth.

'It is not enough to have a good mind. The main thing is to use it well.'

René Descartes, yr athronydd o Ffrainc, ddwedodd y geiriau hynny, ac mae'n amlwg bod y cynghorau *municipal* yn dilyn ei athroniaeth! Hyfryd gweld Cyngor Sir Gâr yn mynd i'r un cyfeiriad.

194

59

Panache a finesse

Y ffordd ymlaen – cofio'r gorffennol

Y Parchedig TJ Davies ddywedodd un tro – 'Does neb yn gadael ôl ei draed ar dywod amser wrth eistedd ar ei ben-ôl'. A dewch i ni gael bod yn onest, r'yn ni'r Cymry yn bencampwyr ar fychanu unrhyw un sy'n methu, neu sydd ddim *quite* yn taro deuddeg. A hyd yn oed pan fydd rhywun yn llwyddo mae 'na elfen o genfigen yn y canmol.

Ar drothwy tymor arall ym myd y bêl hirgron mae'n anochel y bydd colofnau niferus yn cael eu hysgrifennu, sylwadau yn cael eu datgan ar radio a theledu, sy'n beirniadu'r gyfundrefn bresennol a'r chwaraewyr cyfoes, ac yn ein hatgoffa am gampau'r gorffennol. Mae nifer fawr, sy'n credu eu bod nhw wedi cyflawni gwyrthiau ar y caeau chwarae, yn hiraethu am yr oes a fu, ac yn aml yn llym eu beirniadaeth ar y sefyllfa bresennol yn hytrach na bod yn bositif a gwneud rhywbeth i gynorthwyo'r achos. R'yn ni'n genedl o 'ishte ar ein tine', chwedl TJ.

Mewn unrhyw faes, mewn unrhyw gyfnod, mae'n angenrheidiol meddu ar weledigaeth. Un a wyddai hyn yn well na neb oedd y pensaer o dras Cymreig, Frank Lloyd Wright. Yn ôl yn y pumdegau, ac yntau mewn gwth o oedran, agorwyd Amgueddfa'r Guggenheim yn Ninas Efrog Newydd – adeilad a gynlluniwyd â gofal gan y pensaer. Ychydig wythnosau cyn yr agoriad swyddogol ym 1959, cysylltodd yr awdurdodau â Mr Wright gan ddweud, *'Sir, the building is an architectural gem. However, there's one slight problem; the cargo doors are too small. We can't get the art work in!'* Roedd ateb y pensaer (oedd, yn ôl rhai, ryw hanner can mlynedd o flaen ei amser) yn blwmp ac yn blaen – *'Well, cut the art work in half!'*

Mae perffeithrwydd ym myd y campau yn gwbl amhosib, ond trwy anelu'n uchel mae modd cyrraedd yr uchelfannau. Enghraifft berffaith o hyn oedd paratoadau'r nofiwr ifanc o Awstralia, Ian Thorpe. Dyma i chi ŵr sy'n gwbl broffesiynol. Ryw chwe mis cyn Mabolgampau'r Gymanwlad ym Manceinion yn y flwyddyn 2002 cysylltodd Thorpe â'r awdurdodau yn y ddinas. Roedd am wybod y pellter rhwng pentre'r cystadleuwyr a'r pwll nofio. Derbyniodd e-bost yn cadarnhau mai 1.6km oedd hyd y daith, ac am dri mis bu'r nofiwr yn parcio'i gar 1.6km o'r ganolfan acwatig yn Sydney er mwyn cyfarwyddo â'r daith gerdded cyn ymarfer.

Mae Duncan Fletcher yn ystod y tymhorau diwethaf wedi ysbrydoli'r garfan griced 'genedlaethol' (rhaid cofio mai Bwrdd Criced Cymru a Lloegr yw e). Pleser o'r mwyaf yw tystio i broffesiynoldeb y tîm; y chwaraewyr wedi asio'n uned gystadleuol ar y cae ac yn cymysgu'n gartrefol yn gymdeithasol.

A dyna, yn y bôn, yw cryfder y Sgarlets o dan arweiniad Gareth Jenkins. Gan mai cenedl o ddwy filiwn a hanner yw Cymru, rhaid derbyn y ffaith nad 'yn ni'n debygol o goncro'r byd rygbi. Y gobaith penna yw ennill Cwpan Heineken Ewrop o bryd i'w gilydd, brwydro i'r eithaf, ymddiried yn ein gilydd, a datblygu agweddau iach o chwarae'r gêm a fydd yn dod â gwên i wynebau'r cefnogwyr.

Yn bersonol, mae yna hud a lledrith yn perthyn i bêl-droedwyr Brasil, cricedwyr India'r Gorllewin a chwaraewyr rygbi Ffrainc – a Llanelli, hefyd. I'r uchod mae ennill yn bwysig, ond rhaid ennill trwy chwarae anturus, llawn cymeriad, a steil – *panache* a *finesse* yw'r norm, a rhaid i ni'r Cymry gofio am yr athrylith sy wedi nodweddu ein chwarae am ganrif gyfan.

Gareth Jenkins yn rhoi pwysau ar fewnwr y Crysau Duon, Lyn Colling,
yn y fuddugoliaeth anfarwol ym 1972.

60

Maen nhw yma o hyd

Peth mawr yw 'perthyn'

Roedd yna duedd, tan yn gymharol ddiweddar, i glwb pêl-droed Lerpwl gadw popeth yn fewnol. Pobl oedd â chysylltiad agos â'r clwb, yn ddigon dealladwy, oedd yn cael eu penodi'n rheolwyr. Rheiny oedd yn ymwybodol o'r hanes ac yn ymfalchïo ym mherfformiadau pob un tîm a gynrychiolai'r clwb. Nid arian yn unig oedd yn eu denu. Roedd yna ymdeimlad o berthyn, a theimlo cyfrifoldeb i sicrhau bod sglein ar bob dim oedd yn ymwneud â'r clwb, ar y cae ac oddi arno. Balchder . . . ie, dyna'r gair. Roedd penodiadau Bill Shankly, Bob Paisley, Joe Fagan, Kenny Dalglish a Roy Evans yn ymwneud â'u gallu i reoli, oedd, ond hefyd â'r ffaith fod Anfield a'r Kop, a *'You'll never walk alone'*, yn rhan o'u cyfansoddiad a'u gwead.

Mae hynny'n wir am Glwb Rygbi Llanelli. Meddyliwch am yr unigolion sy wedi bod wrthi'n llywio – nid coch yw'r gwaed ond sgarlad! R'yn ni eisoes wedi cyfeirio at Carwyn, Gareth ac Allan, ond mae eraill, gan gynnwys y criw presennol, â'u gwreiddiau'n ddwfn yn y Strade.

Mewn araith emosiynol y tu fas i Neuadd y Ddinas yn Lerpwl ar ôl i'r tîm gipio pencampwriaeth arall, diolchodd Bill Shankly i'r staff oedd yn gweithio y tu ôl i'r llenni. Treuliodd amser yn talu teyrnged i'r tirmon a'i gynorthwywyr, i'r gwragedd am wneud y te ac am olchi'r crysau, ac i'r criw gweithgar a ofalai am lendid ar y teras ac o gwmpas Anfield. Y tro hwn anwybyddodd y chwaraewyr!

Ac mewn cyfrol sy'n canolbwyntio ar Glwb Rygbi Llanelli mae'n rhaid diolch i wirfoddolwyr a swyddogion sy wedi gweithio mor galed i sicrhau llwyddiant ar y cae. Mae'r cyfan fel perfformiad yn y theatr – yr actorion ar y llwyfan sy'n derbyn y gymeradwyaeth ond, yn y bôn, maen nhw'n dibynnu'n llwyr ar eraill sy'n gweithio'n ddyfal y tu ôl i'r llenni.

Llanelli oedd un o'r timau cyntaf yn Ewrop i benodi hyfforddwr ffitrwydd. Ddiwedd y chwedegau, yn ystod cyfnod allweddol yr haf, penodwyd Tom Hudson o Brifysgol Caerfaddon i ofalu am yr elfen gorfforol. Roedd y penderfyniad yn un doeth, a'r garfan yn elwa o'i arbenigedd. Manteisiodd y clwb ar ddawn Peter Herbert yn yr wythdegau a'r nawdegau, a phawb yn cydnabod fod y Sgarlets yn tanio ar chwe sylindr o'r gic gyntaf ym mis Medi i'r chwib olaf ddechrau Mai, diolch i ymdrechion y *guru* o Bentywyn.

Mae'r hyfforddwr ffitrwydd presennol yn un sy'n barod i gydnabod mai'r darn tir o gwmpas y Strade yw ei filltir sgwâr. Yn enedigol o Aberteifi, roedd Wayne Proctor yn un o asgellwyr gorau Cymru yn y nawdegau. Yn yr ysgol disgleiriodd mewn sawl camp; roedd e'n rhedwr 400 metr pwerus ac ar y cae fe'i gwelwyd yn aml yn 'bita'r' tir pan fyddai'r gwrthwynebwyr yn cwrso.

197

Roedd e'n ffwtbolyr, yn ddiogel o dan y bêl uchel ac yn wrthymosodwr greddfol. Fe'i gwelwyd yn gyson yn llechu yng nghanol cae, yn amseru'i rediad i'r eiliad a chyflymu oddi wrth yr amddiffynwyr. Medrai redeg yn gyflym, ond pan fyddai angen llathed ychwanegol gallai ymestyn ei gam a diflannu fel gwlith y bore. Cynrychiolodd ei wlad ar 39 achlysur, a chroesi am un cais ar ddeg.

Rheolwr y tîm presennol yw'r prop Anthony Buchanan o Ystradgynlais. Roedd e'n wyneb cyfarwydd ar y Strade yn yr wythdegau, yn chwaraewr cryf a chadarn a gynrychiolodd ei wlad bum gwaith – yn erbyn Tonga yng Ngogledd Palmerston; Lloegr a Seland Newydd yn Brisbane; Awstralia yn Rotorua, ac Iwerddon yn Nulyn. Meddyliwch, pum cap, a phob un ar dir estron. Mae ei gymeriad hynaws, ei onestrwydd a'i boblogrwydd yn berffaith ar gyfer ei rôl gyda'r tîm.

Cyn-chwaraewr yw Stuart Gallacher. Ar ôl chwarae i Gymru yn erbyn Ffrainc ym 1970 ffarweliodd â'r Strade a phenderfynu chwarae'n broffesiynol. Erbyn hyn, fe yw Prif Weithredwr y clwb; un sy'n cynrychioli Cymru ar fwrdd Heineken Ewrop ac yn gweithio'n gydwybodol i geisio sicrhau dyfodol llewyrchus i'r Sgarlets.

Gwobrwyo rhaglen Llanelli – y gorau ym Mhrydain, 1992/93.
Roy Bergiers (yn y canol) yn anrhydeddu'r golygydd, Les Williams.
Ar y dde: Edward James (Llywydd y Clwb) – y gŵr a dawelodd John McEnroe yn Wimbledon.

61

Y theatr yn llawn

Diolch i'r cefnogwyr

Rwy wedi dweud sawl gwaith bod y maes chwarae yn debyg i theatr – y sêr yn perfformio ar y llwyfan a thîm o weithwyr pwysig y tu ôl i'r llenni. Ond beth yw theatr heb gynulleidfa? Nhw, y cefnogwyr brwd, sy'n cynnal y theatr; nhw sy'n ysbrydoli'r tîm; nhw sy'n creu y sêr. Mae tystiolaeth o hynny yn y lluniau ac yn sawl un o'r storïau yn y gyfrol hon.

Mae torf y Tanner Bank yn enwog am ei brwdfrydedd unllygeidiog a'i ffraethineb. Rhan o bleser cefnogi Llanelli yw bod yng nghwmni'r gwerinwyr gwybodus hyn. A braf yw gweld y gymysgaeth o oedran, yn ddynion a menywod – a phlant.

Yn hanesyddol mae hanner amser ar Barc y Strade yn dipyn o achlysur i'r cefnogwyr ifancaf yn y dorf. Wrth i chwiban y dyfarnwr ddod â'r deugain munud cyntaf i ben fe heidiai'r cryts ifanc i'r canol fel gwenyn at bot jam i wrando ar y *pep-talk* ac i gasglu llofnodion. Fe ganodd Ceri Wyn Jones gerdd am achlysur o'r fath pan wnaeth yntau gyffwrdd â chrys Phil Bennett. Dyma'r Prifardd, a Bardd Plant 2003/04, yn mynegi canfyddiad plentyn:

> Roedd pob un sosban yn lanach, rywsut,
> pob un crys yn gochach,
> a'i laswellt gymaint glasach
> pan dwtshes i Benni bach.

Mae rheolau diogelwch newydd yn golygu na all y traddodiad hwnnw barhau, mae'n debyg. Daeth y gwaharddiad i rym yn y gêm rhwng Llanelli a Chaeredin, 25 Medi 2004, ac fe ddangosodd y bobol ifanc beth o'n nhw'n feddwl o'r rheol drwy heidio ar y cae! Chwarae teg! Tybed a fydd modd sicrhau bod y traddodiad yn parhau yn y stadiwm newydd – o fewn y rheolau!

Fel y dwedodd Ceri Wyn Jones ar raglen radio un tro, 'Parc y Strade yw cartref ysbrydol y Cymry Cymraeg sy'n dilyn rygbi'. Parc y Strade yw Mecca'r gorllewin.

Ar hyd y blynyddoedd mae Cymreictod Clwb Rygbi Llanelli wedi bod yn rhan annatod o'i hunaniaeth. Pa glwb arall feiddiai gyfeirio at glwb rygbi'r Wasps fel 'Picwns Llundain' ar eu sgorfwrdd? Gyda 'Sosban Fach' bellach yn cael ei hystyried yn anthem ymhlith cefnogwyr selog y bêl hirgron ac 'Yma o Hyd' Dafydd Iwan yn croesawu chwaraewyr Llanelli i'r maes, mae'r arfer yn parhau. Ond mae lle hefyd i wella.

Prin iawn, ar y cyfan, yw'r defnydd o'r Gymraeg yn y rhaglen ar brynhawn

Sadwrn. Mewn ardal mor Gymreig, dylai fod 'na ddigon o gyfranwyr parod a gwybodus ar gael i sgrifennu erthyglau Cymraeg. Does 'na ddim ymdrech ar ran y Clwb, ychwaith, i gyhoeddi'r timau a'r sgorwyr yn Gymraeg.

Meddai'r bardd WR Evans yn ei hunangofiant, yn nhafodiaith hyfryd Sir Benfro:

> Ma' pwer o ddŵr berw Hen Wlad 'y Nhade
> In sosban Llanelli ar Barc y Strade.

R'yn ni'n mynd i golli'r Strade a chael stadiwm newydd. Ydyn ni'n mynd i golli'r Sosban yn berwi dŵr 'Hen Wlad fy Nhadau'?

Fel y dywed Gareth Charles yn ei gyflwyniad i'r gyfrol hon, bydd y theatr yn newydd ond yr un fydd y freuddwyd. Rhaid sicrhau mai'r un fydd yr ysbryd – ar y llwyfan, y tu ôl i'r llenni ac yn yr awditoriwm – gyda'r iaith, yn ogystal â'r llwyddiant ar y maes, yn parhau, a'r geiriau 'Yma o hyd' yn dal i atseinio yng nghlustiau'r selogion.